suhrkamp taschenbuch
wissenschaft 422

Jürgen Habermas, geb. 1929, hat von 1961 bis 1964 in Heidelberg Philosophie, von 1964 bis 1971 in Frankfurt am Main Philosophie und Soziologie gelehrt. Von 1971 bis 1983 war er Direktor am Max-Planck-Institut zur Erforschung der Lebensbedingungen der wissenschaftlich-technischen Welt in Starnberg. Seit 1983 lehrt er wieder an der Johann Wolfgang Goethe-Universität in Frankfurt.
Publikationen u. a.: *Student und Politik* (gemeinsam mit L. v. Friedeburg, Ch. Oehler und F. Weltz), 1961; *Strukturwandel der Öffentlichkeit*, 1962; *Theorie und Praxis*, 1963; *Erkenntnis und Interesse*, 1968; *Technik und Wissenschaft als Ideologie*, 1968; *Protestbewegung und Hochschulreform*, 1969; *Zur Logik der Sozialwissenschaften*, 1970, erweiterte Ausgabe 1982; *Theorie der Gesellschaft oder Sozialtechnologie – Was leistet die Systemforschung* (zusammen mit Niklas Luhmann), 1971; *Philosophisch-politische Profile*, 1971, erweiterte Ausgabe 1981; *Legitimationsprobleme im Spätkapitalismus*, 1973; *Zur Rekonstruktion des Historischen Materialismus*, 1976; (Hrsg.) *Stichworte zur ›Geistigen Situation der Zeit‹*, 1980; *Kleine politische Schriften I–IV*, 1981; *Theorie des kommunikativen Handelns*, 1981; *Vorstudien und Ergänzungen zur Theorie des kommunikativen Handelns*, 1984; *Der philosophische Diskurs der Moderne*, 1985; *Die Neue Unübersichtlichkeit*, 1985.

Jürgen Habermas
Moralbewußtsein und kommunikatives Handeln

Suhrkamp

CIP-Titelaufnahme der Deutschen Bibliothek
Habermas, Jürgen:
Moralbewußtsein und kommunikatives Handeln/
Jürgen Habermas. – 4. Aufl. – Frankfurt am Main:
Suhrkamp, 1991
(Suhrkamp-Taschenbuch Wissenschaft ; 422)
ISBN 3-518-28022-8
NE: GT

suhrkamp taschenbuch wissenschaft 422
Erste Auflage 1983

Suhrkamp Taschenbuch Verlag
Satz und Druck: Wagner GmbH, Nördlingen
Printed in Germany
Umschlag nach Entwürfen von
Willy Fleckhaus und Rolf Staudt

4 5 6 7 8 9 – 96 95 94 93 92 91

Inhalt

*Karl-Otto Apel zur Vollendung des sechsten Lebensjahrzehnts –
mit Dank für drei Jahrzehnte der Belehrung.*

Vorwort

Die vier Beiträge dieses Bandes sind aus verschiedenen Anlässen entstanden, bilden aber einen sachlichen Zusammenhang.

Im ersten Beitrag entwickle ich Thesen zu einer Arbeitsteilung zwischen philosophischen und empirischen Untersuchungen, die durch das Beispiel der genetischen Epistemologie von Jean Piaget angeregt worden sind. Im zweiten Beitrag dient Lawrence Kohlbergs Theorie der moralischen Entwicklung als Modellfall, an dem ich das Ineinandergreifen kausaler Erklärungen und hypothetischer Nachkonstruktionen klar zu machen versuche. Der dritte Beitrag war ursprünglich für die Festschrift für Karl-Otto Apel bestimmt; er soll den diskursethischen Ansatz weiter klären helfen. Schließlich wäre ich dankbar, wenn der Titelaufsatz als Ausdruck des guten Willens verstanden würde, die vorgeschlagene Arbeitsteilung (von der einen Seite aus) zu praktizieren.

Die Widmung erklärt sich von selbst: unter den lebenden Philosophen hat die Richtung meiner Gedanken niemand nachhaltiger bestimmt als Karl-Otto Apel.

Frankfurt am Main, im Mai 1983 J. H.

I. Die Philosophie als Platzhalter und Interpret*

Die Meisterdenker sind in Verruf geraten. Das gilt für Hegel schon seit langem. Popper hat ihn in den 40er Jahren als Feind der offenen Gesellschaft entlarvt. Dasselbe gilt, immer wieder einmal, für Marx. Zuletzt haben sich in den 70er Jahren die Neuen Philosophen von ihm als einem falschen Propheten losgesagt. Heute wird sogar Kant von diesem Schicksal ereilt. Wenn ich recht sehe, wird er zum ersten Mal als Meisterdenker behandelt, d. h. als der Magier eines falschen Paradigmas, dessen intellektuellem Zwang wir uns entwinden müssen. Hier mag die Zahl derer überwiegen, für die Kant Kant geblieben ist. Ein Blick über die Mauer belehrt uns aber darüber, daß Kants Reputation verblaßt – und auf Nietzsche, wieder einmal, übergeht.

Kant hat tatsächlich einen neuen Modus der Begründung in die Philosophie eingeführt. Kant hat den in der zeitgenössischen Physik erzielten Erkenntnisfortschritt als eine bedeutsame Tatsache betrachtet, die den Philosophen nicht als etwas in der Welt Vorkommendes, sondern als Bestätigung der menschlichen Erkenntnismöglichkeiten zu interessieren habe. Die Physik Newtons bedarf nicht in erster Linie einer empirischen Erklärung, sondern der Erklärung im Sinne einer transzendentalen Antwort auf die Frage: wie Erfahrungserkenntnis überhaupt möglich ist. *Transzendental* nennt Kant eine Untersuchung, die sich auf die Bedingungen apriori der Möglichkeit von Erfahrung richtet. Dabei geht es ihm um den Nachweis, daß die Bedingungen möglicher Erfahrung identisch sind mit den Bedingungen der Möglichkeit der Objekte der Erfahrung. Die erste Aufgabe besteht also in der Analyse unserer immer schon intuitiv verwendeten Begriffe von Gegenständen überhaupt. Diese Art der Erklärung hat den Charakter einer nicht-empirischen Nachkonstruktion jener vorgängigen Leistungen eines erkennenden Subjekts, zu denen es keine

* Vortrag anläßlich eines von der Internationalen Hegel-Vereinigung veranstalteten Kongresses zum Vergleich zwischen transzendentalen und dialektischen Begründungsweisen, Stuttgart, Juni 1981

Alternative gibt: keine Erfahrung soll unter *anderen* Voraussetzungen als möglich gedacht werden können. Der transzendentalen Begründung liegt also nicht die Idee einer Ableitung aus Prinzipien zugrunde; vielmehr die Idee, daß wir uns der Nicht-Substituierbarkeit bestimmter, intuitiv immer schon nach Regeln vollzogenen Operationen vergewissern können.

Nun ist Kant als Meisterdenker in Verruf geraten, weil er mit Hilfe transzendentaler Begründungen eine neue Disziplin, die Erkenntnistheorie geschaffen hat. Damit hat er nämlich die Aufgabe, oder besser den Beruf der Philosophie auf eine neue, und zwar anspruchsvolle Weise definiert. Es sind vor allem zwei Aspekte, unter denen uns diese Berufung des Philosophen zweifelhaft geworden ist.

Unmittelbar hängt der Zweifel mit dem Fundamentalismus der Erkenntnistheorie zusammen. Wenn sich die Philosophie eine Erkenntnis *vor* der Erkenntnis zutraut, legt sie zwischen sich und die Wissenschaften eine eigene Domäne und übt dank ihrer Herrschaftsfunktionen aus. Indem sie die Fundamente der Wissenschaften ein für allemal zu klären, die Grenzen des Erfahrbaren ein für allemal zu definieren beansprucht, weist die Philosophie den Wissenschaften ihren Platz an. Es scheint, als sei sie mit dieser Rolle eines Platzanweisers überfordert.

Damit aber nicht genug. Die Transzendentalphilosophie erschöpft sich nicht in Erkenntnistheorie. Die Kritik der reinen Vernunft übernimmt mit der Analyse der Grundlagen der Erkenntnis auch die Aufgabe einer Kritik des Mißbrauchs unseres auf Erscheinungen zugeschnittenen Erkenntnisvermögens. Kant setzt anstelle des substantiellen Vernunftbegriffes der metaphysischen Überlieferung den Begriff einer in ihre Momente auseinandergetretenen Vernunft, deren Einheit nurmehr formalen Charakter hat. Kant trennt die Vermögen der praktischen Vernunft und der Urteilskraft von theoretischer Erkenntnis und stellt jedes von ihnen auf eigene Fundamente. Damit weist er der Philosophie die Rolle eines obersten Richters auch gegenüber der Kultur im ganzen zu. Indem die Philosophie, wie Max Weber später sagen wird, die kulturellen Wertsphären von Wissenschaft und Technik, Recht und Moral, Kunst und Kunstkritik allein nach formalen Merkmalen voneinander abgrenzt und innerhalb ihrer Grenzen zugleich legitimiert, gebärdet sie sich als oberste gerichtliche Instanz nicht nur gegenüber den Wissenschaften, sondern gegenüber der Kultur im ganzen[1].

Es besteht also ein Zusammenhang zwischen der *fundamentalistischen* Erkenntnistheorie, die der Philosophie die Rolle eines *Platzanweisers* für die Wissenschaften einbringt, und einem der Kultur im ganzen übergestülpten *ahistorischen* Begriffssystem, welchem die Philosophie die nicht minder zweifelhafte Rolle eines *Richters* verdankt, der über die Hoheitsgebiete von Wissenschaft, Moral und Kunst zu Gericht sitzt. Ohne die transzendentalphilosophische Vergewisserung der Fundamente des Erkennens hinge auch die Vorstellung in der Luft, »der Philosoph könne *questiones juris* hinsichtlich der Ansprüche der übrigen Kultur zur Entscheidung bringen ... Geben wir den Gedanken auf, daß der Philosoph etwas über das Erkennen erkennen kann, was kein anderer ebensogut zu erkennen vermag, so bedeutet dies, daß wir nicht mehr davon ausgehen, daß seine Stimme beanspruchen kann, von den anderen Teilnehmern des Gesprächs als die zunächst und zuletzt anzuhörende vernommen zu werden. Es würde gleichfalls bedeuten, daß wir nicht mehr daran glauben, daß es so etwas wie eine ›philosophische Methode‹ gibt, die es den professionellen Philosophen *ex officio* ermöglicht, beispielsweise über die Respektabilität der Psychoanalyse, die Legitimität zweifelhafter Gesetze, die Auflösung moralischer Konflikte, die ›Fundiertheit‹ der Beiträge historiographischer Schulen oder literarischer Kritiken und dergleichen interessante Ansichten zu haben.«[2]

In seiner eindrucksvollen »Kritik der Philosophie« breitet R. Rorty metaphilosophische Argumente aus, die uns daran zweifeln lassen, ob die Philosophie die ihr vom Meisterdenker Kant zugedachten Rollen des Platzanweisers und des Richters tatsächlich ausfüllen kann. Weniger überzeugt mich die Konsequenz, die Rorty daraus zieht: die Behauptung, daß sich die Philosophie mit der Preisgabe jener beiden Rollen auch der Aufgabe eines »Hüters der Rationalität« entledigen müsse. Die Philosophie soll, wenn ich Rorty recht verstehe, für ihre neue Bescheidenheit mit dem Vernunftanspruch bezahlen, mit dem doch das philosophische Denken selber zur Welt gekommen ist. Mit dem Absterben der Philosophie soll auch die Überzeugung vergehen, daß die transzendierende Kraft, die wir mit der Idee des Wahren oder des Unbedingten verbinden, eine notwendige Bedingung für humane Formen des Zusammenlebens ist.

In Kants Begriff einer formalen und in sich differenzierten Vernunft ist eine Theorie der Moderne angelegt. Diese ist gekennzeichnet durch den Verzicht auf die substantielle Rationalität der überlieferten religiösen und metaphysischen Weltdeutungen einerseits und andererseits durch das Vertrauen in eine prozedurale Rationalität, der unsere gerechtfertigten Auffassungen, ob nun auf dem Gebiet der objektivierenden Erkenntnis, der moralisch-praktischen Einsicht oder der ästhetischen Beurteilung, ihren Anspruch auf Gültigkeit entlehnen. Ich frage mich nun: sollte dieser oder ein ähnlicher Begriff der Moderne wirklich stehen und fallen mit den fundamentalistischen Begründungsforderungen der Erkenntnistheorie?

Im folgenden will ich nur eine Geschichte erzählen, in der Rortys Kritik der Philosophie ihren Platz findet. Auf diesem Wege läßt sich gewiß die Kontroverse nicht schlichten, aber vielleicht in einigen ihrer Voraussetzungen erhellen. Ich beginne mit Hegels Kritik am Kantischen Fundamentalismus; sie setzt an die Stelle des transzendentalen Begründungsmodus einen anderen, den dialektischen (1). Dann werde ich der Kritik an diesen beiden Begründungsweisen folgen; und zwar zunächst der Selbstkritik, die auf einer Kantischen und einer Hegelschen Linie verläuft (2); sodann jener radikaleren, gleichzeitig gegen Kant *und* Hegel gerichteten Kritik, wie sie vom Pragmatismus und der hermeneutischen Philosophie vorgetragen worden ist (3). Auf diese Situation antworten einige, und nicht die unbedeutendsten Philosophen in der Weise, daß sie den von der Philosophie bis dahin aufrechterhaltenen Vernunftanspruch liquidieren (4). Demgegenüber möchte ich schließlich die These verteidigen, daß die Philosophie, auch wenn sie sich aus den problematischen Rollen des Platzanweisers und des Richters zurückzieht, ihren Vernunftanspruch in den bescheideneren Funktionen eines Platzhalters und eines Interpreten wahren kann – und wahren sollte (5).

(1) Die dialektische Begründungsweise verdankt sich Hegels Auseinandersetzung mit der transzendentalen. Für meine kursorische Betrachtung muß es genügen, daran zu erinnern, daß Hegel zunächst in den Vorwurf einstimmt, Kant habe die reinen Verstandesbegriffe in der Tafel der Urteilsformen bloß vorgefunden und »historisch aufgerafft«, ohne sie zu begründen. Er bleibe den Beweis dafür schuldig, daß die Bedingungen apriori der Möglichkeit der Erfahrung »notwendig« sind. Der Hegel der »Phänomenologie« will diesen Mangel durch eine genetische Betrachtung

beheben. Er entdeckt in der transzendentalen Reflexion, die Kant als einmalige kopernikanische Wendung erschienen war, den Mechanismus einer Umkehr des Bewußtseins, der in der Entstehungsgeschichte des Geistes immer wieder in Funktion tritt. Am Subjekt, das seiner selbst bewußt wird und dem dabei eine Gestalt des Bewußtseins nach der anderen zerbricht, vollzieht sich die Erfahrung, daß das, was ihm zunächst als An-sich-Seiendes entgegentritt, nur in den Formen zum Inhalt werden kann, die es selber dem Objekt zuvor mitgeteilt hat. Die Erfahrung des Transzendentalphilosophen wiederholt sich naturwüchsig im Für-Es-Werden des Ansich. Dialektisch nennt Hegel die Rekonstruktion der Verarbeitung dieser wiederholten Erfahrung, aus der immer komplexere Strukturen hervorgehen – und am Ende nicht nur *die* Bewußtseinsgestalt, die Kant untersucht hatte, sondern das selbständig gewordene, eben das absolute Wissen, das es dem Phänomenologen Hegel erlaubt, der Genese der von Kant bloß vorgefundenen Bewußtseinsstrukturen beizuwohnen.

Allerdings setzt sich Hegel einem ähnlichen Einwand aus wie dem, den er gegen Kant erhoben hatte. Die Rekonstruktion der Folge der Gestalten des Bewußtseins ist ja noch kein Beweis für die immanente Notwendigkeit, mit der *angeblich* eine aus der anderen hervorgeht. Dieses Desiderat muß Hegel mit anderen Mitteln, eben in Form einer Logik erfüllen; damit begründet er freilich einen Absolutismus, mit dem er die Kantischen Zumutungen an die Philosophie noch überbietet. Der Hegel der »Logik« stellt die Philosophie vor die Aufgabe, die in den Wissenschaften ausgebreiteten Inhalte enzyklopädisch auf den Begriff zu bringen. Gleichzeitig macht Hegel die Theorie der Moderne, die im Kantischen Vernunftbegriff nur angelegt war, explizit und entwickelt sie zu einer Kritik an den Entzweiungen einer mit sich selbst zerfallenden Moderne. Das wiederum verleiht der Philosophie gegenüber dem Ganzen der Kultur eine Rolle von aktueller und welthistorischer Bedeutung. So ziehen Hegel, und noch mehr seine Schüler, jenen Verdacht auf sich, aus dem sich das Bild des Meisterdenkers allererst geformt hat[3].

Aber die metaphilosophische Kritik an den Meisterdenkern, ob sie sich nun gegen Hegels Absolutismus oder gegen Kants Fundamentalismus richtet, ist ein spätes Produkt. Sie geht in den Spuren einer Selbstkritik, die die Nachfolger Kants und Hegels seit langem geübt haben. Ich möchte an zwei Linien der Selbstkritik kurz erinnern, weil sich beide auf eine, wie mir scheint, produktive Weise ergänzen.

(2) Die Linie der Kritik am Kantischen Transzendentalismus läßt sich sehr grob durch die analytische Position von Strawson, die konstruktivistische von Lorenzen und die kritizistische von Popper kennzeichnen. Die *analytische Rezeption* des Kantischen Ansatzes entledigt sich des Letztbegründungsanspruches. Sie verzichtet von Anbeginn auf das Ziel, das Kant mit der Deduktion der reinen Verstandesbegriffe aus der Einheit des Selbstbewußtseins zu erreichen hoffte, und beschränkt sich darauf, die Begriffe und Regeln zu erfassen, die jeder in elementaren Aussagen darstellbaren Erfahrung zugrundeliegen sollen. Die Analyse richtet sich auf allgemeine und unerläßliche konzeptuelle Bedingungen möglicher Erfahrung. Ohne einen Beweis für die objektive Gültigkeit dieser Grundbegriffe und Präsuppositionen anzustreben, hält diese Art von Analyse gleichwohl einen universalistischen Anspruch aufrecht. Damit dieser eingelöst werden kann, wird die transzendentale Begründungsstrategie im Sinne eines Testverfahrens umfunktioniert. Zu dem hypothetisch rekonstruierten Begriffssystem, das der Erfahrung überhaupt zugrundeliegen soll, darf es, wenn es gültig ist, keine verständliche Alternative geben. Dann muß sich aber jedesmal, wenn ein Alternativvorschlag gemacht wird, zeigen lassen, daß dieser immer schon Teile der von ihm bestrittenen Hypothese in Anspruch nimmt. Ein solches Argumentationsverfahren zielt auf den Nachweis der Nichtverwerfbarkeit der als fundamental ausgezeichneten Begriffe und Voraussetzungen. In dieser Version übernimmt der bescheiden gewordene Transzendentalphilosoph zugleich die Rolle des Skeptikers, der versucht, falsifizierende Gegenbeispiele zu produzieren[4]; er benimmt sich, mit anderen Worten, wie ein hypothesenprüfender Wissenschaftler.

Die *konstruktivistische Position* versucht, das aus der Sicht der Transzendentalphilosophie nunmehr entstandene Begründungsdefizit auf andere Weise auszugleichen. Sie gesteht von vornherein den konventionellen Charakter der grundbegrifflichen Organisation unserer Erfahrung zu, macht sich aber die Mittel einer konstruktivistischen Sprachkritik für eine Erkenntniskritik zunutze[5]. Als begründet gelten dann die Konventionen, die auf durchsichtige Weise erzeugt werden; dadurch werden die Fundamente der Erkenntnis eher gelegt als freigelegt.

Die *kritizistische Position* scheint mit dem Transzendentalismus vollends zu brechen. Aus dem Münchhausen-Trilemma zwischen Zirkel, unendlichem Regreß und Rekurs auf letzte Gewißheiten[6] soll nur der Verzicht auf Begründungsfundamente überhaupt herausführen können. Die Idee der Begründung wird durch die der kritischen Prüfung ersetzt. Nun ist aber auch die zum Begründungsäquivalent erhobene Kritik ein Verfahren, dessen wir uns nicht voraussetzungslos bedienen können. Deshalb kehrt mit der Diskussion über die nicht-verwerfbaren Regeln der Kritik eine schwache Version des Kantischen Begründungsmodus in die inneren Höfe des Kritizismus zurück[7].

Auf der Linie des Hegelianismus laufen die Schübe der Selbstkritik in gewisser Hinsicht parallel. Man könnte sich diese Positionen verdeutlichen an der materialistischen Erkenntniskritik des jungen Lukacs, der den Begründungsanspruch der Dialektik von der Natur abzieht und auf die von Menschen gemachte Welt eingrenzt; ferner am Praktizismus eines Karl Korsch oder Hans Freyer, die das klassische Verhältnis von Theorie und Praxis auf den Kopf stellen und die Rekonstruktion der gesellschaftlichen Entwicklung an die interessierte Perspektive der Herstellung eines künftigen Gesellschaftszustandes binden; und schließlich am Negativismus von Adorno, der in einem umfassenden entwicklungslogischen Zusammenhang nur noch die Bestätigung dafür sieht, das sich der Zauber einer zur gesellschaftlichen Totalität aufgespreizten instrumentellen Vernunft nicht mehr lösen läßt.

Ich will auf diese Positionen hier nicht eingehen. Interessanterweise laufen aber die *beiden* Linien der Kritik auf weiten Strecken parallel. Ob nun die Selbstkritik mit dem Zweifel an Kants transzendentaler Deduktion oder mit dem Zweifel an Hegels Übergang zum absoluten Wissen einsetzt, sie richtet sich beide Male gegen den Anspruch, daß die kategoriale Ausstattung bzw. das Entwicklungsmuster der Formierung des menschlichen Geistes als *notwendig* erwiesen werden kann. Sodann vollziehen der Konstruktivismus auf der einen und der Praktizismus auf der anderen Seite dieselbe Wendung von der rationalen Nachkonstruktion zu einer herstellenden Praxis, die dann den theoretischen Nachvollzug dieser Praxis ermöglichen soll. Schließlich berühren sich Kritizismus und Negativismus darin, daß sie die transzendentalen und dialektischen Erkenntnismittel zurückweisen, indem sie sich ihrer paradoxerweise bedienen. Man kann diese beiden radikalen

Versuche einer Negation auch so verstehen, daß sich die beiden Begründungsmodi eben nicht ohne Selbstwiderspruch abschaffen lassen.

Dieser Vergleich zwischen den parallel laufenden Versuchen, die transzendentalen und dialektischen Begründungsansprüche selbstkritisch einzuschränken, legt die Frage nahe: ob sich die Ermäßigungen für beide Begründungsprogramme bloß addierten, indem sie die begründungsskeptischen Vorbehalte verstärken, oder ob nicht gerade das Zurückstecken von Beweiszielen auf beiden Seiten eine Bedingung dafür ist, daß die reduzierten Begründungsstrategien einander ergänzen können, statt sich wie bisher gegenüberzustehen. Dafür scheint mir der genetische Strukturalismus von Jean Piaget ein, auch für Philosophen und solche, die es bleiben möchten, lehrreiches Modell zu bieten. Piaget begreift die »reflektierende Abstraktion« als den Lernmechanismus, der für die Ontogenese den Übergang von einer Stufe der Kognition zur nächsten erklären kann, wobei die kognitive Entwicklung auf ein dezentriertes Weltverständnis zuläuft. Die reflektierende Abstraktion ähnelt der transzendentalen Reflexion darin, daß sie die zunächst im Erkenntnis*inhalt* verborgenen *formalen* Elemente als die Handlungsschemata des erkennenden Subjekts zu Bewußtsein bringt, differenziert und auf der nächst höheren Reflexionsstufe rekonstruiert. Zugleich hat dieser Lernmechanismus eine ähnliche Funktion wie bei Hegel die Kraft jener Negation, die die Gestalten des Bewußtseins, sobald diese mit sich selbst in Widerspruch geraten, dialektisch aufhebt[8].

(3) Nun halten die sechs Positionen, die ich in der Kant- und Hegelnachfolge erwähnt habe, an einem, wie auch immer vorsichtig bemessenen Vernunftanspruch fest – das unterscheidet Popper und Lakatos von Feyerabend; Horkheimer und Adorno von Foucault. Sie *sagen* noch etwas über die Bedingungen der Unvermeidlichkeit eines transzendierenden, über *alle* lokalen und temporalen Beschränkungen hinausweisenden Anspruchs auf die Gültigkeit derjenigen Meinungen, die wir für gerechtfertigt halten. Es ist dieser Vernunftanspruch, den nun die Kritik an den Meisterdenkern in Frage stellt. Diese ist nämlich in Wahrheit ein Plädoyer für die Verabschiedung der Philosophie. Um diese radikale Wendung verständlich zu machen, muß ich auf eine andere Kritik eingehen, die sich im selben Atemzug gegen Kant *und* Hegel kehrt.

Die *pragmatistische* und die *hermeneutische Philosophie* setzen tatsächlich den Zweifel an den Begründungs- und Selbstbegründungsansprüchen des philosophischen Denkens tiefer an als jene Kritiker in der Nachfolge Kants und Hegels. Sie verlassen nämlich den Horizont, in dem sich die Bewußtseinsphilosophie mit ihrem an der Wahrnehmung und der Vorstellung von Gegenständen orientierten Erkenntnismodell bewegt. An die Stelle des einsamen Subjekts, das sich auf Gegenstände richtet und das in der Reflexion sich selbst zum Gegenstand macht, tritt nicht nur die Idee einer sprachlich vermittelten und auf Handeln bezogenen Erkenntnis, sondern der Nexus der Alltagspraxis und der Alltagskommunikation, in den die von Haus aus intersubjektiven und zugleich kooperativen Erkenntnisleistungen eingebettet sind. Ob dieser Nexus als Lebensform oder Lebenswelt, als Praxis oder sprachlich vermittelte Interaktion, als Sprachspiel oder Gespräch, als kultureller Hintergrund, Tradition oder Wirkungsgeschichte thematisiert wird, entscheidend ist, daß alle diese Commonsense-Begriffe nun einen Rang erhalten, der bisher den epistemologischen Grundbegriffen vorbehalten war, ohne daß sie freilich in derselben Weise wie diese funktionieren sollen. Die Dimensionen des Handelns und des Sprechens sollen der Kognition nicht einfach vorgeordnet werden. Zielgerichtete Praxis und sprachliche Kommunikation übernehmen vielmehr eine *andere* begriffsstrategische Rolle, als sie der Selbstreflexion in der Bewußtseinsphilosophie zugefallen war. Sie haben Begründungsfunktionen nur noch insofern, als mit ihrer Hilfe das Bedürfnis nach der Kenntnis von Fundamenten als ungerechtfertigt abgewiesen wird.

Ch. S. Peirce bezweifelt die Möglichkeit eines radikalen Zweifels in derselben Absicht wie Dilthey die Möglichkeit eines neutralen Verstehens. Probleme drängen sich immer nur in bestimmten Situationen auf; sie kommen als etwas gewissermaßen Objektives auf uns zu, weil wir über das Ganze unserer praktischen Lebenszusammenhänge nicht nach Belieben verfügen können. Ähnlich Dilthey. Einen symbolischen Ausdruck verstehen wir nicht ohne das intuitive Vorverständnis seines Kontextes, weil wir das fraglos präsente Hintergrundwissen unserer Kultur nicht freihändig in explizites Wissen verwandeln können. Jede Problemlösung und jede Interpretation hängt von einem unübersichtlichen Netz von Voraussetzungen ab; und dieses Netz kann ihres zugleich holistischen und partikularistischen Charakters wegen von einer aufs Allgemeine zielenden Analyse nicht eingeholt werden. Dies ist die Linie der Argumentation, auf der auch der Mythos des Gegebenen, also die Unterscheidungen zwischen Sinnlichkeit und Verstand, Anschauung und Begriff, Form und Inhalt, ebenso der Kritik verfallen wie die Unterscheidungen zwischen analytischen und synthetischen Urteilen, zwischen Apriori und Aposteriori. Diese Verflüssigung der Kantischen Dualismen erinnert noch an Hegels Metakritik; der damit verbundene Kontextualismus und Historismus schneidet aber auch den Rückweg zu Hegel ab.

Der Gewinn der pragmatistischen und hermeneutischen Einsichten ist unverkennbar. Die Orientierung an Bewußtseinsleistungen wird preisgegeben zugunsten einer Ausrichtung an Objektivationen des Handelns und Sprechens. Die Fixierung an die Erkenntnisfunktion des Bewußtseins und an die Darstellungsfunktion der Sprache, an die visuelle Metaphorik des »Spiegels der Natur«, wird preisgegeben zugunsten eines Konzepts gerechtfertigter Meinungen, das sich mit Wittgenstein und Austin über die ganze Breite der illokutionären Kräfte, also auf alles erstreckt, was gesagt werden kann – und nicht nur auf die Inhalte der tatsachenfeststellenden Rede. »Sagen, wie sich etwas verhält« wird damit zum speziellen Fall von »etwas sagen«[9].

Aber sind diese Einsichten nur mit einer Deutung des Pragmatismus und der hermeneutischen Philosophie vereinbar, die den Verzicht auf den Vernunftanspruch des philosophischen Denkens und damit die Verabschiedung der Philosophie selber nahelegt – oder kennzeichnen jene Einsichten ein neues Paradigma, das zwar das mentalistische Sprachspiel der Bewußtseinsphilosophie ablöst, nicht aber die selbstkritisch angeeigneten und ermäßigten Begründungsmodi der Bewußtseinsphilosophie außer Kraft setzt? In Ermangelung schlagender und vor allem einfacher Argumente kann ich diese Frage nicht direkt beantworten; ich weiche noch einmal in die narrative Darstellung aus.

(4) Marx wollte die Philosophie *aufheben*, um sie zu verwirklichen – er war von dem Wahrheitsgehalt der Hegelschen Philosophie so sehr überzeugt, daß er die handgreiflichen, von Hegel geleugneten Diskrepanzen zwischen Begriff und Wirklichkeit als unerträglich empfand. Etwas ganz anderes verbindet sich heute mit dem Gestus der *Verabschiedung* der Philosophie.

Der Abschied von der Philosophie vollzieht sich zur Zeit in drei mehr oder weniger auffälligen Formen. Ich will sie einfachheitshalber die therapeutische, die heroische und die salvatorische Form der Verabschiedung nennen.

Wittgenstein hat uns in den Begriff einer *therapeutisch* gegen sich gerichteten Philosophie eingeübt. Die Philosophie selbst ist die Krankheit, die sie einmal heilen sollte. Die Philosophen haben die Sprachspiele, die im Alltag funktionieren, durcheinander gebracht. So läßt eine sich selbst zum Verschwinden bringende Philosophie am Ende alles, wie es ist; denn die Maßstäbe ihrer Kritik entnimmt sie den selbstgenügsamen, praktisch eingespielten Lebensformen, in denen sie sich vorfindet. Wenn es einen Nachfolger für die verabschiedete Philosophie geben sollte, dann ist die kulturanthropologische Feldforschung der aussichtsreichste Kandidat: die Geschichte der Philosophie wird sich ihr dereinst darstellen als das schwerverständliche Treiben der sogenannten Philosophen – eines merkwürdigen und glücklicherweise ausgestorbenen Stammes. (Vielleicht wird man eines Tages R. Rorty als den Thukydides einer solchen Forschungstradition feiern, die erst einsetzen konnte, nachdem Wittgensteins Therapie angeschlagen hatte.)

Im Vergleich zum quietistischen Abschied der therapeutisch eingestellten Philosophen nimmt sich die Zertrümmerung der Philosophie- und Geistesgeschichte, die George Bataille oder Heidegger ins Werk setzten, eher *heroisch* aus. Auch in dieser Sicht konzentrieren sich die falschen Denk- und Lebensgewohnheiten in den Hochformen der philosophischen Reflexion; aber die Verirrungen der Metaphysik und des verfügenden Denkens, die heute dekonstruiert werden müssen, erschöpfen sich nicht in biederen Kategorienfehlern, in Störungen der Alltagspraxis, sie haben epochalen Charakter. Dieser dramatischere Abschied von der Philosophie verspricht nicht einfach Heilung, sondern behält etwas vom Hölderlin-Pathos einer Rettung in größter Gefahr. Die entwertete philosophische Denkweise soll nicht *unterboten* werden, sie soll einem *anderen* Medium Platz machen, das den nicht-diskursiven Rückstieg ins Unvordenkliche der Souveränität oder des Seins ermöglicht.

Am unauffälligsten vollzieht sich die Verabschiedung der Philosophie in ihrer *salvatorischen* Form, wofür manche bedeutende interpretatorische Leistungen eines hermeneutisch gebrochenen

Neuaristotelismus Beispiele geben können. Freilich sind diese Beispiele keineswegs eindeutig, denn die erklärte Absicht zielt hier auf die Rettung alter Wahrheiten. Die Philosophie wird eher unter der Hand, und zwar im Namen ihrer Konservierung verabschiedet, das heißt: von systematischen Ansprüchen entlastet. Weder als Beitrag zu einer Diskussion über Sachen werden die Lehren der Klassiker vergegenwärtigt, noch als philologisch-historisch aufbereitetes Bildungsgut. Eine anverwandelnde Aneignung behandelt vielmehr Texte, die einmal Erkenntnisse darstellen sollten, als Quellen der Illumination und der Erwekkung.

Soweit sich die zeitgenössische Philosophie in diesen Formen abspielt, genügt sie einer Forderung, die sich aus der Kritik am Meisterdenker Kant, insbesondere am Fundamentalismus seiner Erkenntnistheorie ergeben hatte: sie beansprucht gegenüber den Wissenschaften gewiß nicht mehr die dubios gewordene Rolle eines Platzanweisers. Die nachstrukturalistischen, spätpragmatistischen, neuhistoristischen Richtungen tendieren zu einer engen, objektivistischen Wissenschaftsauffassung. Gegenüber einer Erkenntnis, die den Objektivitätsidealen der Wissenschaft verpflichtet ist, möchten sie vor allem Platz gewinnen für die Sphäre eines erhellenden oder erweckenden, jedenfalls nicht-objektivierenden Denkens, das sich der Orientierung an allgemeinen und kritisierbaren Geltungsansprüchen entledigt, das auf Konsensbildung im Sinne unstrittiger Resultate nicht mehr abzielt und aus dem Universum begründeter Auffassungen ausbricht, ohne auf die Autorität überlegener Einsichten verzichten zu wollen. Die Stellung, die die verabschiedende Philosophie gegenüber den Wissenschaften einnimmt, trifft sich mit der existentialistischen Arbeitsteilung, wie sie von Jaspers und Sartre bis zu Kolakowski propagiert worden ist: der Sphäre der Wissenschaft stehen gegenüber der philosophische Glaube, das Leben, die existentielle Freiheit, der Mythos, die Bildung usw. Alle diese Gegensätze haben die gleiche Struktur, auch wenn, was Max Weber die Kulturbedeutung der Wissenschaft genannt hat, mal negativer, mal positiver eingeschätzt wird. Die Philosophen des Kontinents neigen bekanntlich zur Dramatisierung der Gefahren des Objektivismus, während die angelsächsische Welt zur instrumentellen Vernunft eine gelassenere Beziehung unterhält.

Richard Rorty führt eine interessante Variante ein, indem er dem normalen Diskurs den nicht-normalen gegenüberstellt. Normalität erreichen die etablierten Wissenschaften in den Phasen anerkannter theoretischer Fortschritte; dann kennt man die Verfahren, nach denen Probleme gelöst, Streitfragen geschlichtet werden können. Solche Diskurse nennt Rorty kommensurabel – man kann sich auf konsenssichernde Maßstäbe verlassen. Inkommensurabel oder nicht-normal bleiben Diskurse, solange die Grundorientierungen umstritten sind. Wenn nun diese inkommensurablen Gespräche nicht mehr mit dem Ziel des Übergangs zur Normalität geführt werden, sondern vom Ziel der universalen Übereinstimmung abgehen und sich mit der Hoffnung auf »interessante und fruchtbare Nicht-Übereinstimmung« begnügen – sobald also die nicht-normalen Diskurse *sich selber genügen*, können sie die Qualitäten erlangen, die Rorty mit dem Wort »edifying« kennzeichnet. In diese bildenden Gespräche mündet auch die Philosophie ein, nachdem sie ihre Absicht, Probleme zu lösen, aufgegeben hat. In Rortys Version vereinigt sie dann gleichzeitig alle Tugenden, die sie sich durch einen therapeutisch entlastenden, einen heroisch überwindenden und einen hermeneutisch erwekkenden Abschied von der Philosophie erworben hat: die unauffällig subversive Kraft des Müßiggangs verbindet sich dann mit elitärer sprachschöpferischer Phantasie und der Weisheit der Tradition. Der Wunsch nach Bildung geht freilich auf Kosten des Wunsches nach Wahrheit: »Bildende Philosophen werden die Philosophie nicht zu einem Ende bringen können, sie können jedoch verhindern, daß sie auf dem sicheren Pfad einer Wissenschaft zu wandeln beginnt.«[10] Diese Rollenverteilung kann gewiß insoweit auf *Sympathie* rechnen, wie sie die Philosophie von den Zumutungen eines höchsten Richteramtes in Sachen Wissenschaft und Kultur befreit. Ich finde sie gleichwohl nicht *überzeugend*, weil sich auch eine pragmatistisch und hermeneutisch über ihre Grenzen belehrte Philosophie in bildenden Gesprächen *jenseits* der Wissenschaften gar nicht wird aufhalten können, ohne alsbald wieder in den Sog der Argumentation, d. h. der begründenden Rede hineinzugeraten.

Daß die existentialistische, oder sagen wir: exklusive Arbeitsteilung zwischen Philosophie und Wissenschaft nicht funktionieren kann, zeigt sich gerade an der diskurstheoretischen Fassung, die Rorty ihr gibt. Wenn sich die Gültigkeit von Auffassungen in letzter Instanz an nichts anderem bemessen kann als an einem argumentativ erzielten Einverständnis, dann steht eben *alles*, über dessen Gültigkeit wir überhaupt streiten können, auf einem schwankenden Fundament. Ob aber unter den Füßen von Argumentationsteilnehmern der Boden des rational motivierten Einverständnisses beim Meinungsstreit in der Physik etwas weniger erzittert als beim Meinungsstreit in der Moral und in der Ästhetik, ist, wie die postempiristische Wissenschaftstheorie zeigt, so sehr eine Frage des Grades, daß sich die Normalisierung von Diskursen nicht als trennscharfes Kriterium für die Unterscheidung zwischen Wissenschaft und philosophischem Bildungsgespräch anbietet.

(5) Für die Verteidiger der exklusiven Arbeitsteilung sind immer jene Forschungstraditionen anstößig gewesen, die das philosophische Element *innerhalb* der Wissenschaften besonders deutlich verkörpern. Marxismus und Psychoanalyse müssen schon deshalb Pseudowissenschaften sein, die sich einer hybriden Vermischung normaler und nicht-normaler Diskurse schuldig machen, weil sie sich der postulierten Arbeitsteilung nicht fügen – das ist bei Rorty nicht anders als bei Jaspers. Nach meiner Kenntnis der Geschichte der Sozialwissenschaften und der Psychologie sind aber diese beiden Ansätze nichts Untypisches; sie kennzeichnen ganz gut den Theorietypus, mit dem jeweils neue Forschungstraditionen begründet werden.

Was für Freud gilt, gilt in diesen Disziplinen für alle bahnbrechenden Theoretiker, beispielsweise für Durkheim, für G. H. Mead, für Max Weber, für Piaget und Chomsky. Sie alle haben, wenn das Wort überhaupt einen Sinn hat, einen genuin philosophischen Gedanken wie einen Sprengsatz in eine spezielle Forschungssituation eingeführt. Die symptombildende Funktion der Verdrängung, die solidaritätsstiftende Funktion des Heiligen, die identitätsbildende Funktion der Rollenübernahme, Modernisierung als gesellschaftliche Rationalisierung, Dezentrierung als Folge der reflektierenden Abstraktion von Handlungen, Spracherwerb als hypothesenbildende Aktivität – jedes dieser Stichworte steht für einen philosophisch zu entfaltenden Gedanken und gleichzeitig für eine empirisch bearbeitbare, aber universalistische Fragestellung. Daraus erklärt sich auch, warum gerade diese theoretischen Ansätze regelmäßig empiristische Gegenangriffe auf den Plan rufen. Das sind Zyklen der Wissenschaftsgeschichte, die keineswegs dafür sprechen, daß diese Disziplinen auf einen einheits-

Einheit verweisen wollten, die allerdings nur diesseits der Expertenkulturen wieder zu gewinnen ist, also im Alltag und nicht jenseits, in den Gründen und Abgründen der klassischen Vernunftphilosophie.

In der kommunikativen Alltagspraxis müssen kognitive Deutungen, moralische Erwartungen, Expressionen und Bewertungen einander ohnehin durchdringen. Die Verständigungsprozesse der Lebenswelt bedürfen deshalb einer kulturellen Überlieferung *auf ganzer Breite,* nicht nur der Segnungen von Wissenschaft und Technik. So könnte die Philosophie ihren Bezug zur Totalität in einer der Lebenswelt zugewandten Interpretenrolle aktualisieren. Sie könnte mindestens dabei helfen, das stillgestellte Zusammenspiel des Kognitiv-Instrumentellen mit dem Moralisch-Praktischen und dem Ästhetisch-Expressiven wie ein Mobile, das sich hartnäckig verhakt hat, wieder in Bewegung zu setzen[12]. Wenigstens läßt sich das Problem bezeichnen, vor dem eine Philosophie stehen wird, wenn sie die Rolle des kulturinspizierenden Richters zugunsten der eines vermittelnden Interpreten aufgibt. Wie können die als Expertenkulturen eingekapselten Sphären der Wissenschaft, der Moral und der Kunst geöffnet und, ohne daß deren eigensinnige Rationalität verletzt würde, so an die verarmten Traditionen der Lebenswelt angeschlossen werden, daß sich die auseinandergetretenen Momente der Vernunft in der kommunikativen Alltagspraxis zu einem neuen Gleichgewicht zusammenfinden?

Nun könnte die Kritik der Meisterdenker ein letztes Mal ihr Mißtrauen aufbieten und fragen, was denn Philosophen dazu berechtige, nicht nur im Inneren des Wissenschaftssystems an einigen Orten den Platz für anspruchsvolle Theoriestrategien freizuhalten, sondern nun auch noch nach außen ihre Übersetzerdienste anzubieten für eine Vermittlung zwischen der Alltagswelt und einer kulturellen Moderne, die sich in ihre autonomen Bereiche zurückgezogen hat. Ich denke, daß gerade die pragmatistische und die hermeneutische Philosophie diese Frage beantworten, indem sie der Gemeinschaft derer, die kooperieren und miteinander sprechen, epistemische Autorität zusprechen. Diese kommunikative Alltagspraxis ermöglicht eine an Geltungsansprüchen orientierte Verständigung – und dies als einzige Alternative zur mehr oder minder gewaltsamen Einwirkung aufeinander. Weil aber die Geltungsansprüche, die wir im Gespräch mit unseren Überzeu-

wissenschaftlichen Konvergenzpunkt zustreben; sie sprechen eher für ein Philosophischwerden der Humanwissenschaften als für einen Siegeszug objektivistischer Ansätze wie der Neurophysiologie, jenes merkwürdigen Lieblingskindes der analytischen Philosophen.

Natürlich kann man darüber bestenfalls suggestive Vermutungen anstellen. Wenn diese Perspektive nicht täuschen sollte, ist es aber nicht ganz abwegig zu fragen, ob nicht die Philosophie in Ansehung einiger Wissenschaften die unhaltbare Rolle des Platz*anweisers* mit der eines Platz*halters* vertauschen könnte – eines Platzhalters für empirische Theorien mit starken universalistischen Ansprüchen, zu denen die produktiven Köpfe in den Einzeldisziplinen immer wieder Anläufe gemacht haben. Das gilt vor allem für die rekonstruktiv verfahrenden Wissenschaften, die an das vortheoretische Wissen kompetent urteilender, handelnder und sprechender Subjekte, auch an überlieferte kulturelle Wissenssysteme anknüpfen, um die präsumtiv allgemeinen Grundlagen der Rationalität von Erfahrung und Urteil, Handlung und sprachlicher Verständigung zu klären. Dabei können die ermäßigten transzendentalen und dialektischen Begründungsweisen durchaus hilfreich sein; tragfähig sind sie ja nur noch für Rekonstruktionshypothesen, die sich für eine Weiterverarbeitung in empirischen Zusammenhängen eignen. Beispiele für eine solche Einbeziehung der Philosophie in die wissenschaftliche Kooperation beobachte ich überall dort, wo sich Philosophen als Zuarbeiter für eine Theorie der Rationalität betätigen, ohne fundamentalistische oder gar umarmend-absolutistische Ansprüche zu stellen. Sie arbeiten vielmehr in dem fallibilistischen Bewußtsein, daß sich, was sich die Philosophie einst im Alleingang zugetraut hatte, nurmehr von der glücklichen Kohärenz verschiedener theoretischer Fragmente erhoffen läßt.

Aus dem Blickwinkel meiner eigenen Forschungsinteressen sehe ich solche Kooperationen sich anbahnen zwischen Wissenschaftstheorie und Wissenschaftsgeschichte, zwischen der Theorie der Sprechakte und verschiedenen Ansätzen der empirischen Sprachpragmatik, zwischen der Theorie informeller Argumentationen und verschiedenen Ansätzen zur Erforschung natürlicher Argumentationen, zwischen kognitivistischen Ethiken und einer Psychologie der Entwicklung des moralischen Bewußtseins, zwischen philosophischen Handlungstheorien und der Erforschung der Ontogenese von Handlungskompetenzen.

Wenn es zutrifft, daß die Philosophie in eine solche nicht-exklusive Arbeitsteilung mit den Humanwissenschaften eintritt, setzt sie aber, so scheint es, ihre Identität erst recht aufs Spiel. R. Spaemann beharrt nicht ganz zu Unrecht darauf, »daß jede Philosophie einen praktischen und theoretischen Totalitätsanspruch stellt. Ihn nicht stellen, heißt, nicht Philosophie treiben«.[11] Gewiß, eine Philosophie, die sich, wenn auch arbeitsteilig, um die Klärung der rationalen Grundlagen von Erkennen, Handeln und Sprechen bemüht, wahrt immerhin einen thematischen Bezug zum Ganzen. Aber was wird aus der Theorie der Moderne, aus jenem Zugang zum Ganzen der Kultur, den sich Kant und Hegel mit ihrem sei es fundierenden oder verabsolutierenden Begriff der Vernunft gesichert hatten? Bis zu Husserls »Krisis der Europäischen Wissenschaften« hat ja die Philosophie aus ihrem obersten Richteramt auch Orientierungsfunktionen abgeleitet. Wenn sie nun die Rolle eines Richters in Sachen Kultur ebenso abgibt wie in Sachen Wissenschaft, begibt sie sich damit nicht doch des Totalitätsbezuges, auf den sie sich als »Hüter der Rationalität« müßte stützen können?

Allein, mit dem Ganzen der Kultur verhält es sich ähnlich wie mit den Wissenschaften: die Kultur bedarf keiner Begründung und keiner Einstufung. Sie hat nämlich in der Moderne seit dem 18. Jahrhundert diejenigen Rationalitätsstrukturen aus sich hervorgetrieben, die Max Weber mit Emil Lask als kulturelle Wertsphären vorfindet und beschreibt.

Mit der modernen Wissenschaft, mit dem positiven Recht und den prinzipiengeleiteten Profanethiken, mit einer autonom gewordenen Kunst und der institutionalisierten Kunstkritik haben sich drei Vernunftmomente auch ohne Zutun der Philosophie herauskristallisiert. Auch ohne Anleitung durch die Kritik der Vernunft lernen die Söhne und Töchter der Moderne, wie sie die kulturelle Überlieferung unter jeweils einem dieser Rationalitätsaspekte in Wahrheitsfragen, in Fragen der Gerechtigkeit oder des Geschmacks aufspalten und fortbilden. Das zeigt sich an interessanten Ausgliederungsprozessen. Die Wissenschaften stoßen nach und nach die Elemente von Weltbildern ab und leisten Verzicht auf eine Interpretation von Natur und Geschichte im Ganzen. Die kognitivistischen Ethiken scheiden die Probleme des guten Lebens aus und konzentrieren sich auf die streng deontischen,

verallgemeinerungsfähigen Aspekte, so daß vom Guten nur Gerechte übrigbleibt. Und eine autonom gewordene Kı drängt auf die immer reinere Ausprägung der ästhetischen Gru erfahrung, die die dekonzentrierte, aus den Raum- und Zeitstr turen des Alltags ausscherende Subjektivität im Umgang mit s selbst macht – die Subjektivität befreit sich hier von den Konv tionen der täglichen Wahrnehmung und der Zwecktätigkeit, den Imperativen der Arbeit und des Nützlichen.

Diese großartigen Vereinseitigungen, die die Signatur der M derne ausmachen, bedürfen nicht der Fundierung und der Rec fertigung; aber sie erzeugen Probleme der Vermittlung. Wie ka die in ihre Momente auseinandergetretene Vernunft innerhalb kulturellen Bereiche ihre Einheit wahren, und wie können Expertenkulturen, die sich in esoterische Hochformen zurückg zogen haben, einen Zusammenhang mit der kommunikativ Alltagspraxis erhalten? Ein philosophisches Denken, das sich vo Thema der Rationalität noch nicht abgewendet, von einer Analy der Bedingungen des Unbedingten noch nicht dispensiert h sieht sich diesem doppelten Bedürfnis nach Vermittlung konfro tiert.

Vermittlungsprobleme stellen sich zunächst innerhalb der Sph ren von Wissenschaft, Moral und Kunst. Hier entstehen Gege bewegungen. So bringen die nicht-objektivistischen Forschung ansätze innerhalb der Humanwissenschaften, ohne den Prim der Wahrheitsfragen zu gefährden, auch Gesichtspunkte der mo ralischen und der ästhetischen Kritik zur Geltung. So bringt di Diskussion über Verantwortungs- und Gesinnungsethik und di stärkere Berücksichtigung utilitaristischer Motive innerhalb uni versalistischer Ethiken Gesichtspunkte der Folgenkalkulatio und der Bedürfnisinterpretation ins Spiel, die im Geltungsbereicl des Kognitiven und des Expressiven liegen. Die postavantgardistische Kunst schließlich ist charakterisiert durch die merkwürdige Gleichzeitigkeit von realistischen und politisch engagierten Richtungen mit den authentischen Fortsetzungen der klassischen Moderne, die den Eigensinn des Ästhetischen herauspräpariert hatte; mit realistischer und engagierter Kunst kommen aber auf dem Niveau des Formenreichtums, den die Avantgarde freigesetzt hat, wiederum Momente des Kognitiven und des Moralisch-Praktischen zur Geltung. Es scheint so, als ob in solchen Gegenbewegungen die radikal ausdifferenzierten Vernunftmomente auf eine

gungen verbinden, über den jeweiligen Kontext hinauszielen, weil sie über räumlich und zeitlich beschränkte Horizonte hinausweisen, muß sich jedes kommunikativ erzielte oder reproduzierte Einverständnis auf ein Potential angreifbarer Gründe, aber eben auf Gründe stützen. Gründe sind aus einem besonderen Stoff; sie zwingen uns, mit Ja oder Nein Stellung zu nehmen. Damit ist in die Bedingungen verständigungsorientierten Handelns ein Moment Unbedingtheit eingebaut. Und dieses Moment ist es, welches die Gültigkeit, die wir für unsere Auffassungen beanspruchen, von der bloß sozialen Geltung einer eingewöhnten Praxis unterscheidet[13]. Was wir für gerechtfertigt halten, ist aus der Perspektive der ersten Person eine Frage der Begründbarkeit und nicht eine Funktion von Lebensgewohnheiten. Deshalb besteht ein philosophisches Interesse daran, »in unseren sozialen Rechtfertigungspraktiken mehr zu sehen als einfach solche Praktiken.«[14] Dieses gleiche Interesse steckt auch in der Hartnäckigkeit, mit der die Philosophie an der Rolle eines Hüters der Rationalität festhält – eine Rolle, die nach meinen Erfahrungen zunehmend Ärger einbringt und gewiß zu nichts mehr privilegiert.

Anmerkungen

1 »Die Kritik ... welche alle Entscheidungen aus den Grundregeln ihrer eigenen Einsetzung hernimmt, deren Ansehen keiner bezweifeln kann, verschafft uns die Ruhe eines gesetzlichen Zustandes, in welchem wir unsere Streitigkeiten nicht anders führen sollen, als durch Prozeß.« (I. Kant, KrV, B 779)

2 R. Rorty, Der Spiegel der Natur, Ffm. 1981, 424 f.

3 Rorty paraphrasiert beifällig ein Urteil von Eduard Zeller: »Der Hegelianismus stellte die Philosophie als eine Disziplin dar, die andere Disziplinen irgendwie sowohl vervollständigte als auch schluckte, statt sie *zu begründen*. Darüber hinaus machte er die Philosophie zu etwas allzu Populärem, Wichtigem, Interessanten, um wirklich professionell sein zu können; er forderte von den Philosophieprofessoren die Verkörperung des Weltgeistes, nicht einfach nur die Arbeit an ihrem *Fach*.« (1981, 153)

4 G. Schönrich, Kategorien und transzendentale Argumentation, Ffm. 1981, Kap. IV, 182 ff.; A. Bittner, Art. ›Transzendental‹ in: Handbuch philosophischer Grundbegriffe, Bd. 5, Mü. 1974, 1524 ff.

5 C. F. Gethmann, R. Hegselmann, Das Problem der Begründung zwischen Dezisionismus und Fundamentalismus, in: Z. allgem. W. Theo-

rie VIII, 1977, 342 ff.

6 H. Albert, Traktat über kritische Vernunft, Tbg. 1975.

7 H. Lenk, Philosophische Logikbegründung und rationaler Kritizismus, in: Z. f. philos. Forschg., 24, 1970, 183 ff.

8 Th. Kesselring, Entwicklung und Widerspruch. Ein Vergleich zwischen Piagets genetischer Erkenntnistheorie und Hegels Dialektik, Ffm. 1981.

9 Rorty (1981), 402. Im Original heißt es: »saying something ... is not always saying how things are« (Philosophy and the Mirror of Nature, Princeton 1979, 371).

10 Rorty (1981), 418.

11 R. Spaemann, Der Streit der Philosophen, in: H. Lübbe (Hrsg.), Wozu Philosophie? Bln. 1978, 96.

12 J. Habermas, Die Moderne – ein unvollendetes Projekt, in: ders., Kleine Politische Schriften I-IV, Ffm. 1981, 444 ff.

13 Vgl. J. Habermas, Theorie des kommunikativen Handelns, Bd. I, Ffm. 1981, 168 ff.

14 Rorty (1981), 422.

2. Rekonstruktive vs. verstehende Sozialwissenschaften*

Einführende Bemerkungen

Lassen Sie mich mit einer persönlichen Bemerkung beginnen. Als ich 1967 zum ersten Mal die These aufstellte, daß die Sozialwissenschaften die hermeneutische Forschungsdimension nicht preisgeben dürften, ja das Problem des Verstehens nur um den Preis von Verzerrungen unterdrücken könnten, hatte ich es mit zwei Typen von Einwänden zu tun.[1]

Der erste war das Beharren darauf, daß die Hermeneutik gar keine Sache der Methodologie sei. Hans-Georg Gadamer wies darauf hin, daß sich das Problem des Verstehens zunächst in nichtwissenschaftlichen Kontexten, sei es im Alltagsleben, in Geschichte, Kunst und Literatur, oder allgemein im Umgang mit Überlieferungen stelle. Die philosophische Hermeneutik stehe deshalb vor der Aufgabe, gewöhnliche Verstehensvorgänge zu erhellen und nicht den systematischen Versuch oder das Verfahren, Daten zu sammeln und zu analysieren. Gadamer begriff »Methode« als etwas der »Wahrheit« Entgegengesetztes; Wahrheit lasse sich nur durch die geübte und kluge Praxis des Verstehens erlangen. Als eine Tätigkeit sei Hermeneutik bestenfalls eine Kunst und niemals eine Methode – im Hinblick auf die Wissenschaft eine subversive Kraft, die jeden systematischen Zugang unterläuft.[2] Der zweite Typus von Einwänden stammte von Vertretern des Hauptstroms der Sozialwissenschaften, die einen komplementären Einwand vorbrachten. Sie behaupteten, das Problem der Interpretation liege in deren Mystifizierung. Es gebe keine allgemeinen Interpretationsprobleme, sondern lediglich Einzelprobleme, die sich mit den üblichen Forschungstechniken bewältigen ließen. Eine sorgfältige Operationalisierung theore-

* Vortrag anläßlich einer von R. Bellah, N. Haan und P. Rabinow veranstalteten Konferenz zum Thema *Morality and the Social Sciences*, Berkeley, März 1980. Aus dem Englischen übersetzt von Max Looser. Zuerst erschienen in: N. Haan, R. N. Bellah, P. Rabinow, M. Sullivan (eds.), Social Science as Moral Inquiry, N.Y. 1983, 251-270.

tischer Terme, d. h. Tests für die Gültigkeit und Zuverlässigkeit von Instrumenten könnten unkontrollierte Einflüsse verhindern, die andernfalls aus der unanalysierten und schwer zu handhabenden Komplexität der Umgangssprache und des Alltagslebens in die Untersuchung einfließen.

In der Kontroverse Mitte der sechziger Jahre wurde die Hermeneutik entweder zum philosophischen Ersatz für die Heideggersche Ontologie aufgebauscht oder als Folgeproblem von Meßschwierigkeiten trivialisiert. Seither hat sich diese Konstellation merklich verändert. Die Hauptargumente der philosophischen Hermeneutik sind weitgehend akzeptiert worden, aber nicht als philosophische Doktrin, sondern als Forschungsparadigma *innerhalb* der Sozialwissenschaften, vor allem innerhalb der Anthropologie, Soziologie und Sozialpsychologie. Paul Rabinow und William Sullivan haben dies als »interpretative Wende« bezeichnet.[3] Im Laufe der siebziger Jahre waren mehrere Tendenzen innerhalb und außerhalb der akademischen Welt vorteilhaft für den Durchbruch des Interpretationsparadigmas. Lassen Sie mich nur einige davon erwähnen.

Erstens gab es die Debatte zwischen Popper und Kuhn und den Aufstieg einer nachempiristischen Wissenschaftstheorie, die die Autorität des logischen Positivismus erschütterten und damit die Vision einer (mehr oder weniger) vereinheitlichten nomologischen Wissenschaft zerstörten. Ein Ausläufer davon ist eine Gewichtsverlagerung innerhalb der Wissenschaftsgeschichte von normativen Konstruktionen zu hermeneutisch sensibleren Ansätzen.

Ferner wurde der Mißerfolg der konventionellen Sozialwissenschaften sichtbar, die ihre theoretischen und praktischen Versprechungen nicht einhalten konnten. Die soziologische Forschung vermochte Maßstäben, wie sie beispielsweise durch Parsons umfassende Theorie gesetzt waren, nicht zu genügen; die Keynesianische Wirtschaftstheorie versagte auf der Politikebene wirksamer Maßnahmen; und in der Psychologie scheiterte der universelle Erklärungsanspruch der Lerntheorie – sie hatte ja als das Paradebeispiel für eine exakte Verhaltenswissenschaft gedient. Dies öffnete den Weg für alternative Ansätze, die auf den Grundlagen der Phänomenologie, des späten Wittgenstein, der philosophischen Hermeneutik, der Kritischen Theorie usw. aufbauten. Diese Ansätze empfahlen sich einfach dadurch, daß sie Alternativen zum vorherrschenden Objektivismus anboten – und nicht so sehr aufgrund ihrer anerkannten Überlegenheit.[4]

Sodann setzten sich zwei halbwegs erfolgreiche Ansätze durch, welche Beispiele für einen interpretativen Typus der Sozialwissenschaften lieferten: der Strukturalismus in der Anthropologie, in der Linguistik und – weniger überzeugend – in der Soziologie; und der genetische Strukturalismus in der Entwicklungspsychologie – ein Modell, das für die Analyse der Sozialevolution, der Entwicklung von Weltbildern, von moralischen Glaubenssystemen und von Rechtssystemen vielversprechend aussieht.

Eine weitere Tendenz, die Erwähnung verdient, war die neokonservative Verschiebung im philosophischen Klima, die eine Veränderung der Hintergrundannahmen unter Sozialwissenschaftlern mit sich brachte. Einerseits gab es eine gewisse Wiederbelebung von biologistischen Ansätzen, die während mehrerer Jahrzehnte aus politischen Gründen diskreditiert waren (z. B. die Soziobiologie und die genetische Intelligenzforschung), andererseits eine Rückkehr zu Relativismus, Historismus, Existentialismus und Nietzscheanismus aller Spielarten, ein Stimmungsumschwung, der von den härteren Disziplinen, wie etwa der Wissenschaftstheorie und der Linguistik, über die weicheren Gebiete der kulturwissenschaftlichen Forschung, bis zu Literaturkritik, Architekturideologie usw. reicht. Beide Tendenzen sind Ausdruck desselben Syndroms, ausgedrückt im weitverbreiteten Glauben, daß alles, was die menschliche Kultur an universalen Zügen aufweist, eher auf die Natur des Menschen zurückgehe als auf die rationale Infrastruktur der menschlichen Sprache, des Erkennens und Handelns, d. h. der Kultur selbst.

Zwei Modi des Sprachgebrauchs

Lassen Sie mich zunächst erläutern, was ich unter Hermeneutik verstehe. Jeder sinnhafte Ausdruck – sei es eine (verbale oder nichtverbale) Äußerung, ein beliebiges Artefakt wie etwa ein Werkzeug, eine Institution oder ein Schriftstück – läßt sich in bifokaler Einstellung sowohl als beobachtbares Ereignis als auch als eine verstehbare Bedeutungsobjektivation identifizieren. Wir können ein Geräusch, das der Lautäußerung eines gesprochenen Satzes gleichkommt, beschreiben, erklären oder voraussagen, ohne eine Idee davon zu haben, was diese Äußerung bedeutet. Um ihre Bedeutung zu erfassen (und zu formulieren), muß man an einigen (wirklichen oder vorgestellten) kommunikativen Handlungen teilnehmen, in deren Verlauf der besagte Satz so verwendet wird, daß er Sprechern, Hörern und zufällig anwesenden Mitgliedern derselben Sprachgemeinschaft verständlich ist. Richard Rorty führt einen Extremfall an: »Auch wenn wir voraussagen könnten, welche Laute die Forschergemeinschaft im Jahr 4000 von sich geben wird, wären wir doch nicht in der Lage, uns an ihrem Gespräch zu beteiligen.«[5] Der Gegensatz zwischen »ihr zukünftiges Sprachverhalten voraussagen« und »sich an ihrem Gespräch beteiligen« verweist auf die wichtige Unterscheidung zwischen zwei verschiedenen Modi des Sprachgebrauchs.

Entweder *sagt man, was der Fall ist oder was nicht der Fall ist*, oder *man sagt etwas zu jemand anderem*, so daß er *versteht, was gesagt wird*. Nur der zweite Modus des Sprachgebrauchs ist innerlich oder begrifflich an die Bedingungen der Kommunikation gebunden. Zu sagen, wie sich die Dinge verhalten, hängt nicht notwendigerweise von einer Art real durchgeführten oder wenigstens vorgestellten Kommunikation ab; man braucht keine Aussage zu *machen*, d. h. einen Sprechakt zu vollziehen. Statt dessen kann man zu sich selbst »p« sagen oder einfach »daß p« denken. Zu verstehen, was einem gesagt wird, verlangt hingegen die Beteiligung am kommunikativen Handeln. Es muß eine Sprechsituation geben (oder zumindest muß sie vorgestellt werden), bei der ein Sprecher in der Kommunikation *mit* einem Hörer *über* etwas das *von ihm* Gemeinte zum Ausdruck bringt. Im Fall des rein kognitiven, nichtkommunikativen Sprachgebrauchs ist somit nur *eine* fundamentale Beziehung impliziert; nennen wir sie die Beziehung zwischen Sätzen und etwas in der Welt, »über« das die Sätze etwas aussagen. Wird hingegen Sprache zum Zweck der Verständigung mit jemand anderem verwendet (sei es auch nur, um am Ende einen Dissens festzustellen), dann bestehen drei solcher Beziehungen: indem der Sprecher einen Ausdruck *von* seiner Meinung gibt, kommuniziert er *mit* einem anderen Mitglied seiner Sprachgemeinschaft *über* etwas in der Welt. Die Epistemologie befaßt sich nur mit dieser letzten Beziehung zwischen Sprache und Realität, während die Hermeneutik sich gleichzeitig mit der dreifachen Beziehung einer Äußerung zu befassen hat, die a) als Ausdruck der Intention eines Sprechers dient, b) als Ausdruck für die Herstellung einer interpersonalen Beziehung zwischen Sprecher und Hörer und c) als Ausdruck über etwas in der Welt. Ferner stellt uns jeder Versuch, die Bedeutung eines sprachlichen Ausdrucks zu klären, vor eine vierte, innersprachliche oder linguistische Beziehung, nämlich die zwischen einer gegebenen Äußerung und der Menge aller möglichen Äußerungen, die in derselben Sprache gemacht werden könnten.

Die Hermeneutik betrachtet die Sprache sozusagen bei der Arbeit, nämlich so, wie sie von Teilnehmern mit dem Ziel verwendet wird, zum gemeinsamen *Verständnis* einer Sache oder zu einer gemeinsamen *Ansicht* zu gelangen. Die visuelle Metapher vom Beobachter, der etwas »ansieht«, sollte jedoch nicht die Tatsache verdunkeln, daß die performativ benutzte Sprache in Beziehungen eingebettet ist, die komplizierter sind als die einfache »über«-Beziehung (und der ihr zugeordnete Typus von Intentionen). Wenn der Sprecher etwas innerhalb eines Alltagskontexts sagt, bezieht er sich nicht nur auf etwas in der objektiven Welt (als der Gesamtheit dessen, was der Fall ist oder sein könnte), sondern zugleich auf etwas in der sozialen Welt (als der Gesamtheit legitim geregelter interpersonaler Beziehungen) und auf etwas in der eigenen, subjektiven Welt des Sprechers (als der Gesamtheit manifestierbarer Erlebnisse, zu denen er einen privilegierten Zugang hat).

In dieser Weise stellt sich die dreifache Verknüpfung zwischen Äußerung und Welt *intentione recta* dar, d. h. aus den Perspektiven des Sprechers und des Hörers. Dieselbe Verknüpfung läßt sich *intentione obliqua* analysieren, aus der Perspektive der Lebenswelt oder vor dem Hintergrund der gemeinsamen Annahmen und Praktiken, in die jede einzelne Kommunikation von Anfang an unauffällig eingebettet ist. Von hier aus gesehen erfüllt die Sprache drei Funktionen: a) die der kulturellen Reproduktion oder der Vergegenwärtigung von Überlieferungen (aus dieser Sicht entwickelt Gadamer seine philosophische Hermeneutik), b) die der Sozialintegration oder der Koordination von Plänen verschiedener Akteure in der sozialen Interaktion (aus dieser Sicht habe ich eine Theorie des kommunikativen Handelns entwickelt), und c) die der Sozialisation oder der kulturellen Interpretation von Bedürfnissen (aus dieser Sicht hat G. H. Mead seine Sozialpsychologie entworfen).

Während also der kognitive, nichtkommunikative Sprachgebrauch die Klärung der Beziehung zwischen Satz und Sachverhalt verlangt, sei es in Begriffen der entsprechenden Intentionen, der propositionalen Einstellungen, der Anpassungsrichtungen und Erfüllungsbedingungen, stellt uns der kommunikative Sprachgebrauch vor das Problem, wie diese Beziehung mit den beiden anderen Beziehungen (des »Ausdruck sein *von* etwas« und des »etwas *mit* jemanden teilen«) verbunden ist. Dieses Problem läßt sich, wie ich an anderem Orte gezeigt habe, in Begriffen von ontologischen und deontologischen Welten, von Geltungsansprüchen, Ja/Nein-Stellungnahmen und Bedingungen des rational motivierten Konsensus klären.

Nun können wir sehen, warum ›jemandem etwas sagen‹ und ›verstehen was gesagt wird‹ auf komplizierteren und sehr viel anspruchsvolleren Voraussetzungen beruhen als das einfache ›sagen (oder denken), was der Fall ist‹. Wer beobachtet oder meint, daß ›p‹, oder wer beabsichtigt, daß ›p‹ herbeigeführt wird, nimmt eine *objektivierende* Einstellung zu etwas in der objektiven Welt ein. Wer hingegen an Kommunikationsprozessen teilnimmt, indem er etwas sagt und versteht, was gesagt wird – sei dies nun eine Meinung, die *wiedergegeben,* eine Feststellung, die *gemacht,* ein Versprechen oder ein Befehl, die *gegeben* werden; oder seien es Absichten, Wünsche, Gefühle oder Stimmungen, die *ausgedrückt* werden –, stets muß er eine *performative* Einstellung einnehmen. Diese Einstellung läßt den Wechsel zwischen Dritter Person oder objektivierender Einstellung, Zweiter Person oder regelkonformer Einstellung, und Erster Person oder expressiver Einstellung zu. Die performative Einstellung erlaubt eine *wechselseitige* Orientierung an Geltungsansprüchen (Wahrheit, normative Richtigkeit, Wahrhaftigkeit), die der Sprecher in der Erwartung einer Ja/Nein-Stellungnahme von seiten des Hörers erhebt. Diese Ansprüche fordern eine kritische Einschätzung heraus, damit die intersubjektive Anerkennung eines jeweiligen Anspruchs als Grundlage für einen rational motivierten Konsensus dienen kann. Indem sich Sprecher und Hörer in performativer Einstellung miteinander verständigen, sind sie gleichzeitig an jenen Funktionen beteiligt, welche ihre kommunikativen Handlungen für die Reproduktion der gemeinsamen Lebenswelt erfüllen.

Vergleicht man die Einstellung der Dritten Person bei denen, die einfach sagen, wie sich die Dinge verhalten (das ist unter anderem die Einstellung von Wissenschaftlern), mit der performativen Einstellung derer, die das, was ihnen gesagt wird, zu verstehen suchen (das ist unter anderem die Einstellung von Interpreten), so treten die methodologischen Folgen einer hermeneutischen Forschungsdimension zutage. Lassen Sie mich auf drei der wichtigeren Implikationen hermeneutischer Verfahrensweisen hinweisen.

Erstens geben Interpreten die Überlegenheit der privilegierten Stellung des Beobachters preis, da sie selbst, mindestens virtuell, in die Verhandlungen über Sinn und Geltung von Äußerungen hineingezogen werden. Indem sie an kommunikativen Handlungen teilnehmen, akzeptieren sie grundsätzlich den gleichen Status wie diejenigen, deren Äußerungen sie verstehen wollen. Sie sind den Ja/Nein-Stellungnahmen der Versuchspersonen oder Laien gegenüber nicht länger immun, sondern lassen sich auf einen Prozeß der wechselseitigen Kritik ein. Innerhalb eines – virtuellen oder aktuellen – Verständigungsprozesses gibt es keine Entscheidung a priori darüber, wer von wem zu lernen hat.

Zweitens geben die Interpreten, indem sie eine performative Einstellung einnehmen, nicht nur die Überlegenheitsposition gegenüber ihrem Objektbereich preis, sondern sie stehen zudem vor der Frage, wie sie die Kontextabhängigkeit ihrer Interpretation bewältigen können. Sie können nicht im voraus sicher sein, daß sie selbst und ihre Versuchspersonen von denselben Hintergrundannahmen und -praktiken ausgehen. Das globale Vorverständnis der hermeneutischen Situation auf seiten des Interpreten läßt sich nur stückweise überprüfen und kann nicht als Ganzes in Frage gestellt werden.

Ebenso problematisch wie die Fragen des Desengagements des Interpreten in Geltungsfragen und der Dekontextualisierung ihrer Deutungen ist die Tatsache, daß die Alltagssprache auf nichtdeskriptive Äußerungen und nichtkognitive Geltungsansprüche übergreift. Im Alltagsleben sind wir viel häufiger einig (oder uneinig) über die Richtigkeit von Handlungen und Normen, über die Angemessenheit von Bewertungen und Standards und über die Authentizität oder Aufrichtigkeit einer Selbstdarstellung als über die Wahrheit von Propositionen. Deshalb ist das Wissen, das wir verwenden, wenn wir zu jemanden etwas sagen, umfassender als das streng propositionale oder wahrheitsbezogene Wissen. Um zu verstehen, was ihnen gesagt wird, müssen die Interpreten ein Wissen erfassen, das sich auf *weitere* Geltungsansprüche stützt. Deshalb ist eine korrekte Interpretation nicht einfach wahr, wie eine Proposition, die einen existierenden Sachverhalt wiedergibt; eher könnte man sagen, daß eine korrekte Deutung die Bedeutung des *Interpretandum*, das die Interpreten erfassen sollen, trifft, zu ihr paßt oder expliziert.

Dies sind die drei Folgen, die sich daraus ergeben, daß ›verstehen, was gesagt wird‹, *Teilnahme* und nicht bloß *Beobachtung* verlangt. Es kann also nicht überraschen, daß jeder Versuch, Wissenschaft auf Interpretation zu gründen, zu Schwierigkeiten führt. Ein Haupthindernis besteht darin, wie symbolische Ausdrücke ebenso zuverlässig gemessen werden können wie physikalische Phänomene. Mitte der sechziger Jahre lieferte Aaron Cicourel eine gute Analyse der Umwandlung von kontextabhängigen symbolischen Ausdrücken, deren Bedeutungen intuitiv auf der Hand liegen, in »harte« Daten.[6] Die Schwierigkeiten sind darauf zurückzuführen, daß das, was in einer performativen Einstellung verstanden wird, übersetzt werden muß in das, was sich aus der Sicht der Dritten Person feststellen läßt. Die zur Interpretation notwendige performative Einstellung läßt zwar reguläre Übergänge zwischen den Einstellungen der Ersten, Zweiten, und Dritten Person zu; doch muß für Meßzwecke die performative Einstellung einer einzigen, nämlich der objektivierenden Einstellung, untergeordnet werden. Ein weiteres Problem besteht darin, daß sich Werturteile in die tatsachenfeststellende Rede einschleichen. Diese Schwierigkeiten sind darauf zurückzuführen, daß der theoretische Rahmen für die empirische Analyse des Alltagsverhaltens begrifflich mit dem Bezugsrahmen der Alltagsinterpretationen der Beteiligten selbst verbunden werden muß. Deren Interpretationen sind jedoch mit kognitiven *und* nichtkognitiven Geltungsansprüchen verbunden, während theoretische Sätze (Propositionen) allein auf Wahrheit bezogen sind. Charles Taylor und Alvin Gouldner haben deshalb überzeugend gegen die Möglichkeit wertneutraler Sprachen im Bereich der verstehenden Sozialwissenschaften argumentiert.[7] Diese Position erhält von seiten ganz verschiedener philosophischer Schulrichtungen Unterstützung, durch Argumente von Wittgenstein, Quine, Gadamer –

und natürlich Marx.

Kurzum, jede Wissenschaft, die Bedeutungsobjektivationen als Teil ihres Objektbereichs zuläßt, hat sich mit den methodologischen Folgen der *Teilnehmerrolle* eines Interpreten zu befassen, der den beobachteten Dingen nicht Bedeutung »gibt«, sondern der die »gegebene« Bedeutung von Objektivationen, die nur aus Kommunikationsprozessen heraus verstanden werden können, explizieren muß. Diese Folgen bedrohen gerade jene Kontextunabhängigkeit und Wertneutralität, die für die *Objektivität* des theoretischen Wissens notwendig zu sein scheint.[8]

Müssen wir daraus schließen, daß Gadamers Position auch in den und für die Sozialwissenschaften akzeptiert werden sollte? Ist die interpretative Wende der Todesstoß für den streng wissenschaftlichen Status aller nichtobjektivistischen Ansätze? Sollten wir uns an Rortys Empfehlung halten, die Sozialwissenschaften nicht nur den Geisteswissenschaften gleichzustellen, sondern überhaupt der Literaturkritik, der Dichtung und der Religion, sogar dem gebildeten Gespräch im allgemeinen? Sollten wir zugeben, daß die Sozialwissenschaften bestenfalls zu unserem Bildungswissen beitragen können – vorausgesetzt, sie werden nicht durch etwas Ernsteres ersetzt, etwa durch Neurophysiologie oder Biochemie? Unter Sozialwissenschaftlern finde ich auf diese Fragen drei Hauptreaktionen. Wenn wir die Ansprüche auf Objektivität und Erklärungskraft getrennt halten, könnten wir einen »hermeneutischen Objektivismus« von einer »radikalen Hermeneutik« und einem »hermeneutischen Rekonstruktionismus« unterscheiden.

Einige Sozialwissenschaftler spielen die dramatischeren Folgen des Interpretationsproblems herunter, indem sie zu einer Art Einfühlungstheorie des Verstehens zurückkehren. Diese Theorie beruht letztlich auf der Annahme, wir könnten uns in das Bewußtsein einer anderen Person hineinversetzen und die Deutungen dessen, was sie äußert, von der hermeneutischen Ausgangslage des Interpreten entkoppeln. Nach meiner Auffassung ist dieser Ausweg seit Gadamers überzeugender Kritik an der Einfühlungstheorie des jungen Dilthey verlegt.

Andere zögern deshalb nicht länger, die Grundsätze einer radikalen Hermeneutik auf jenen Bereich auszudehnen – sei es mit Gadamers oder mit Rortys Begründungen –, der (aus ihrer Sicht) unglücklicher- und irrtümlicherweise als der eigentliche Bereich der Sozialwissenschaft beansprucht worden ist. Ob mit Unbehagen oder mit eher hoffnungsvollen Gefühlen geben diese Sozialwissenschaftler sowohl den Objektivitätsanspruch wie den Anspruch auf explanatorisches Wissen preis. Eine Folge davon ist ein Relativismus dieser oder jener Spielart, was bedeutet, daß verschiedene Ansätze und Interpretationen lediglich verschiedene Wertorientierungen widerspiegeln.

Wiederum andere sind angesichts des Interpretationsproblems bereit, das konventionelle Postulat der Wertneutralität fallenzulassen; sie nehmen zudem Abstand davon, die Sozialwissenschaften dem Modell einer streng nomologischen Wissenschaft anzugleichen, befürworten aber gleichwohl die Wünschbarkeit *und* die Möglichkeit von theoretischen Ansätzen, die sowohl objektives wie theoretisches Wissen zu erzeugen versprechen. Diese Position bedarf der Rechtfertigung.

Rationalitätsvoraussetzungen der Interpretation

Lassen Sie mich zunächst ein Argument erwähnen, das, wenn es im einzelnen durchgeführt würde, zeigen könnte, daß die Interpreten durch ihr unvermeidliches Engagement im Verständigungsprozeß zwar das Privileg des unbeteiligten Beobachters oder der Dritten Person einbüßen, daß sie aber *aus demselben Grund* über die Mittel verfügen, um eine Position der ausgehandelten Unparteilichkeit von innen her aufrechtzuerhalten. Paradigmatisch für die Hermeneutik ist die Deutung eines überlieferten Textes. Die Interpreten scheinen die Sätze eines solchen Autors zuerst zu verstehen; dann machen sie die verwirrende Erfahrung, daß sie den Text nicht angemessen verstehen, d. h. nicht so gut, daß sie dem Autor gegebenenfalls auf Fragen antworten könnten. Die Interpreten nehmen das als ein Anzeichen dafür, daß sie den Text noch auf einen anderen Kontext beziehen als den, in dem der Text tatsächlich eingebettet war. Sie müssen ihr Verständnis revidieren. Diese Art von Kommunikationsstörung markiert die Ausgangssituation. Sie suchen dann zu verstehen, warum der Autor – im stillschweigenden Glauben, daß bestimmte Sachverhalte bestehen, daß bestimmte Werte und Normen gültig sind, daß bestimmte Erlebnisse bestimmten Subjekten zugeschrieben werden dürfen – in seinem Text bestimmte Behauptungen macht, bestimmte Konventionen einhält oder verletzt und warum er bestimmte Intentionen, Dispositionen, Gefühle und ähnliches zum Ausdruck bringt. Aber nur in dem Maße, wie die Interpreten auch die *Gründe* erschließen, welche die Äußerungen des Autors aus seiner Sicht als rational erscheinen lassen, verstehen sie, was der Autor gemeint hat.

Die Interpreten verstehen also die Bedeutung des Textes nur in dem Maße, wie sie einsehen, *warum* der Autor sich berechtigt fühlte, bestimmte Behauptungen (als wahr) vorzubringen, bestimmte Werte und Normen (als richtig) anzuerkennen, und bestimmte Erlebnisse (als wahrhaftig) auszudrücken (bzw. anderen zuzuschreiben). Die Interpreten müssen den Kontext klären, den der Autor offenbar als das gemeinsame Wissen des zeitgenössischen Publikums vorausgesetzt haben muß, wenn die jetzigen Schwierigkeiten mit dem Text zur Zeit seiner Abfassung nicht, jedenfalls nicht so hartnäckig aufgetreten sind. Dieses Vorgehen erklärt sich aus der immanenten Rationalität, mit der Interpreten bei allen Äußerungen insofern rechnen, als sie diese einem Subjekt zurechnen, dessen Zurechnungsfähigkeit zu bezweifeln sie vorderhand keinen Grund haben. Die Interpreten können den semantischen Gehalt eines Textes nicht verstehen, wenn sie sich nicht selbst die Gründe vor Augen führen, die der Autor in der ursprünglichen Situation erforderlichenfalls hätte anführen können.

Nun ist es aber nicht dasselbe, ob Gründe vernünftig sind oder nur für vernünftig gehalten werden – seien es Gründe für die Behauptung von Tatsachen, für die Empfehlung von Normen und Werten oder für die Äußerung von Wünschen und Gefühlen. Darum können die Interpreten solche Gründe sich nicht selbst vorlegen und verstehen, ohne diese mindestens implizit *als* Gründe zu beurteilen, d. h. ohne zu ihnen positiv oder negativ Stellung zu nehmen. Vielleicht lassen die Interpreten bestimmte Geltungsansprüche offen und entscheiden sich dafür, bestimmte Fragen nicht wie der Autor für beantwortet zu halten, sondern sie als offenes Problem dahingestellt sein zu lassen. Aber Gründe können nur in dem Maße *verstanden* werden, wie sie als Gründe ernst genommen – und *bewertet* – werden. Deshalb können Interpreten die Bedeutung eines dunklen Ausdrucks nur dann erhellen, wenn sie erklären, wie diese Dunkelheit zustande gekommen ist, d. h. warum die Gründe, die der Autor in seinem Kontext hätte angeben können, für uns nicht mehr ohne weiteres einleuchten.

In einem gewissen Sinn sind alle Deutungen *rationale* Deutungen. Die Interpreten können nicht umhin, beim Verstehen, und das impliziert eben auch: bei der Bewertung von Gründen, Rationalitätsstandards in Anspruch zu nehmen, also Standards, die sie selbst als für alle Parteien verbindlich betrachten, und zwar einschließlich des Autors und seiner Zeitgenossen (sofern diese nur in die Kommunikation eintreten könnten und würden, die die Interpreten wieder aufnehmen). Freilich ist eine solche, normalerweise implizite Berufung auf vermeintlich universale Rationalitätsstandards, selbst wenn sie für den hingebungsvollen, auf Verständnis versessenen Interpreten gewissermaßen unausweichlich ist, noch kein Beweis für die Vernünftigkeit der vorausgesetzten Standards. Aber die grundlegende Intuition eines jeden kompetenten Sprechers – daß seine Ansprüche auf Wahrheit, normative Richtigkeit und Wahrhaftigkeit universell, d. h. unter geeigneten Bedingungen für alle akzeptabel sein sollen – gibt immerhin Anlaß dazu, einen kurzen Blick auf die formalpragmatische Analyse zu werfen, die sich auf die allgemeinen und notwendigen Bedingungen der Gültigkeit symbolischer Äußerungen und Leistungen konzentriert. Ich denke dabei an die rationalen Rekonstruktionen des Know-hows von sprach- und handlungsfähigen Subjekten, denen man die Produktion gültiger Äußerungen zutraut, und die sich selbst zutrauen, wenigstens intuitiv zwischen gültigen und ungültigen Ausdrücken zu unterscheiden.

Dies ist der Bereich von Disziplinen wie der Logik und der Metamathematik, der Erkenntnis- und Wissenschaftstheorie, der Linguistik und Sprachphilosophie, der Ethik und Handlungstheorie, der Ästhetik, der Argumentationstheorie usw. Allen diesen Disziplinen ist das Ziel gemeinsam, über das vortheoretische Wissen und die intuitive Beherrschung von Regelsystemen Rechenschaft zu geben, die der Erzeugung und Beurteilung von symbolischen Äußerungen und Leistungen zugrunde liegen – handele es sich nun um korrekte Schlußfolgerungen, gute Argumente, triftige Beschreibungen, Erklärungen oder Voraussagen, grammatische Sätze, gelingende Sprechakte, wirksame instrumentelle Handlungen, angemessene Bewertungen, authentische

Selbstdarstellungen usw. Soweit rationale Rekonstruktionen die Bedingungen der Gültigkeit von Äußerungen explizieren, können sie auch abweichende Fälle erklären und mit dieser indirekt gesetzgeberischen Autorität auch eine *kritische* Funktion erlangen. In dem Maße wie rationale Rekonstruktionen die Differenzierungen zwischen einzelnen Geltungsansprüchen über die traditionell eingespielten Grenzen hinaustreiben, können sie sogar neue analytische Standards festlegen und damit eine *konstruktive* Rolle übernehmen. Und soweit wir bei der Analyse sehr allgemeiner Geltungsbedingungen erfolgreich sind, können rationale Rekonstruktionen mit dem Anspruch auftreten, Universalien zu beschreiben und damit ein konkurrenzfähiges *theoretisches* Wissen darzustellen. Auf dieser Ebene treten schwache *transzendentale* Argumente auf den Plan, die darauf angelegt sind, die Unausweichlichkeit, d. h. Nichtverwerfbarkeit von Voraussetzungen relevanter Praktiken nachzuweisen.[9]

Eben diese drei Merkmale (der kritische Gehalt, die konstruktive Rolle und die transzendentale Begründung theoretischen Wissens) haben Philosophen manchmal dazu verleitet, bestimmte Rekonstruktionen mit der Bürde von Letztbegründungsansprüchen zu belasten. Es ist deshalb wichtig zu sehen, daß *alle* rationalen Rekonstruktionen so wie die übrigen Wissenstypen nur einen hypothetischen Status haben. Sie können nämlich stets auf einer falschen Beispielauswahl beruhen; sie können richtige Intuitionen verdunkeln und verzerren und was noch häufiger ist – Einzelfälle zu stark verallgemeinern. Deshalb bedürfen sie weiterer Bestätigungen. Die berechtigte Kritik an allen apriorischen und starken transzendentalen Ansprüchen sollte jedoch nicht Versuche entmutigen, die rationalen Rekonstruktionen vermutlich basaler Kompetenzen auf die Probe zu stellen und dadurch indirekt zu überprüfen, daß man sie als Inputs in empirischen Theorien verwendet.

Dabei handelt es sich um Theorien zur Erklärung sei es des ontogenetischen Erwerbs kognitiver, sprachlicher und sozio-moralischer Fähigkeiten oder des evolutionären Auftretens und der institutionellen Verkörperungen innovativer Bewußtseinsstrukturen in der Geschichte; oder auch um Theorien zur Erklärung von systematischen Abweichungen (zum Beispiel von Sprachpathologien, Ideologien oder degenerierenden Forschungsprogrammen). Der nichtrelativistische, durch Lakatos geprägte Typus des

Zusammenspiels von Wissenschaftstheorie und Wissenschaftsgeschichte ist ein einschlägiges Beispiel.

Das Beispiel von Kohlbergs Theorie der Moralentwicklung

Ich möchte das Beispiel von Lawrence Kohlbergs Theorie aufgreifen, um die Behauptung zu belegen, daß die Sozialwissenschaften sich ihrer hermeneutischen Dimension bewußt werden und gleichwohl der Aufgabe treu bleiben können, theoretisches Wissen zu erzeugen. Ich habe dieses Beispiel aus drei Gründen gewählt.

Erstens scheint der Objektivitätsanspruch von Kohlbergs Theorie dadurch gefährdet zu werden, daß diese einer bestimmten philosophischen Moraltheorie vor anderen den Vorzug gibt. Zweitens ist Kohlbergs Theorie ein Beispiel für eine ganz eigentümliche Arbeitsteilung zwischen der rationalen Rekonstruktion moralischer Intuitionen (Philosophie) und der empirischen Analyse von Moralentwicklungen (Psychologie). Und drittens sind Kohlbergs erklärte Absichten zugleich riskant und provokant – sie fordern jeden heraus, der in sich weder den Sozialwissenschaftler noch den praktischen Philosophen unterdrücken will.

Lassen Sie mich die folgenden, stark verkürzten und sicherlich erläuterungsbedürftigen Thesen vortragen:

1. Es besteht eine offenkundige Parallele zwischen Piagets Theorie der kognitiven Entwicklung (im engeren Sinne) und Kohlbergs Theorie der Moralentwicklung. Beide zielen auf die Erklärung von *Kompetenzen,* die als Fähigkeiten definiert werden, bestimmte Klassen von empirisch-analytischen oder von moralisch-praktischen Problemen zu lösen. Die Problemlösung wird objektiv gemessen entweder an den Wahrheitsansprüchen deskriptiver Aussagen, einschließlich von Erklärungen und Voraussagen, oder an der Richtigkeit normativer Aussagen, einschließlich der Rechtfertigung von Handlungen und Handlungsnormen. Beide Autoren beschreiben die Zielkompetenz junger Erwachsener im Rahmen von rationalen Rekonstruktionen des formal-operationalen Denkens und des postkonventionellen Moralurteils. Ferner teilt Kohlberg mit Piaget einen konstruktivistischen *Lernbegriff.*

Er beruht auf den folgenden Annahmen: Zunächst der, daß Wissen überhaupt als ein Produkt von Lernprozessen analysiert werden kann; ferner daß Lernen ein Problemlösungsprozeß ist, an dem das lernende Subjekt aktiv beteiligt ist; und schließlich, daß der Lernprozeß durch die Einsichten der unmittelbar Beteiligten selbst gesteuert wird. Der Lernvorgang muß sich intern als Übergang von einer Interpretation X_1 eines gegebenen Problems zu einer Interpretation X_2 desselben Problems in der Weise begreifen lassen, daß das lernende Subjekt im Lichte seiner zweiten Interpretation *erklären* kann, warum die erste falsch ist.[10]

In derselben Denkrichtung legen Piaget und Kohlberg eine Hierarchie distinkter Lernebenen oder »Stufen« fest, wobei jede einzelne Ebene als relatives Gleichgewicht von Operationen definiert wird, die in zunehmendem Maße komplex, abstrakt, allgemein und reversibel werden. Beide Autoren machen Annahmen über die innere Logik eines unumkehrbaren Lernprozesses, über die Lernmechanismen (d. h. über die Verinnerlichung von Schemata des instrumentellen, sozialen oder diskursiven Handelns), über endogene Entwicklungen des Organismus (stärkere oder schwächere reifungstheoretische Annahmen), über stufenspezifische Reizzufuhren und die damit verbundenen Phänomene der Verschiebung, Verzögerung, Beschleunigung usw. Kohlberg fügt dem noch Annahmen über die Interaktion zwischen sozio-moralischer und kognitiver Entwicklung hinzu.

2. Angesichts des delikaten und in unserem Zusammenhang wichtigeren Ergänzungsverhältnisses zwischen rationaler Rekonstruktion und empirischer Analyse entsteht die Gefahr eines naturalistischen Fehlschlusses. Piaget neigt in seinen späteren Schriften, besonders seit *Biologie et connaissance*[11] dazu, seinen Ansatz der Systemtheorie anzugleichen. Der Begriff des Gleichgewichts, der auf eine relative Beständigkeit der Problemlösungsprozesse hinweist und der am internen Kriterium des Grades der Reversibilität gemessen wird, verbindet sich mit Konnotationen der erfolgreichen Adaptation eines sich selbst erhaltenden Systems an seine veränderliche Umwelt. Natürlich kann man versuchen, das strukturalistische und das systemtheoretische Modell zu kombinieren (wie es in der Gesellschaftstheorie mit dem Handlungs- oder Lebensweltmodell einerseits, dem Systemmodell andererseits versucht wird), aber sie zu kombinieren bedeutet etwas anderes, als

das eine Modell an das andere anzugleichen. Jeder Versuch, die Überlegenheit höherstufiger Leistungen, die sich an der *Gültigkeit* von Problemlösungsversuchen bemessen, *ausschließlich funktional* zu deuten, setzt die eigentümliche Leistung der kognitivistischen Entwicklungstheorie aufs Spiel. Wir brauchten ja gar keine rationalen Rekonstruktionen, wenn es zuträfe, daß das Wahre oder moralisch Richtige hinreichend im Rahmen dessen analysiert werden könnte, was der Aufrechterhaltung von Systemgrenzen förderlich ist. Kohlberg vermeidet zwar den naturalistischen Fehlschluß, aber die folgenden Sätze sind mindestens zweideutig formuliert: »Unsere psychologische Moraltheorie leitet sich weitgehend von Piaget her, der behauptet, daß sowohl die Logik als auch die Moral sich stufenweise entwickeln und daß jede Stufe eine Struktur ist, die sich – formal betrachtet – in einem besseren Gleichgewicht befindet als die Struktur der vorangehenden Stufe. Sie nimmt also an, daß jede neue (logische oder moralische) Stufe eine neue Struktur ist, welche Elemente der früheren Struktur zwar einschließt, sie aber so umwandelt, daß sie ein stabileres und ausgedehnteres Gleichgewicht darstellen.« Kohlberg fügt dann freilich unzweideutig hinzu: »Diese ›Äquilibrations‹-Annahmen unserer psychologischen Theorie hängen natürlich zusammen mit der formalistischen Tradition in der philosophischen Ethik von Kant bis Rawls. Dieser Isomorphismus von psychologischer und normativer Theorie erhebt den Anspruch, daß eine psychologisch höhere Stufe des moralischen Urteils, gemessen an philosophischen Kriterien, auch normativ angemessener ist.«[12]

3. Die Theoriebildung steht freilich im Bereich des moralischen Bewußtseins vor einer Schwierigkeit, durch die Kohlbergs Theorie sich von derjenigen Piagets unterscheidet. Beide erklären den Erwerb vermutlich universaler Kompetenzen im Rahmen von interkulturell invarianten Entwicklungsmustern, wobei diese Muster durch das, was als innere Logik entsprechender Lernprozesse aufgefaßt wird, bestimmt sind. Doch im Vergleich mit dem moralischen Universalismus ist der kognitive Universalismus die leichter zu verteidigende Position – obgleich auch diese noch kontrovers ist; es gibt immerhin eine Menge Evidenzen dafür, daß die formalen Operationen bei der Erklärung beobachtbarer Zustände und Ereignisse interkulturell gleichförmig angewandt werden.

Kohlberg trägt die schwierigere moraltheoretische Beweislast dafür, daß a) eine universalistische und kognitivistische Position gegenüber einem moralischen Relativismus oder Skeptizismus, der in den empiristischen Traditionen (und in den bürgerlichen Ideologien) tief verwurzelt ist, überhaupt verteidigt, und daß b) die Überlegenheit einer formalistischen, an Kant anschließenden Ethik gegenüber utilitaristischen und kontraktualistischen Theorien nachgewiesen werden kann. Es gibt heute moraltheoretische Auseinandersetzungen, die den Kontext für die Begründung von a) und b) bilden. Obwohl Knock-down-Argumente nicht ohne weiteres zur Hand sind, vermute ich doch, daß Kohlberg in der Auseinandersetzung um den moralischen Universalismus gewinnen könnte. Beim zweiten Punkt (der Unterscheidung zwischen seiner 6. Stufe – formalistische Moral – und seiner 5. Stufe – Regelutilitarismus und Vertragsmoral –) ist Kohlbergs philosophische Position nicht so stark.

Wenn man den ethischen Formalismus in Begriffen *prozeduraler Rationalität* erklären will, ist z. B. eine Aussage wie die folgende nicht akzeptabel: »Eine Moral, auf die man universale Übereinstimmung stützen könnte, macht es erforderlich, daß sich die moralische Verpflichtung direkt von einem materiellen Moralprinzip ableiten läßt, welches die Entscheidungen jedes Menschen ohne Konflikte und Inkonsistenzen definieren kann.« Wenn Kohlberg hingegen auf die »ideale Rollenübernahme« als »geeignetes Verfahren« für praktische Entscheidungen verweist, läßt er sich von richtigen Kantischen Intuitionen leiten, die Peirce und Mead pragmatistisch umgedeutet und im Sinne der Teilnahme an einem »universalen Diskurs« ausgedrückt haben. Kohlberg findet die Grundintuition, daß gültige Normen allgemeine Zustimmung müßten finden können, auch in der Theorie von Rawls wieder: »Eine gerechte Lösung für ein moralisches Dilemma ist eine für alle Parteien akzeptable Lösung, wobei jede Partei als frei und gleich betrachtet und von keiner angenommen wird, daß sie wissen kann, welche Rolle sie in der (problematischen) Situation einnehmen würde.«[13]

4. Nehmen wir an, daß die Verteidigung des moralischen Universalismus gelingt. Dann bliebe immer noch eine weitere Schwierigkeit. Kohlberg nimmt eine deontologische Position ein und behauptet, wie ich glaube aus guten Gründen, daß das postkon-

ventionelle Moralbewußtsein die Einsicht in die Autonomie der moralischen Sphäre erfordert. Autonomie bedeutet, daß die Form der moralischen Argumentation von allen übrigen Argumentationsformen unterschieden wird, ob sich diese nun auf die Feststellung und Erklärung von Tatsachen, auf die Bewertung von Kunstwerken, auf die Klärung von Ausdrücken, auf die Erhellung unbewußter Motive oder was immer beziehen. In praktischen Diskursen steht nicht die Wahrheit von Propositionen, die Angemessenheit von Bewertungen, die Wohlgeformtheit von Konstruktionen oder die Wahrhaftigkeit von expressiven Äußerungen, sondern nur die Richtigkeit von Handlungen und Handlungsnormen auf dem Spiel: »Die Frage lautet, ist es moralisch richtig?«[14]

Daraus ergibt sich aber, daß die rationalen Rekonstruktionen, auf die Kohlberg sich stützen muß, einem Typus normativer Theorie angehören, die in zweifacher Hinsicht »normativ« heißen kann. Eine kognitivistisch angelegte Moraltheorie ist zunächst normativ nur in dem Sinne, daß sie die Bedingungen einer bestimmten Sorte von Geltungsansprüchen erklärt – in dieser Hinsicht unterscheiden sich Theorien des moralischen Urteils nicht von Rekonstruktionen dessen, was Piaget formal-operationales Denken nennt. Jene Moraltheorie ist aber, da sie sich nicht in metaethischen Überlegungen erschöpft, »normativ« auch in dem Sinne, daß sie für die Gültigkeit ihrer eigenen Aussagen an Maßstäbe normativer Richtigkeit und nicht propositionaler Wahrheit appelliert. In dieser Hinsicht unterscheidet sich der Ausgangspunkt Kohlbergs von dem Piagets.

Müssen wir daraus schließen, daß eine Theorie der Moralentwicklung durch den normativen Status der besonderen Art rationaler Rekonstruktionen, die in sie eingebaut sind, irgendwie vergiftet wird? Ist Kohlbergs Theorie bloß pseudo-empirisch, eine hybride Variante, die weder den Rang einer Moraltheorie mit vollem normativen Status behaupten, noch dem Anspruch einer empirischen Wissenschaft genügen kann, deren theoretische Aussagen nur wahr oder falsch sein dürfen? Ich glaube, die Antwort ist »Nein«.

5. Kohlbergs eigene Haltung gegenüber der Frage, wie die philosophische Rekonstruktion bewährter moralischer Intuitionen zusammenhängt mit der psychologischen Erklärung des Erwerbs

dieses intuitiven Wissens, ist freilich nicht ohne Zweideutigkeit.

Betrachten wir zunächst die stärkere These, daß beide Unternehmungen Teile ein und derselben Theorie seien. Diese »Identitätsthese« behauptet: »Eine in letzter Instanz angemessene psychologische Erklärung, warum sich ein Kind von einer Stufe zur nächsten entwickelt, und eine in letzter Instanz angemessene philosophische Erklärung dessen, warum eine höhere Stufe angemessener ist als eine niedrigere, sind Teile ein und derselben Theorie, die nur in verschiedenen Richtungen ausgeführt wird.«[15] Diese Auffassung stützt sich auf den konstruktivistischen Lernbegriff. Ein Subjekt, das sich von der einen Stufe zur nächsten fortbewegt, sollte erklären können, warum seine Urteile auf der höheren Stufe angemessener sind als auf der niedrigeren – und eben diese Linie der natürlichen moralischen Überlegung des Laien wird von Moralphilosophen reflexiv aufgenommen. Diese Affinität beruht darauf, daß sowohl die Versuchsperson, der der Psychologe gegenübersteht, wie auch der Moralphilosoph die gleiche performative Einstellung eines Teilnehmers am praktischen Diskurs einnehmen. In beiden Fällen wird das Ergebnis der moralischen Überlegung, ob sich darin bloß die moralische Intuition des Laien oder der Rekonstruktionsversuch des Experten niederschlägt, im Lichte normativer Geltungsansprüche bewertet. Allein, die Einstellung des Psychologen ist eine andere, und auch der Typus von Geltung, an dem sich *seine* Erkenntnisbemühung orientiert, ist ein anderer. Gewiß, auch der Psychologe betrachtet die Äußerungen seiner Versuchsperson unter dem Gesichtspunkt, wie diese die moralischen Urteile einer soeben überwundenen Stufe kritisiert und höherstufige Urteile rechtfertigt; aber im Unterschied zum Laien (und seinem reflektierenden Alter Ego, dem Moralphilosophen) beschreibt und erklärt der Psychologe deren Urteile in der Einstellung der Dritten Person, so daß das Ergebnis seiner Überlegungen ausschließlich am Anspruch propositionaler Wahrheit gemessen werden kann. Diese wichtige Unterscheidung wird in Formulierungen wie der folgenden verwischt: »Die wissenschaftliche Theorie darüber, warum Personen sich faktisch von Stufe zu Stufe höher bewegen und warum sie faktisch eine höhere Stufe der niedrigeren vorziehen, ist, grob gesprochen, die gleiche wie eine Moraltheorie darüber, warum die Menschen eine höhere Stufe der niedrigeren vorziehen *sollten*.«[16]

In Wahrheit besteht eine Komplementarität von philosophischer und psychologischer Theorie, die Kohlberg an anderer Stelle zutreffend so beschreibt: »Während moralische Kriterien der Angemessenheit moralischer Urteile zur Definition eines Standards der psychologischen Angemessenheit oder der psychologischen Entwicklung beitragen, hat die empirische Untersuchung der psychologischen Entwicklung eine Rückwirkung auf jene Kriterien, indem sie diese klären hilft. Unsere psychologische Theorie darüber, warum die Individuen sich von einer Stufe zur nächsten fortbewegen, gründet sich auf eine moralphilosophische Theorie, die angibt, warum die spätere Stufe moralisch besser oder angemessener ist als die frühere Stufe. Unsere psychologische Theorie behauptet, daß die Individuen die höchste Stufe moralischer Überlegung, die sie beherrschen, bevorzugen; eine Behauptung, die von der Forschung gestützt wird. Diese Behauptung unserer psychologischen Theorie leitet sich von einer philosophischen Behauptung ab, wonach eine spätere Stufe nach bestimmten *moralischen* Kriterien ›objektiv‹ besser oder angemessener ist. Dieser philosophische Anspruch würde jedoch für uns in Frage gestellt, wenn die Tatsachen des Fortschritts in der Beurteilung moralischer Fragen mit deren psychologischen Implikationen unvereinbar wären.«[17]

Diese Komplementaritätsthese erfaßt die Arbeitsteilung zwischen Moralphilosophie auf der einen, Moralentwicklungstheorie auf der anderen Seite besser als die Identitätsthese. Der Erfolg einer empirischen Theorie, die nur wahr oder falsch sein kann, mag als Absicherung der normativen Gültigkeit einer zu empirischen Zwecken verwendeten Moraltheorie dienen: »Die Tatsache, daß unsere Konzeption der Moral empirisch ›funktioniert‹, ist wichtig für ihre philosophische Angemessenheit.« In diesem Sinne lassen sich rationale Rekonstruktionen überprüfen oder »testen«, wenn »Test« hier den Versuch bedeutet, zu prüfen, ob verschiedene Theoriestücke komplementär in das gleiche Muster hineinpassen. Bei Kohlberg ist die klarste Formulierung die folgende: »Die Wissenschaft kann also testen, ob die Moralkonzeption eines Philosophen phänomenologisch mit den psychologischen Tatsachen zusammenpaßt. Die Wissenschaft kann jedoch nicht darüber hinausgehen und jene Moralkonzeption als das rechtfertigen, was Moral sein sollte ...«[18]

6. Die Beziehung des wechselseitigen Zusammenpassens deutet darauf hin, daß der hermeneutische Zirkel sich erst auf der metatheoretischen Ebene schließt. Die empirische Theorie setzt die Geltung der normativen Theorie, die sie verwendet, voraus; gleichwohl wird deren Gültigkeit zweifelhaft, sobald sich philosophische Rekonstruktionen im Verwendungszusammenhang der empirischen Theorie als unbrauchbar erweisen. Die Verwendung einer normativen Theorie hat aber auch ihrerseits eine Auswirkung auf die hermeneutische Forschungsdimension. Die Datenerzeugung ist in einem stärkeren Maße »theoriegeleitet« als normale Interpretationen. Man vergleiche die beiden folgenden Formulierungen derselben Testaufgabe:

(1) »In Europa lag eine Frau wegen einer schweren Krankheit, einer besonderen Art Krebs, im Sterben. Es gab ein einziges Medikament, von dem die Ärzte sich Hilfe versprachen. Es war dies eine Form von Radium, für die der Apotheker den zehnfachen Betrag dessen verlangte, was die Herstellung ihn gekostet hatte. Der Ehemann der Kranken, Heinz, suchte alle Leute auf, von denen er glaubte, das Geld borgen zu können, doch bekam er nur die Hälfte des erforderlichen Betrags zusammen. Er erzählte dem Apotheker, daß seine Frau im Sterben liege und fragte ihn, ob er ihm das Medikament billiger verkaufen könne oder ob er es später bezahlen könne. Doch die Antwort hieß: ›Nein, ich habe das Medikament entdeckt und werde damit Geld machen.‹ Heinz geriet in Verzweiflung, brach in die Apotheke ein und stahl das Medikament für seine Frau. Hätte der Mann dies tun sollen? Warum?«

(2) »Ein Mann und eine Frau hatten vor kurzem das Gebirge verlassen. Sie begannen das Land zu bestellen, doch es kam kein Regen und die Ernte wuchs nicht. Keiner hatte genug zu essen. Die Frau wurde krank und schließlich lag sie wegen Nahrungsmangel im Sterben. Im Dorf gab es nur einen Lebensmittelladen und der Ladenbesitzer verlangte für die Lebensmittel einen sehr hohen Preis. Der Ehemann bat den Ladenbesitzer um etwas Nahrung für seine Frau und sagte, daß er später bezahlen werde. Doch der Ladenbesitzer sagte: ›Nein, ich gebe Dir nichts zu essen, wenn Du nicht vorher bezahlst.‹ Der Mann ging zu allen Leuten im Dorf und bat um Nahrung. Doch keiner hatte was zu essen übrig. Er geriet in

Verzweiflung, brach in den Laden ein, um für seine Frau Nahrungsmittel zu stehlen. Hätte der Ehemann dies tun sollen? Warum?«[19]

Die Formulierung (1) gibt Kohlbergs berühmtes Heinz-Dilemma wieder; es ist eine gute Illustration für die Methode, wie amerikanische Kinder zu vergleichbaren moralischen Urteilen veranlaßt werden. Die Antworten auf ein solches Dilemma werden nach Standardbeschreibungen moralischen Stufen zugeordnet. Die Formulierung (2) ist eine Rückübersetzung desselben Dilemmas aus dem Chinesischen, d. h. der Version, die Kohlberg beim Test von Kindern in einem taiwanesischen Dorf verwendete. Ich kann nicht beurteilen, wie stark diese chinesische Version von westlichen Vorstellungen überlagert ist. So schwach die Übersetzung ins Chinesische auch immer sein mag, sie wirft doch ein Licht auf die hermeneutische Aufgabe selber. Wenn – und nur wenn – die Theorie korrekt ist, sollten wir in der Lage sein, kontextsensitive Äquivalente für das Heinz-Dilemma in allen Kulturen zu finden, so daß wir taiwanesische Antworten bekommen, die sich mit den amerikanischen Antworten in bezug auf wichtige Theoriedimensionen vergleichen lassen. Es ergibt sich aus der Theorie selber, daß sich theorierelevante Geschichten von einem Kontext in einen anderen übersetzen lassen – und die Theorie gibt eine Anleitung dazu, wie dies zu bewerkstelligen ist. Läßt sich diese Aufgabe nicht ohne Gewalt und ohne Verzerrung durchführen, so ist gerade das Mißlingen der hermeneutischen Applikation ein Anzeichen dafür, daß die postulierten Dimensionen von außen auferlegt werden – und nicht das Resultat einer Rekonstruktion von innen sind.

Lassen Sie mich am Schluß betonen, daß sich diese methodologischen Überlegungen zur Struktur von entwicklungspsychologischen Theorien, in die Rekonstruktionen vermutlich allgemeiner Kompetenzen gleichsam eingebaut sind, zu illustrativen Zwecken auf Kohlbergs Theorie stützen. Damit sind zunächst keine Fragen berührt, die substantielle Teile der Theorie betreffen: z. B. ob Kohlbergs Beschreibung postkonventioneller Stufen des moralischen Bewußtseins verbessert werden muß; ob insbesondere der formalistische Zugang zur Ethik kontextuelle und interpersonale Aspekte unzulässig ignoriert; ob das an Piaget angelehnte Konzept der Entwicklungslogik zu stark ist; ob schließlich Kohlberg mit seiner Annahme über die Beziehung zwischen moralischem

Urteil und moralischem Handeln die psychodynamischen Aspekte vernachlässigt.[20]

Anmerkungen

1 J. Habermas, »Zur Logik der Sozialwissenschaften. Ein Literaturbericht«, Beiheft zur *Philosophischen Rundschau,* Tübingen 1967; abgedruckt in: ders., *Zur Logik der Sozialwissenschaften.* Ffm. 1982, 89 ff.

2 H. G. Gadamer, »Rhetorik, Hermeneutik und Ideologiekritik. Metakritische Erörterungen zu ›Wahrheit und Methode‹«, in: K.-O. Apel u. a., *Hermeneutik und Ideologiekritik.* Ffm. 1971, 57 ff.

3 P. Rabinow und W. M. Sullivan (Eds.), *Interpretative Social Science,* Berkeley 1979.

4 R. J. Bernstein, *Restructuring of Social and Political Theory,* N. Y. 1976; deutsch Ffm. 1979.

5 R. Rorty, *Philosophy and the Mirror of Nature,* Princeton, N. J. 1979, S. 355; deutsch Ffm. 1981, 384 f.

6 A. Cicourel, *Method and Measurement in Sociology,* Glencoe 1964; deutsch Ffm. 1970.

7 Ch. Taylor, »Interpretation and the Science of Man«, in: *Review of Metaphysics* 25, 1971, 3-51; deutsch: in ders., *Erklärung und Interpretation in den Wissenschaften vom Menschen,* Ffm. 1975.

8 Lassen Sie mich hinzufügen, daß ich mit der Unterscheidung zwischen hermeneutischen und nicht-hermeneutischen Wissenschaften keinen ontologischen Dualismus zwischen bestimmten Realitätsbereichen (z. B. Kultur vs. Natur, Werte vs. Tatsachen oder ähnliche neukantianische Abgrenzungen, wie sie hauptsächlich von Windelband, Rickert und Cassirer eingeführt wurden) befürworten möchte. Was ich befürworte, ist vielmehr die *methodologische* Unterscheidung zwischen Wissenschaften, die sich durch ein Verstehen dessen, was jemandem gesagt wird, den Zugang zu ihrem Objektbereich erschließen oder nicht erschließen müssen. Obwohl sich natürlich alle Wissenschaften *auf metatheoretischer Ebene* mit Interpretationsproblemen befassen müssen (dies wurde zum Brennpunkt der nachempiristischen Wissenschaftstheorie, vgl. Mary Hesse, »In Defence of Objectivity«, in: Proceedings of the British Academy, vol. 58, London, British Academy 1972), bekommen es nur diejenigen, die eine hermeneutische Forschungsdimension aufweisen, bereits auf der Ebene der *Erzeugung von Daten* mit Interpretationsproblemen zu tun. In dieser Hinsicht spricht A. Giddens vom Problem der »Doppel-Hermeneutik« (vgl. dessen *New Rules of Sociological Method,* London 1976). Mit dieser methodologischen Definition von hermeneutisch verfahrenden Wis-

senschaften widerspreche ich Rortys Auffassung von der Hermeneutik als einer auf »abweichende Diskurse« beschränkten Tätigkeit. Gewiß ist es der Zusammenbruch routinemäßiger Kommunikation, die im Alltagsleben am häufigsten hermeneutische Bemühungen auslöst. Doch das Interpretationsbedürfnis entsteht nicht nur in Situationen, in denen man nichts mehr versteht oder gar eine Art Nietzscheanische Erregung angesichts des Unvorhersehbaren, des Neuen und Schöpferischen verspürt. Ein solches Bedürfnis entsteht auch in den durchaus trivialen Begegnungen mit dem, was einem weniger vertraut ist. Unter dem Mikroskop des Ethnomethodologen verwandeln sich selbst die gewöhnlichsten Züge des Alltagslebens in etwas Fremdartiges. Dieses geradezu künstlich erzeugte Bedürfnis nach Interpretation ist der Normalfall in den Sozialwissenschaften. Die Hermeneutik ist nicht dem Noblen und Unkonventionellen vorbehalten; zumindest trifft Rortys aristokratische Auffassung der Hermeneutik nicht auf die Methodologie der Sozialwissenschaften zu.

9 I. Watt, »Transcendental Arguments and Moral Principles«, in: *Philosophical Quarterly*, 25, 1975, 38 ff.

10 Vgl. die Diskussion zwischen S. Toulmin und D. W. Hamlyn im Aufsatz von Hamlyn: »Epistemology and Conceptual Development«, in: Th. Mischel, ed., *Cognitive Development and Epistemology*, 1971, 3-24.

11 J. Piaget, *Biologie et connaissance*, Paris 1967; deutsch Ffm. 1974.

12 L. Kohlberg, »The Claim to Moral Adequacy of a Highest Stage of Moral Judgement«, in: *Journal of Philosophy* 70, 1973, 632, 633.

13 L. Kohlberg, »From Is to Ought«, in: Th. Mischel (1971), 208, 213.

14 Ebd., 215.

15 Ebd., 154.

16 Ebd., 223.

17 Kohlberg, (1973), 633.

18 Kohlberg, in: Mischel (1971), 222 f.

19 Ebd., 156, 165.

20 Vgl. in diesem Band unten S. 194 ff.

3. Diskursethik – Notizen zu einem Begründungsprogramm

I.

In seinem jüngsten Buch entwickelt A. MacIntyre die These, daß das Projekt der Aufklärung, eine säkularisierte, von Annahmen der Metaphysik und der Religion unabhängige Moral zu begründen, gescheitert sei. Er akzeptiert als unumstößliches Resultat der Aufklärung, was Horkheimer einst in kritischer Absicht festgestellt hatte – daß die instrumentelle, auf Zweckrationalität eingeschränkte Vernunft die Zwecksetzung selbst blinden Gefühlseinstellungen und Dezisionen überlassen muß: »Reason is calculative; it can assess truths of fact and mathematical relations but nothing more. In the realm of practice it can speak only of means. About ends it must be silent.«[1] Dem widersprechen seit Kant jene kognitivistischen Ethiken, die in dem einen oder anderen Sinne an der »Wahrheitsfähigkeit« praktischer Fragen festhalten.

In dieser Kantischen Tradition stehen heute bedeutende theoretische Ansätze wie die von Kurt Baier, Marcus George Singer, John Rawls, Paul Lorenzen, Ernst Tugendhat und Karl-Otto Apel; sie treffen sich in der Absicht, die Bedingungen für eine unparteiliche, allein auf Gründe gestützte Beurteilung praktischer

Fragen zu analysieren.[2] Unter diesen Theorien ist Apels Versuch zwar nicht derjenige, der am detailliertesten durchgeführt ist; gleichwohl halte ich die in Umrissen erkennbare Diskursethik für den heute aussichtsreichsten Ansatz. Ich will diese Einschätzung der gegenwärtigen Argumentationslage dadurch plausibel machen, daß ich ein entsprechendes Begründungsprogramm vorstelle. Dabei werde ich mich mit anderen kognitivistischen Ansätzen nur im Vorbeigehen auseinandersetzen; in erster Linie konzentriere ich mich auf die Herausarbeitung der gemeinsamen Fragestellung, die jene Theorien von den nicht-kognitivistischen Ansätzen unterscheidet.

Zunächst (1) will ich die Sollgeltung von Normen und die Geltungsansprüche, die wir mit normbezogenen (oder regulativen) Sprechhandlungen erheben, als diejenigen Phänomene auszeichnen, die eine philosophische Ethik muß erklären können. Dabei zeigt sich (2), daß die bekannten philosophischen Positionen, nämlich Definitionstheorien metaphysischer Art und intuitionistische Wertethiken auf der einen Seite, nonkognitivistische Theorien wie Emotivismus und Dezisionismus auf der anderen Seite, bereits die erklärungsbedürftigen Phänomene verfehlen, indem sie normative Sätze an das falsche Modell von deskriptiven Sätzen und Bewertungen oder von Erlebnissätzen und Imperativen angleichen. Ähnliches gilt für einen Präskriptivismus, der sich am Modell von Absichtssätzen ausrichtet.[3] Moralische Phänomene erschließen sich, wie ich in Teil II zeigen will, einer formalpragmatischen Untersuchung kommunikativen Handelns, bei dem sich die Aktoren an Geltungsansprüchen orientieren. Es soll klar werden, warum die philosophische Ethik, anders als beispielsweise die Erkenntnistheorie, ohne weiteres die Gestalt einer speziellen Argumentationstheorie annehmen kann. In Teil III stellt sich die moraltheoretische Grundfrage, wie der Universalisierungsgrundsatz, der in praktischen Fragen allein ein argumentatives Einverständnis ermöglicht, selber begründet werden kann. Dies ist der Ort für Apels transzendentalpragmatische Begründung der Ethik aus allgemeinen pragmatischen Voraussetzungen von Argumentation überhaupt. Wir werden freilich sehen, daß diese »Ableitung« nicht den Status einer Letztbegründung beanspruchen kann, und warum ein so starker Anspruch auch gar nicht erhoben werden sollte. Das transzendentalpragmatische Argument in der von Apel vorgeschlagenen Form ist sogar zu schwach, um den Widerstand des konsequenten Skeptikers gegen *jede* Form einer Vernunftmoral zu brechen. Dieses Problem wird uns schließlich nötigen, wenigstens mit einigen knappen Hinweisen zu Hegels Kritik an der Kantischen Moral zurückzukehren, um dem Primat der Sittlichkeit vor der Moral einen unverfänglichen (gegen neuaristotelische und neuhegelianische Ideologisierungsversuche immunen) Sinn abzugewinnen.

(1) MacIntyres Bemerkung erinnert an eine Kritik der instrumentellen Vernunft, die sich gegen spezifische Vereinseitigungen des modernen Weltverständnisses richtet, insbesondere gegen die hartnäckige Tendenz, den Bereich der Fragen, die sich mit Gründen entscheiden lassen, aufs Kognitiv-Instrumentelle zusammenschrumpfen zu lassen. Moralisch-praktische Fragen des Typs: »Was soll ich tun?« werden, soweit sie nicht unter Aspekten der Zweckrationalität beantwortet werden können, aus der vernünftigen Erörterung ausgeblendet. Diese Pathologie des modernen Bewußtseins verlangt nach einer *gesellschaftstheoretischen* Erklärung[4]; die philosophische Ethik, die das nicht leisten kann, muß *therapeutisch* vorgehen und gegen die Verstellung moralischer Grundphänomene die Selbstheilungskräfte der Reflexion aufbieten. In diesem Sinne kann die linguistische Phänomenologie des sittlichen Bewußtseins, die P. F. Strawson in seinem berühmten Aufsatz über »Freedom and Resentment« durchgeführt hat, eine mäeutische Kraft entwickeln und dem als moralischen Skeptiker auftretenden Empiristen für die eigenen moralischen Alltagsintuitionen die Augen öffnen.[5]

Strawson geht von einer Gefühlsreaktion aus, die wegen ihrer Aufdringlichkeit geeignet ist, auch dem Hartgesottensten sozusagen den Realitätsgehalt moralischer Erfahrungen zu demonstrieren: von der Entrüstung, mit der wir auf Kränkungen reagieren. Diese unzweideutige Reaktion verfestigt und verstetigt sich, wenn die zugefügte Verletzung nicht in irgendeiner Weise »wiedergutgemacht« wird, zum schwelenden Ressentiment. Dieses anhaltende Gefühl enthüllt die moralische Dimension einer erlittenen Kränkung, weil es nicht, wie Schrecken oder Wut, unmittelbar auf einen Akt der Verletzung, sondern auf das empörende Unrecht reagiert, das ein Anderer an mir begeht. Das Ressentiment ist der Ausdruck einer (eher ohnmächtigen) moralischen Verurteilung.[6] Ausgehend vom Beispiel des Ressentiments macht Strawson vier wichtige Beobachtungen.

(a) Für Handlungen, die die Integrität eines Anderen verletzen, kann der Täter oder ein Dritter gegebenenfalls Entschuldigungen vorbringen. Sobald der Betroffene eine Bitte um Entschuldigung akzeptiert, wird er sich nicht mehr auf genau die gleiche Weise verletzt oder herabgesetzt fühlen; seine anfängliche Entrüstung wird sich nicht zum Ressentiment verstetigen. Entschuldigungen sind gleichsam Reparaturen, die wir an gestörten Interaktionen vornehmen. Um nun die Art dieser Störungen zu identifizieren, unterscheidet Strawson zwei Sorten von Entschuldigungen. Im einen Fall führen wir Umstände ins Feld, die plausibel machen sollen, daß es nicht ganz angemessen wäre, die kränkende Handlung als Zufügung eines Unrechts zu empfinden: »Er hat es nicht so gemeint«, »Er konnte nicht anders«, »Er hatte keine andere Wahl«, »Er wußte nicht, daß ...« sind einige Beispiele für den Typus von Entschuldigungen, der *die* als verletzend empfundene *Handlung* in ein anderes Licht rückt, ohne die Zurechnungsfähigkeit des Handelnden in Zweifel zu ziehen. Genau dies ist aber der Fall, wenn wir darauf hinweisen, daß es sich um die Tat eines Kindes, eines Verrückten, eines Betrunkenen handelt – daß die Tat von jemandem begangen wurde, der außer sich war, der unter starkem Streß, z. B. unter den Nachwirkungen einer schweren Krankheit gestanden hat usw. Dieser Typus von Entschuldigungen lädt uns ein, *den Aktor selbst* in einem anderen Licht zu sehen, nämlich so, daß ihm die Eigenschaften eines zurechnungsfähigen Subjektes nicht ohne Einschränkung zugeschrieben werden können. In diesem Fall sollen wir eine objektivierende Einstellung einnehmen, die moralische Vorwürfe von vornherein ausschließt: »The objective attitude may be emotionally toned in many ways, but not in all ways: it may include repulsion or fear, it may include pity or even love, though not all kinds of love. But it cannot include the range of reactive feelings and attitudes which belong to involvement or participation with others in inter-personal human relationships; it cannot include resentment, gratitude, forgiveness, anger, or the sort of love which two adults can sometimes be said to feel reciprocally, for each other. If your attitude towards someone is wholly objective, then though you might fight him, you cannot quarrel with him, and though you may talk to him, even negotiate with him, you cannot reason with him. You can at most *pretend* to quarrel, or to reason, with him.«[7]

Diese Überlegung führt Strawson zu dem Schluß, daß die persönlichen Reaktionen des Gekränkten, daß z. B. Ressentiments nur in der performativen Einstellung eines Interaktionsteilnehmers möglich sind. Die objektivierende Einstellung eines Unbeteiligten hebt die Kommunikationsrollen der ersten und der zweiten Person auf und neutralisiert den Bereich moralischer Erscheinungen überhaupt. Die Einstellung der dritten Person bringt diesen Phänomenbereich zum Verschwinden.

(b) Diese Beobachtung ist auch aus methodischen Gründen wichtig: der Moralphilosoph muß eine Perspektive einnehmen, aus der er moralische Phänomene als solche wahrnehmen kann. Strawson zeigt, wie verschiedene moralische Gefühle über interne Beziehungen miteinander verflochten sind. Die persönlichen Reaktionen des Gekränkten, so haben wir gesehen, können durch Entschuldigungen kompensiert werden. Umgekehrt kann der Betroffene ein geschehenes Unrecht verzeihen. Den Gefühlen des Verletzten entspricht die Dankbarkeit dessen, dem eine Wohltat zugefügt wird, und der Verurteilung der unrechten Tat die Bewunderung der guten. Zahllos sind die Schattierungen unseres Gefühls für Gleichgültigkeit, Verachtung, Böswilligkeit, für Genugtuung, Anerkennung, Ermutigung, Trost usw. Zentral sind natürlich die Gefühle der Schuld und der Verpflichtung. An diesem sprachanalytisch aufklärbaren Komplex von Gefühlseinstellungen interessiert Strawson zunächst der Umstand, daß alle diese Emotionen in eine Alltagspraxis eingelassen sind, zu der wir nur in performativer Einstellung Zugang haben. Dadurch erst gewinnt das Netz moralischer Gefühle eine bestimmte *Unausweichlichkeit*: das Engagement, das wir als Angehörige einer Lebenswelt übernommen haben, können wir nicht nach Belieben aufkündigen. Die objektivierende Einstellung gegenüber Phänomenen, die wir zunächst aus der Teilnehmerperspektive wahrgenommen haben müssen, ist demgegenüber sekundär: »We look with an objective eye on the compulsive behaviour of the neurotic or the tiresome behaviour of a very young child, thinking in terms of treatment or training. But we can sometimes look with something like the same eye on the behaviour of the normal and the mature. We have this resource and can sometimes use it: as a refuge, say, from the strains of involvement; or as an aid to policy; or simply out of intellectual curiosity. Being human, we cannot, in the normal case, do this for long, or altogether.«[8]

Diese Beobachtung wirft ein Licht auf die Stellung jener Ethiken, die aus einer Beobachterperspektive mit dem Ergebnis einer *Umdeutung moralischer Alltagsintuitionen* durchgeführt werden. Empiristische Ethiken könnten auch dann, wenn sie wahr wären, einen aufklärenden Effekt nicht erzielen, weil sie die Intuitionen der Alltagspraxis nicht erreichen: »The human commitment to participation in ordinary inter-personal relationships is, I think, too thoroughgoing and deeply rooted for us to take seriously the thought that a general theoretical conviction might so change our world that, in it, there were no longer any such things as inter-personal relationships as we normally understand them ... A sustained objectivity of inter-personal attitude, and the human isolation which that would entail, does not seem to be something of which human beings would be capable, even if some general truth were a theoretical ground for it.«[9] Solange sich die Moralphilosophie die Aufgabe stellt, zur Klärung der alltäglichen, auf dem Wege der Sozialisation erworbenen Intuitionen beizutragen, muß sie, mindestens virtuell, an die Einstellung von Teilnehmern der kommunikativen Alltagspraxis anknüpfen.

(c) Erst die dritte Beobachtung führt zum moralischen Kern der bisher analysierten Gefühlsreaktionen. Entrüstung und Ressentiment richten sich gegen einen *bestimmten* Anderen, der unsere Integrität verletzt; aber den moralischen Charakter verdankt diese Empörung nicht dem Umstand, daß die Interaktion zwischen zwei einzelnen Personen gestört wird. Vielmehr ist es der Verstoß gegen eine zugrunde liegende *normative Erwartung*, die nicht nur für Ego und Alter, sondern für *alle Angehörigen* einer sozialen Gruppe, im Falle streng moralischer Normen sogar für alle zurechnungsfähigen Aktoren überhaupt, Geltung hat. Nur so erklärt sich das Phänomen des Schuldgefühls, das den Selbstvorwurf des Täters begleitet. Dem Vorwurf des Gekränkten können die Skrupel dessen, der ein Unrecht begangen hat, entsprechen, wenn dieser erkennt, daß er in der Person des Betroffenen zugleich eine unpersönliche, jedenfalls überpersönliche, für beide Seiten gleichermaßen bestehende Erwartung verletzt hat. Gefühle der Schuld und der Verpflichtung weisen über den Partikularismus dessen, was einen Einzelnen in einer bestimmten Situation betrifft, hinaus. Wären die Gefühlsreaktionen, die sich in bestimmten Situationen gegen einzelne Personen richten, nicht mit jener *unpersönlichen* Art von Entrüstung verbunden, die sich gegen die

Verletzung von generalisierten Verhaltenserwartungen oder Normen richtet, würden sie eines moralischen Charakters entbehren. Erst der Anspruch auf *allgemeine* Geltung verleiht einem Interesse, einem Willen oder einer Norm die Würde moralischer Autorität.[10]

(d) Mit dieser Eigenart moralischer Geltung hängt eine weitere Beobachtung zusammen. Es besteht offenbar ein interner Zusammenhang zwischen einerseits der Autorität geltender Normen und Gebote, der Verpflichtung der Normadressaten, das Gebotene zu tun und das Verbotene zu lassen, und andererseits jenem unpersönlichen Anspruch, mit dem Handlungsnormen und Gebote auftreten: daß sie zu Recht bestehen – und daß man erforderlichenfalls *zeigen* kann, daß sie zu Recht bestehen. Die Empörung und der Vorwurf, die sich gegen die Verletzung von Normen richten, können sich letztlich nur auf einen kognitiven Gehalt stützen. Wer einen solchen Vorwurf erhebt, meint, daß sich der Schuldige gegebenenfalls rechtfertigen kann – beispielsweise dadurch, daß er die normative Erwartung, an die der Empörte appelliert, als ungerechtfertigt zurückweist. Etwas tun *sollen* heißt, *Gründe haben*, etwas zu tun.

Freilich würde man die Art dieser Gründe verkennen, wenn man die Frage: »Was soll ich tun?« auf eine Frage bloßer Klugheit und damit auf Aspekte des zweckmäßigen Verhaltens reduzierte. So verhält sich der Empirist, der die praktische Frage: »Was soll ich tun?« reduziert auf die Fragen: »Was will ich tun?« und »Wie kann ich es tun?«[11] Auch der Gesichtspunkt der sozialen Wohlfahrt hilft nicht weiter, wenn der Utilitarist die Frage: »Was sollen wir tun?« auf die technische Frage der zweckrationalen Erzeugung sozial wünschenswerter Effekte zurückschraubt. Normen versteht er von vornherein als Instrumente, die sich unter Gesichtspunkten sozialer Nützlichkeit als mehr oder weniger zweckmäßig rechtfertigen lassen: »But the social utility of these practices ... is not what is now in question. What is in question is the justified sense that to speak in terms of social utility alone is, to leave out something vital in our conception of these practices. The vital thing can be restored by attending to that complicated web of attitudes and feelings which form an essential part of the moral life as we know it, and which are quite opposed to objectivity of attitude. Only by attending to this range of attitudes can we recover from the facts as we know them a sense of what we mean, i. e. of *all* we mean, when, speaking the language of morals, we speak of desert, responsibility, guilt, condemnation, and justice.«[12]

Strawson führt an dieser Stelle seine verschiedenen Beobachtungen zusammen. Er beharrt darauf, daß wir den Sinn moralisch praktischer Rechtfertigungen von Handlungsweisen nur dann nicht verfehlen können, wenn wir das in die kommunikative Alltagspraxis eingelassene Netz moralischer Gefühle im Auge behalten und die Frage »Was soll ich, was sollen wir tun?« richtig lokalisieren: »Inside the general structure or web of human attitudes and feelings of which I have been speaking, there is endless room for modification, redirection, criticism, and justification. But questions of justification are internal to the structure or relate to modifications internal to it. The existence of the general framework of attitudes itself is something we are given with the fact of human society. As a whole, it neither calls for, nor permits, an *external* ›rational‹ justification.«[13]

Strawson's Phänomenologie des Moralischen gelangt also zu dem Ergebnis, daß sich die Welt moralischer Erscheinungen nur aus der performativen Einstellung von Interaktionsteilnehmern erschließt; daß Ressentiments, überhaupt persönliche Gefühlsreaktionen, auf überpersönliche Maßstäbe der Beurteilung von Normen und Geboten verweisen; und daß die moralisch-praktische Rechtfertigung einer Handlungsweise auf einen *anderen* Aspekt abzielt als auf die gefühlsneutrale Beurteilung von Zweck-Mittel-Zusammenhängen, selbst wenn diese sich von Gesichtspunkten sozialer Wohlfahrt leiten läßt. Daß Strawson Gefühle analysiert, ist nicht zufällig. Offenbar haben Gefühle eine ähnliche Bedeutung für die moralische Rechtfertigung von Handlungsweisen wie Wahrnehmungen für die theoretische Erklärung von Tatsachen.

(2) In seiner Untersuchung »The Place of Reason in Ethics« (1950) (die im übrigen ein Beispiel dafür ist, daß man in der Philosophie richtige Fragen stellen kann, ohne die richtigen Antworten zu finden) stellt Toulmin eine Parallele zwischen Gefühlen und Wahrnehmungen her.[14] Meinungsäußerungen wie beispielsweise »Dies ist ein gebogener Stock« funktionieren im Alltag im allgemeinen als unproblematische Vermittler von Interaktionen; das gleiche gilt für Gefühlsäußerungen der folgenden

Art: »Wie konnte ich das nur tun!«, »Du solltest ihm helfen«, »Er hat mich gemein behandelt«, »Sie hat sich großartig verhalten« usw. Wenn solche Äußerungen auf Widerspruch stoßen, wird der mit ihnen verbundene Geltungsanspruch in Frage gestellt. Der Andere fragt, ob die Behauptung wahr ist, ob der Vorwurf oder der Selbstvorwurf, ob die Ermahnung oder die Anerkennung *richtig* sind. Der Sprecher mag daraufhin den zunächst erhobenen Anspruch relativieren und nur darauf beharren, daß ihm der Stock ganz sicher als gebogen *erschienen* sei, oder daß er das deutliche *Empfinden* gehabt habe, daß »er« das nicht hätte tun sollen, während »sie« sich doch ganz großartig verhalten habe usw. Er kann schließlich eine *physikalische Erklärung* seiner optischen Täuschung, die eintritt, wenn man einen Stock ins Wasser hält, akzeptieren. Die Erklärung wird den problematischen Sachverhalt, daß der als gebogen wahrgenommene Stock tatsächlich gerade ist, aufklären. In ähnlicher Weise wird auch eine *moralische Begründung* eine problematisch gewordene Handlungsweise in ein anderes Licht rücken, entweder entschuldigen, kritisieren oder rechtfertigen. Ein entfaltetes moralisches Argument verhält sich zu jenem Netzwerk moralischer Gefühlseinstellungen ähnlich wie ein theoretisches Argument zum Strom der Wahrnehmungen: »In ethics, as in science, incorrigible but conflicting reports of personal experience (sensible or emotional) are replaced by judgements aiming at universality and impartiality – about the ›real value‹, the ›real colour‹, the ›real shape‹ of an object, rather than the shape, colour of value one would ascribe to it on the basis of immediate experience alone.«[15] Während die theoretische Kritik an irreführenden Alltagserfahrungen dazu dient, Meinungen und Erwartungen zu korrigieren, dient die moralische Kritik dazu, Handlungsweisen zu ändern oder Urteile über sie zu berichtigen.

Die Parallele, die Toulmin zwischen der theoretischen Erklärung von Tatsachen und der moralischen Rechtfertigung von Handlungsweisen, zwischen den Erfahrungsbasen der Wahrnehmungen einerseits und der Gefühle andererseits zieht, ist nicht so erstaunlich. Wenn »etwas tun sollen« impliziert, »gute Gründe haben, etwas zu tun«, dann müssen Fragen, die sich auf die Entscheidung zwischen normengeleiteten Handlungen, oder auf die Wahl von Handlungsnormen selber beziehen, »wahrheitsfähig« sein: »To believe in the objectivity of morals is to believe that some moral statements are true.«[16] Allerdings bedarf der Sinn von »moralischer Wahrheit« der Klärung.

Alan R. White zählt zehn verschiedene Gründe auf, die dafür sprechen, daß Sollsätze wahr oder falsch sein können. Normalerweise äußern wir Sollsätze im Indikativ und geben damit zu erkennen, daß normative Aussagen in ähnlicher Weise wie deskriptive Aussagen kritisiert, d. h. widerlegt und begründet werden können. Dem naheliegenden Einwand, daß es in moralischen Argumentationen darum gehe, daß etwas getan werden soll, und nicht darum, wie sich die Dinge verhalten, begegnet White mit dem Hinweis, »that in moral discussion about what to do, what we agree on or argue about, assume, discover or prove, doubt or know is not whether *to do* so and so but *that* so-and-so *is* the right, better, or only thing to do. And this is something that can be true or false. I can believe that X ought to be done or is the best thing to do, but I cannot believe a decision any more that I can believe a command or a question. Coming to the decision *to do* so-and-so *is* the best or the right thing to do. Moral pronouncements may entail answers to the question ›What shall I do?‹ they do not *give* such answers.«[17]

Mit diesen und ähnlichen Argumenten werden Weichen in Richtung einer kognitivistischen Ethik gestellt; gleichzeitig suggeriert aber die These der »Wahrheitsfähigkeit« praktischer Fragen eine Angleichung normativer Aussagen an deskriptive Aussagen. Wenn wir, wie ich denke: mit Recht, davon ausgehen, daß normative Aussagen gültig oder ungültig sein können; und wenn wir, wie der Ausdruck »moralische Wahrheit« anzeigt, die in moralischen Argumentationen umstrittenen Geltungsansprüche nach dem zunächst greifbaren Modell der Wahrheit von Propositionen deuten; dann sehen wir uns, wie ich glaube irreführenderweise, veranlaßt, die Wahrheitsfähigkeit praktischer Fragen so zu verstehen, als könnten normative Aussagen in demselben Sinne ›wahr‹ oder ›falsch‹ sein wie deskriptive Aussagen. So stützt sich beispielsweise der Intuitionismus auf eine Angleichung von normativ gehaltvollen Sätzen an prädikative Sätze vom Typus: »Dieser Tisch ist gelb« oder »Alle Schwäne sind weiß«. G. E. Moore hat detaillierte Untersuchungen darüber angestellt, wie sich die Prädikate »gut« und »gelb« zueinander verhalten.[18] Für Wertprädikate entwickelt er die Lehre von den nichtnatürlichen Eigenschaften, die, analog zur Wahrnehmung von Dingeigenschaften, in idealer Anschauung erfaßt oder an idealen Gegenständen abgelesen werden können.[19] Auf diesem Wege will Moore zeigen, wie die Wahrheit von normativ gehaltvollen Sätzen, die intuitiv einleuchten, wenigstens indirekt nachgewiesen werden kann. Allein, diese Art der Analyse wird von der prädikativen Umformung typischer Sollsätze auf eine falsche Fährte gesetzt.

Ausdrücke wie ›gut‹ oder ›richtig‹ müßten mit einem höherstufigen Prädikat wie ›wahr‹ und nicht mit Eigenschaftsprädikaten wie ›gelb‹ oder ›weiß‹ verglichen werden. Der Satz:

(1) Unter den gegebenen Umständen soll man lügen

läßt sich zwar korrekt umformen in:

(1') Unter den gegebenen Umständen zu lügen, ist richtig (ist im moralischen Sinne gut).

Hier hat aber der Prädikatausdruck »ist richtig« oder »ist gut« eine andere logische Rolle als der Ausdruck »ist gelb« in dem Satz:

(2) Dieser Tisch ist gelb.

Sobald das Wertprädikat »gut« den Geltungssinn des »moralisch Guten« annimmt, erkennen wir die Asymmetrie. Denn vergleichbar sind nur die Sätze:

(3) Es ist richtig (geboten), daß ›h‹

(4) Es ist wahr (der Fall), daß ›p‹

wobei ›h‹ und ›p‹ für (1) und (2) stehen sollen. Diese metasprachlichen Formulierungen bringen die in (1) und (2) implizit mitgeführten Geltungsansprüche als solche zum Ausdruck. An der Satzform von (3) und (4) läßt sich ablesen, daß die Analyse des Zu- und Absprechens von Prädikaten nicht der richtige Weg ist, um die mit »es ist richtig« und »es ist wahr« ausgedrückten Geltungsansprüche zu erklären. Wenn man Richtigkeits- und Wahrheitsansprüche miteinander vergleichen möchte, ohne sogleich den einen an den anderen anzugleichen, muß geklärt werden, wie sich ›p‹ und ›h‹ jeweils *begründen* lassen – wie wir gute Gründe für und gegen die Geltung von (1) und (2) anführen können.

Wir müssen zeigen, worin das Spezifische der Rechtfertigung von Geboten besteht. Das hat Toulmin gesehen: »›Rightness‹ is not a property; and when I asked two people which course of action was the right one I was not asking them about a property – what I wanted to know was whether there was any reason for choosing one course of action rather than another ... All that two people need (and all that they have) to contradict one another about in the case of ethical predicates are the *reasons* for doing this rather than that or the other.«[20]

Ebenso klar hat Toulmin gesehen, daß die subjektivistische Antwort auf das Versagen des ethischen Objektivismus von Moore und anderen nur die Kehrseite derselben Medaille ist. Beide Seiten gehen von der falschen Prämisse aus, daß die Wahrheitsgeltung deskriptiver Sätze, und nur diese, den Sinn festlegt, in dem Sätze überhaupt begründet akzeptiert werden können.

Da der intuitionistische Versuch, moralische Wahrheiten dingfest zu machen, schon deshalb scheitern mußte, weil sich normative Sätze nicht verifizieren bzw. falsifizieren, also nach denselben Spielregeln wie deskriptive Sätze prüfen lassen, bot sich unter der genannten Voraussetzung als Alternative an, die Wahrheitsfähigkeit praktischer Fragen in Bausch und Bogen zu verwerfen. Natürlich leugnen *die Subjektivisten* nicht die grammatischen Tatsachen, die dafür sprechen, daß man sich in der Lebenswelt tatsächlich über praktische Fragen jederzeit so streitet, als *seien* diese mit guten Gründen zu entscheiden.[21] Aber sie erklären dieses naive Vertrauen in die Begründbarkeit von Normen und Geboten als eine Illusion, die durch moralische Alltagsintuitionen geweckt wird. Deshalb müssen die moralischen Skeptiker gegenüber Kognitivisten, die wie Strawson das intuitive Wissen des zurechnungsfähigen Interaktionsteilnehmers lediglich explizit machen wollen, eine weitaus anspruchsvollere Aufgabe übernehmen; sie müssen kontraintuitiv erklären, was unsere moralischen Urteile, entgegen ihrem manifesten Geltungsanspruch, *wirklich* bedeuten, und welche Funktionen die entsprechenden Gefühle *tatsächlich* erfüllen.

Als linguistisches Modell für diesen Versuch bieten sich Satztypen an, mit denen wir offensichtlich keine diskursiv einlösbaren Geltungsansprüche verbinden: Sätze der ersten Person, in denen wir subjektive Präferenzen, Wünsche und Abneigungen zum Ausdruck bringen, oder Imperative, mit denen wir eine andere Person zu einem bestimmten Verhalten veranlassen möchten. Der *emotivistische* und der *imperativische Ansatz* sollen plausibel machen, daß sich die unklare Bedeutung normativer Sätze letztlich auf die Bedeutung von Erlebnis- bzw. Aufforderungssätzen, oder auf eine Kombination von beiden, zurückführen läßt. Nach dieser Lesart bringt die normative Bedeutungskomponente von Sollsätzen in verschlüsselter Form entweder subjektive Einstellungen oder suggestive Überredungsversuche oder beides zum Ausdruck: »›This is good‹ means roughly the same as ›I approve of this; do as well‹, trying to capture by this equivalence both the function of the moral judgement as expressive of the speaker's attitude and the function of the moral judgement as designed to influence the hearer's attitudes.«[22]

Der *präskriptivistische Ansatz*, den R. M. Hare in »The Language of Morals« entwickelt[23], erweitert den imperativischen Ansatz insofern, als Sollaussagen nach dem Modell einer Verknüpfung von Imperativen und Bewertungen analysiert werden.[24] Die zentrale Bedeutungskomponente besteht dann darin, daß der Sprecher mit einer normativen Aussage einem Hörer eine bestimmte Wahl zwischen Handlungsalternativen empfiehlt oder vorschreibt. Da sich diese Empfehlungen oder Vorschriften letztlich auf Prinzipien stützen, die der Sprecher willkürlich adoptiert hat, bilden aber Wertaussagen nicht das eigentlich maßgebende Modell für die Bedeutungsanalyse von Sollsätzen. Hare's Präskriptivismus läuft vielmehr auf einen ethischen Dezisionismus hinaus; die Basis für die Begründung von normativ gehaltvollen Sätzen bilden Absichtssätze, nämlich jene Sätze, mit denen der Sprecher die Wahl von Prinzipien, in allerletzter Instanz die Wahl einer Lebensform zum Ausdruck bringt. Diese wiederum ist einer Rechtfertigung nicht fähig.[25]

Obwohl Hare's dezisionistische Theorie der Tatsache, daß wir über praktische Fragen tatsächlich mit Gründen streiten, besser gerecht wird als die emotivistischen und die im engeren Sinne imperativischen Lehren, laufen alle diese metaethischen Ansätze auf dieselbe skeptische Pointe hinaus. Sie erklären, daß der Sinn unseres moralischen Vokabulars in Wahrheit darin besteht, etwas zu sagen, wofür Erlebnissätze, Imperative oder Absichtssätze die angemessuneren linguistischen Formen wären. Mit keinem dieser Satztypen kann ein Wahrheitsanspruch oder überhaupt ein auf Argumentation angelegter Geltungsanspruch verknüpft werden. Deshalb muß sich in der Unterstellung, daß es so etwas wie »moralische Wahrheiten« gebe, eine vom intuitiven Alltagsverständnis suggerierte Täuschung ausdrücken. Die nicht-kognitivistischen Ansätze entwerten die Welt moralischer Alltagsintuitionen mit einem Schlage. Aus wissenschaftlicher Perspektive läßt sich, diesen Lehren zufolge, über Moral nur noch empirisch reden. In diesem Fall nehmen wir eine objektivierende Einstellung ein und beschränken uns darauf, zu beschreiben, welche Funktionen Sätze und Gefühle erfüllen, die aus der Innenansicht der Beteiligten als moralische qualifiziert werden. Diese Theorien wollen und können mit philosophischen Ethiken nicht konkurrieren; sie ebnen allenfalls den Weg für empirische Untersuchungen, *nachdem* klar zu sein scheint, daß praktische Fragen nicht wahrheitsfähig, und daß ethische Untersuchungen im Sinne einer normativen Theorie gegenstandslos sind.

Eben diese metaethische Behauptung ist freilich nicht ganz so unumstritten, wie die Skeptiker voraussetzen. Der nicht-kognitivistische Standpunkt wird vor allem mit zwei Argumenten gestützt: (a) mit dem empirischen Hinweis, daß der Streit in moralischen Grundsatzfragen normalerweise nicht geschlichtet werden kann, und (b) mit dem bereits erwähnten Scheitern des Versuchs, die Wahrheitsgeltung normativer Sätze, ob nun im Sinne des Intuitionismus oder (worauf ich nicht einzugehen brauche) im Sinne des klassischen Naturrechts oder einer materialen Wertethik (Scheler, Hartmann) zu erklären.[26] Der erste Einwand wird entkräftet, wenn sich ein Prinzip namhaft machen läßt, das Einverständnis in moralischen Argumentationen grundsätzlich herbeizuführen erlaubt. Der zweite Einwand entfällt, sobald man die Prämisse aufgibt, daß normative Sätze, sofern sie *überhaupt* mit einem Geltungsanspruch auftreten würden, nur im Sinne propositionaler Wahrheit gültig oder ungültig sein könnten.

Im Alltag verbinden wir mit normativen Aussagen Geltungsansprüche, die wir gegen Kritik zu verteidigen bereit sind. Wir erörtern praktische Fragen von dem Typus: »Was soll ich/sollen wir tun?« unter der Voraussetzung, daß die Antworten nicht beliebig sein müssen; wir trauen uns grundsätzlich zu, richtige Normen und Gebote von falschen unterscheiden zu können. Wenn andererseits normative Sätze nicht im engeren Sinne wahrheitsfähig sind, also nicht *in dem gleichen Sinne* wie deskriptive Aussagen wahr oder falsch sein können, müssen wir die Aufgabe, den Sinn »moralischer Wahrheit« oder – wenn dieser Ausdruck bereits in die falsche Richtung weist – den Sinn »normativer Richtigkeit« zu erklären, so stellen, daß wir nicht in Versuchung kommen, den einen Satztypus an den anderen zu assimilieren. Wir müssen von der schwächeren Annahme eines *wahrheitsanalogen* Geltungsanspruches ausgehen und zu der Problemfassung zurückkehren, die Toulmin der Grundfrage der philosophischen

Ethik gegeben hatte: »What kind of argument, of reasoning is it proper for us to accept in support of moral decisions?«[27] Toulmin klebt nicht länger an der semantischen Analyse von Ausdrücken und Sätzen, sondern konzentriert sich auf die Frage nach dem Modus der Begründung normativer Sätze, nach der *Form der Argumente,* die wir für oder gegen Normen und Gebote anführen, nach den Kriterien für »gute Gründe«, die uns kraft Einsicht motivieren, Forderungen als moralische Verpflichtungen anzuerkennen. Er vollzieht den Übergang zur Ebene der Argumentationstheorie mit der Frage: »What kinds of thing make a conclusion worthy of belief?«[28]

II.

Die propädeutischen Überlegungen, die ich bisher angestellt habe, dienten dem Zweck, den kognitivistischen Ansatz der Ethik gegenüber den metaethischen Ausweichmanövern der Wertskeptiker zu verteidigen und die Weichen für die Beantwortung der Frage zu stellen, in welchem Sinne und auf welche Weise moralische Gebote und Normen begründet werden können. Im konstruktiven Teil meiner Überlegungen will ich zunächst an die Rolle normativer Geltungsansprüche in der Alltagspraxis erinnern, um zu erklären, worin sich der deontologische, mit Geboten und Normen verbundene Anspruch von dem assertorischen Geltungsanspruch unterscheidet, und um zu begründen, warum es sich empfiehlt, die Moraltheorie in der Form einer Untersuchung moralischer Argumentationen in Angriff zu nehmen (3). Sodann führe ich den Universalisierungsgrundsatz (U) als das Brückenprinzip ein, welches Einverständnis in moralischen Argumentationen möglich macht, und zwar in einer Fassung, die die monologische Anwendung dieser Argumentationsregel ausschließt (4). In Auseinandersetzung mit Überlegungen von Tugendhat will ich schließlich zeigen, daß moralische Begründungen nicht aus pragmatischen Gründen des Machtausgleichs, sondern aus internen Gründen der Ermöglichung moralischer Einsichten auf die reale Durchführung von Argumentationen angewiesen sind (5).

(3) Der Versuch, die Ethik in der Form einer Logik der moralischen Argumentation zu begründen, hat nur dann Aussicht auf

Erfolg, wenn wir einen speziellen, mit Geboten und Normen verknüpften Geltungsanspruch auch schon auf der Ebene identifizieren können, auf der moralische Dilemmata zunächst einmal entstehen: im Horizont der Lebenswelt, in der auch Strawson die moralischen Phänomene aufsuchen mußte, um die Evidenzen der Alltagssprache gegen den Skeptiker aufzubieten. Wenn nicht schon hier, in Zusammenhängen kommunikativen Handelns, also vor aller Reflexion, Geltungsansprüche im Plural auftreten, ist eine Differenzierung zwischen Wahrheit und normativer Richtigkeit auf der Ebene der Argumentation nicht zu erwarten.

Ich will die Analyse des verständigungsorientierten Handelns, die ich an anderem Ort durchgeführt habe[29], nicht wiederholen, möchte aber an einen Grundgedanken erinnern. Kommunikativ nenne ich die Interaktionen, in denen die Beteiligten ihre Handlungspläne einvernehmlich koordinieren; dabei bemißt sich das jeweils erzielte Einverständnis an der intersubjektiven Anerkennung von Geltungsansprüchen. Im Falle explizit sprachlicher Verständigungsprozesse erheben die Aktoren mit ihren Sprechhandlungen, indem sie sich miteinander über etwas verständigen, Geltungsansprüche, und zwar Wahrheitsansprüche, Richtigkeitsansprüche und Wahrhaftigkeitsansprüche je nachdem, ob sie sich auf etwas in der objektiven Welt (als der Gesamtheit existierender Sachverhalte), auf etwas in der gemeinsamen sozialen Welt (als der Gesamtheit legitim geregelter interpersonaler Beziehungen einer sozialen Gruppe) oder auf etwas in der eigenen subjektiven Welt (als der Gesamtheit privilegiert zugänglicher Erlebnisse) Bezug nehmen. Während im strategischen Handeln einer auf den anderen empirisch, mit der Androhung von Sanktionen oder der Aussicht auf Gratifikationen *einwirkt*, um die erwünschte Fortsetzung einer Interaktion zu *veranlassen*, wird im kommunikativen Handeln einer vom anderen zu einer Anschlußhandlung *rational motiviert*, und dies kraft des illokutionären Bindungseffekts eines Sprechaktangebots.

Daß ein Sprecher einen Hörer zur Annahme eines solchen Angebots rational motivieren kann, erklärt sich nicht aus der Gültigkeit des Gesagten, sondern aus der koordinationswirksamen *Gewähr*, die der Sprecher dafür übernimmt, daß er erforderlichenfalls den geltend gemachten Anspruch einzulösen sich bemühen wird. Seine Garantie kann der Sprecher im Falle von Wahrheits- und Richtigkeitsansprüchen diskursiv, also durch das

Beibringen von Gründen, im Falle von Wahrhaftigkeitsansprüchen durch konsistentes Verhalten einlösen. (Daß jemand meint, was er sagt, kann er nur in der Konsequenz seines Tuns, nicht durch die Angabe von Gründen glaubhaft machen.) Sobald sich der Hörer auf die vom Sprecher angebotene Gewähr verläßt, treten jene *interaktionsfolgenrelevanten Verbindlichkeiten* in Kraft, die in der Bedeutung des Gesagten enthalten sind. Handlungsverpflichtungen gelten beispielsweise im Falle von Befehlen und Anweisungen in erster Linie für den Adressaten, im Falle von Versprechen und Ankündigungen für den Sprecher, im Falle von Vereinbarungen und Verträgen symmetrisch für beide Seiten, im Falle von normativ gehaltvollen Empfehlungen und Warnungen asymmetrisch für beide Seiten.

Anders als bei diesen regulativen Sprechhandlungen ergeben sich aus der Bedeutung konstativer Sprechakte Verbindlichkeiten nur insofern, als sich Sprecher und Hörer darüber einigen, ihr Handeln auf Situationsdeutungen zu stützen, die den jeweils als wahr akzeptierten Aussagen nicht widersprechen. Aus der Bedeutung expressiver Sprechakte folgen Handlungsverpflichtungen unmittelbar in der Weise, daß der Sprecher spezifiziert, womit sein Verhalten nicht in Widerspruch steht bzw. geraten wird. Dank der Geltungsbasis der auf Verständigung angelegten Kommunikation kann also ein Sprecher, indem er für die Einlösung eines kritisierbaren Geltungsanspruchs die Gewähr übernimmt, einen Hörer zur Annahme seines Sprechaktangebots bewegen und damit für die Fortsetzung der Interaktion einen anschlußsichernden Verkoppelungseffekt erzielen.

Allerdings erfüllen propositionale Wahrheit und normative Richtigkeit, also die beiden *diskursiv einlösbaren* Geltungsansprüche, die uns interessieren, die Rolle der Handlungskoordinierung auf verschiedene Weise. Daß sie einen verschiedenen »Sitz« in der kommunikativen Alltagspraxis haben, läßt sich mit einer Reihe von Asymmetrien belegen.

Auf den ersten Blick scheinen sich die in *konstativen Sprechhandlungen* verwendeten *assertorischen Sätze* zu *Tatsachen* auf ähnliche Weise zu verhalten wie die in *regulativen Sprechhandlungen* verwendeten *normativen Sätze* zu *legitim* geordneten *interpersonalen Beziehungen*. Die *Wahrheit* von Sätzen bedeutet auf ähnliche Weise die *Existenz* von Sachverhalten wie die *Richtigkeit* von Handlungen die *Erfüllung* von Normen. Auf den zweiten Blick zeigen sich indessen interessante Unterschiede. So verhalten sich Sprechhandlungen zu Normen anders als zu Tatsachen. Betrachten wir den Fall moralischer Normen, die sich in der Form von unbedingten universellen Sollsätzen formulieren lassen:

(1) Man soll niemanden töten.

(1') Es ist geboten, niemanden zu töten.

Auf Handlungsnormen dieser Art nehmen wir mit regulativen Sprechhandlungen in vielfältiger Weise Bezug, indem wir Befehle geben, Verträge schließen, Sitzungen eröffnen, Warnungen aussprechen, Ausnahmen genehmigen, Ratschläge geben usw. Eine moralische Norm beansprucht jedoch Sinn und Geltung auch unabhängig davon, ob sie verkündet und in dieser oder jener Weise in Anspruch genommen wird. Eine Norm kann mit Hilfe eines Satzes wie (1) formuliert werden, ohne daß diese Formulierung, z. B. das Niederschreiben eines Satzes, *als* eine Sprechhandlung, d. h. als etwas anderes denn als unpersönlicher Ausdruck für die Norm selber verstanden werden *müßte*. Sätze wie (1) repräsentieren Gebote, auf die wir uns *sekundär* mit Sprechhandlungen in dieser oder jener Weise beziehen können. Dazu fehlt ein Äquivalent auf der Seite der Tatsachen. Es gibt keine assertorischen Sätze, die gleichsam an Sprechhandlungen vorbei eine Selbständigkeit wie Normen erhalten könnten. Wenn solche Sätze überhaupt einen pragmatischen Sinn haben sollen, *müssen* sie in einer Sprechhandlung verwendet werden. Es fehlt die Möglichkeit, deskriptive Sätze wie

(2) Eisen ist magnetisch

(2') Es ist der Fall, daß Eisen magnetisch ist

so auszusprechen oder zu verwenden, daß sie wie (1) und (1'), also unabhängig von der illokutionären Rolle einer bestimmten Art von Sprechhandlungen, ihre assertorische Kraft behielten.

Diese Asymmetrie erklärt sich damit, daß Wahrheitsansprüche *nur* in Sprechhandlungen residieren, während normative Geltungsansprüche zunächst einmal in Normen und erst *abgeleiteter Weise* in Sprechhandlungen ihren Sitz haben.[30] Wenn wir eine ontologische Redeweise zulassen wollen, können wir die Asymmetrie darauf zurückführen, daß die Ordnungen der Gesellschaft, denen gegenüber wir uns konform oder abweichend verhalten können, nicht wie die Ordnungen der Natur, zu denen wir nur eine objektivierende Einstellung einnehmen, *geltungsfrei* konstituiert sind. Die gesellschaftliche Realität, auf die wir uns mit regulativen Sprechhandlungen beziehen, steht bereits *von Haus aus* in einer internen Beziehung zu normativen Geltungsansprüchen. Hingegen wohnen Wahrheitsansprüche keineswegs den Entitäten selber inne, sondern allein den konstativen Sprechhandlungen, mit denen wir uns in der Tatsachen feststellenden Rede auf Entitäten beziehen, um Sachverhalte wiederzugeben.

Einerseits hat also die Welt der Normen, dank der in sie eingebauten normativen Geltungsansprüche, gegenüber den regulativen Sprechhandlungen eine merkwürdige Art von Objektivität, die die Welt der Tatsachen gegenüber konstativen Sprechhandlungen nicht genießt. Von »Objektivität« ist hier freilich nur im Sinne der Unabhängigkeit des »objektiven Geistes« die Rede. Denn andererseits sind Entitäten und Tatsachen in einem ganz anderen Sinne unabhängig als alles, was wir, in normenkonformer Einstellung, der sozialen Welt zurechnen. Beispielsweise sind Normen darauf angewiesen, daß legitim geordnete interpersonale Beziehungen immer wieder hergestellt werden. Sie würden einen im schlechten Sinne »utopischen« Charakter annehmen, geradezu ihren Sinn verlieren, wenn wir nicht Aktoren und Handlungen, die die Normen befolgen bzw. erfüllen können, mindestens *hinzudenken*. Demgegenüber sind wir konzeptuell zu der Annahme genötigt, daß Sachverhalte auch unabhängig davon existieren, ob sie mit Hilfe wahrer Sätze konstatiert werden oder nicht.

Normative Geltungsansprüche *vermitteln* offenbar eine *wechselseitige Abhängigkeit* zwischen der Sprache und der sozialen Welt, die für das Verhältnis von Sprache und objektiver Welt nicht besteht. Mit dieser Verschränkung von Geltungsansprüchen, die in Normen ihren Sitz haben, und Geltungsansprüchen, die wir mit regulativen Sprechhandlungen erheben, hängt auch der *zweideutige Charakter der Sollgeltung* zusammen. Während zwischen existierenden Sachverhalten und wahren Aussagen eine eindeutige Beziehung besteht, besagt das »Bestehen« oder die soziale Geltung von Normen noch nichts darüber, ob diese auch gültig sind. Wir müssen zwischen der sozialen Tatsache der intersubjektiven Anerkennung und der Anerkennungswürdigkeit einer Norm unterscheiden. Es kann gute Gründe geben, den Geltungsanspruch einer sozial geltenden Norm für unberechtigt zu halten; und eine Norm muß nicht schon darum, weil ihr Geltungsanspruch diskursiv eingelöst werden könnte, auch faktische

Anerkennung finden. Die *Durchsetzung* von Normen ist doppelt kodiert, weil die Motive für die Anerkennung von normativen Geltungsansprüchen sowohl auf Überzeugungen wie auf Sanktionen, oder auf eine komplizierte Mischung aus Einsicht und Gewalt, zurückgehen können. In der Regel wird sich die rational motivierte *Zustimmung* mit einer empirisch, nämlich durch Waffen oder Güter bewirkten *Hinnahme* zu einem Legitimitätsglauben verbinden, dessen Komponenten nicht einfach zu analysieren sind. Solche Legierungen sind aber insofern interessant, als sie ein Indiz dafür bilden, daß eine positivistische *Inkraftsetzung* von Normen nicht hinreicht, um deren soziale Geltung *auf Dauer* zu sichern. Die dauerhafte Durchsetzung einer Norm hängt *auch* davon ab, ob in einem gegebenen Überlieferungskontext Gründe mobilisiert werden können, die ausreichen, um den entsprechenden Geltungsanspruch im Kreise der Adressaten mindestens als berechtigt erscheinen zu lassen. Auf moderne Gesellschaften angewendet, bedeutet das: ohne Legitimität keine Massenloyalität.[31]

Wenn aber die soziale Geltung einer Norm auf die Dauer auch davon abhängt, daß diese im Kreise ihrer Adressaten als gültig akzeptiert wird; und wenn sich diese Anerkennung wiederum auf die Erwartung stützt, daß der entsprechende Geltungsanspruch mit Gründen eingelöst werden kann; dann besteht zwischen der »Existenz« von Handlungsnormen einerseits, der erwarteten Begründbarkeit entsprechender Sollsätze andererseits ein Zusammenhang, für den es auf der ontischen Seite keine Parallele gibt. Eine interne Beziehung besteht gewiß zwischen der Existenz von Sachverhalten und der Wahrheit entsprechender assertorischer Sätze, aber nicht zwischen der Existenz von Sachverhalten und der *Erwartung* eines bestimmten Kreises von Personen, daß diese Sätze begründet werden können. Dieser Umstand mag erklären, warum die Frage nach den Bedingungen der Gültigkeit von moralischen Urteilen *unmittelbar* den Übergang zu einer Logik praktischer Diskurse nahelegt, während die Frage nach den Bedingungen der Gültigkeit von empirischen Urteilen erkenntnis- und wissenschaftstheoretische Überlegungen erfordern, die von einer Logik theoretischer Diskurse zunächst einmal unabhängig sind.

(4) Auf die Grundzüge der Argumentationstheorie, die ich im Anschluß an Toulmin[32] behandelt habe[33], kann ich an dieser Stelle nicht eingehen. Für das Folgende werde ich voraussetzen, daß die Argumentationstheorie in Form einer »informellen Logik« durchgeführt werden muß, weil sich ein Einverständnis über theoretische oder moralisch-praktische Fragen weder deduktiv noch durch empirische Evidenzen *erzwingen* läßt. Soweit Argumente aufgrund logischer Folgebeziehungen zwingend sind, fördern sie nichts substantiell Neues zutage; und soweit sie substantiellen Gehalt haben, stützen sie sich auf Erfahrungen und Bedürfnisse, die im Lichte wechselnder Theorien mit Hilfe wechselnder Beschreibungssysteme verschieden interpretiert werden können und die daher keine *ultimative* Grundlage bieten. Im theoretischen Diskurs wird nun die Kluft zwischen singulären Beobachtungen und allgemeinen Hypothesen durch verschiedenartige Kanons der Induktion überbrückt. Im praktischen Diskurs bedarf es eines entsprechenden Brückenprinzips.[34] Deshalb führen alle Untersuchungen zur Logik der moralischen Argumentation alsbald zu der Notwendigkeit, ein Moralprinzip einzuführen, das als Argumentationsregel eine äquivalente Rolle spielt wie das Induktionsprinzip im erfahrungswissenschaftlichen Diskurs.

Interessanterweise stoßen Autoren verschiedener philosophischer Herkunft bei dem Versuch, ein solches Moralprinzip anzugeben, immer wieder auf Grundsätze, denen dieselbe Idee zugrundeliegt. *Alle* kognitivistischen Ethiken knüpfen nämlich an jene Intuition an, die Kant im Kategorischen Imperativ ausgesprochen hat. Mich interessieren hier nicht die verschiedenen Kantischen Formulierungen, sondern die zugrundeliegende Idee, die dem unpersönlichen oder allgemeinen Charakter von gültigen moralischen Geboten Rechnung tragen soll.[35] Das Moralprinzip wird so gefaßt, daß es die Normen als ungültig ausschließt, die nicht die qualifizierte Zustimmung aller möglicherweise Betroffenen finden könnten. Das konsensermöglichende Brückenprinzip soll also sicherstellen, daß nur die Normen als gültig akzeptiert werden, die einen *allgemeinen Willen* ausdrücken: sie müssen sich, wie Kant immer wieder formuliert, zum »allgemeinen Gesetz« eignen. Der Kategorische Imperativ läßt sich als ein Prinzip verstehen, welches die Verallgemeinerungsfähigkeit von *Handlungsweisen* und *Maximen* bzw. der von ihnen berücksichtigten (also in den Handlungsnormen verkörperten) *Interessen* fordert.

Kant will alle diejenigen Normen als ungültig eliminieren, die dieser Forderung »widersprechen«. Er hat »jenen inneren Widerspruch im Auge, der in der Maxime eines Handelnden dann auftritt, wenn seine Verhaltensweise überhaupt nur dadurch zum Ziele führen kann, daß sie nicht die allgemeine Verhaltensweise ist.«[36] Freilich hat die Konsistenzforderung, die man aus solchen und ähnlichen Fassungen des Brückenprinzips herauslesen kann, zu *formalistischen Mißverständnissen* und *selektiven Lesarten* geführt.

Der Universalisierungsgrundsatz erschöpft sich keineswegs in der Forderung, daß moralische Normen *die Form* unbedingter universeller Sollsätze haben müssen. Die *grammatische* Form der normativen Sätze, welche eine Bezugnahme auf bzw. eine Adressierung an bestimmte Gruppen und Individuen verbietet, ist keine hinreichende Bedingung für gültige moralische Gebote, da wir auch offensichtlich unmoralischen Geboten diese Form verleihen können. In anderer Hinsicht dürfte die Forderung zu restriktiv sein, da es sinnvoll sein kann, auch nicht-moralische Handlungsnormen, deren Geltungsbereich sozial und raumzeitlich spezifiziert ist, zum Gegenstand eines praktischen Diskurses zu machen und einem (auf den Kreis der Betroffenen relativierten) Verallgemeinerungstest zu unterziehen.

Andere Autoren verstehen die vom Universalisierungsgrundsatz geforderte Konsistenzforderung nicht ganz so formalistisch. Sie möchten solche Widersprüche vermieden sehen, die eintreten, wenn gleiche Fälle ungleich und ungleiche Fälle gleich behandelt werden. R. M. Hare gibt dieser Forderung die Gestalt eines semantischen Postulats. Wie bei der Zuschreibung deskriptiver Prädikate (›–ist rot‹) möge man sich auch bei der Zuschreibung normativ gehaltvoller Prädikate (›–ist wertvoll‹, ›–ist gut‹, ›–ist richtig‹ usw.) *regelkonform* verhalten und bei allen Fällen, die sich in den jeweils relevanten Hinsichten gleichen, denselben Ausdruck verwenden. In Ansehung moralischer Urteile läuft diese Konsistenzforderung darauf hinaus, daß jeder, bevor er seinem Urteil eine bestimmte Norm zugrundelegt, prüfen möge, ob er wollen kann, daß auch jeder andere, der sich in einer vergleichbaren Situation befindet, für sein Urteil dieselbe Norm in Anspruch nimmt. Nun würden sich diese oder ähnliche Postulate freilich nur dann als Moralprinzip eignen, wenn sie im Sinne der Verbürgung einer unparteilichen Urteilsbildung verstanden werden dürften. Die Bedeutung der Unparteilichkeit läßt sich aber dem Begriff der konsistenten Sprachverwendung kaum abgewinnen.

Diesem Sinn des Universalisierungsgrundsatzes kommen K. Baier[37] und B. Gert[38] näher, wenn sie fordern, daß gültige Moralnormen allgemein lehrbar und öffentlich vertretbar sein müssen; Ähnliches gilt auch für M. G. Singer[39], wenn er verlangt, daß nur solche Normen gültig sind, die Gleichbehandlung sichern. So wenig indessen der empirische Test der Einräumung von Widerspruchsmöglichkeiten bereits eine unparteiliche Urteilsbildung sichert, so wenig kann eine Norm schon dann als Ausdruck eines gemeinsamen Interesses aller möglicherweise Betroffenen gelten, wenn sie einigen von ihnen unter der Bedingung nicht-diskriminierender Anwendung akzeptabel erscheint. Die Intuition, die sich in der Idee der Verallgemeinerungsfähigkeit von Maximen ausdrückt, meint mehr: gültige Normen müssen die Anerkennung von seiten *aller* Betroffenen *verdienen.* Dann reicht es aber nicht hin, daß *einzelne* prüfen:

- ob sie das Inkrafttreten einer strittigen Norm in Ansehung der Folgen und Nebenwirkungen, die einträten, wenn alle sie befolgen würden, wollen können; oder
- ob jeder, der sich in ihrer Lage befände, das Inkrafttreten einer solchen Norm wollen könnte.

In beiden Fällen vollzieht sich die Urteilsbildung relativ zum Standort und zur Perspektive *einiger* und nicht *aller* Betroffenen. Unparteilich ist allein der Standpunkt, von dem aus genau diejenigen Normen verallgemeinerungsfähig sind, die, weil sie erkennbar ein allen Betroffenen gemeinsames Interesse verkörpern, auf allgemeine Zustimmung rechnen dürfen – und insofern intersubjektive Anerkennung verdienen. Unparteiliche Urteilsbildung drückt sich mithin in einem Prinzip aus, das *jeden* im Kreise der Betroffenen zwingt, bei der Interessenabwägung die Perspektive *aller anderen* einzunehmen. Der Universalisierungsgrundsatz soll jenen *universellen Rollentausch* erzwingen, den G. H. Mead als »ideal role-taking« oder »universal discourse« beschrieben hat.[40] So muß jede gültige Norm der Bedingung genügen,

- daß die Folgen und Nebenwirkungen, die sich jeweils aus ihrer *allgemeinen* Befolgung für die Befriedigung der Interessen eines *jeden* Einzelnen (voraussichtlich) ergeben, von *allen* Betroffenen akzeptiert (und den Auswirkungen der bekannten alternativen Regelungsmöglichkeiten vorgezogen) werden können.[41]

Wir dürfen diesen Universalisierungsgrundsatz freilich nicht mit einem Prinzip verwechseln, in dem sich bereits die Grundvorstellung einer Diskursethik ausspricht. Der Diskursethik zufolge darf eine Norm nur dann Geltung beanspruchen, wenn alle von ihr möglicherweise Betroffenen als *Teilnehmer eines praktischen Diskurses* Einverständnis darüber erzielen (bzw. erzielen würden), daß diese Norm gilt. Dieser *diskursethische Grundsatz* (D), auf den ich im Anschluß an die Begründung des *Universalisierungsgrundsatzes* (U) zurückkomme, setzt bereits voraus, daß die Wahl von Normen begründet werden *kann*. Im Augenblick geht es um *diese* Voraussetzung. Ich habe (U) als eine Argumentationsregel eingeführt, die Einverständnis in praktischen Diskursen immer dann ermöglicht, wenn Materien im gleichmäßigen Interesse aller Betroffenen geregelt werden können. Erst mit der Begründung dieses Brückenprinzips werden wir den Schritt zur Diskursethik tun können. Allerdings habe ich (U) eine Fassung gegeben, die eine monologische Anwendung dieses Grundsatzes ausschließt; er regelt nur Argumentationen zwischen verschiedenen Teilnehmern und enthält sogar die Perspektive auf real durchzuführende Argumentationen, zu denen jeweils alle Betroffenen als Teilnehmer zugelassen sind. In dieser Hinsicht unterscheidet sich unser Universalisierungsgrundsatz von dem bekannten Vorschlag von John Rawls.

Dieser möchte die unparteiliche Berücksichtigung aller berührten Interessen dadurch gesichert sehen, daß sich der moralisch Urteilende in einen fiktiven Urzustand versetzt, welcher Machtdifferentiale ausschließt, gleiche Freiheiten für alle verbürgt und jeden in Unkenntnis über die Positionen beläßt, die er selber in einer künftigen, wie auch immer organisierten gesellschaftlichen Ordnung einnehmen würde. Rawls operationalisiert, wie Kant, den Standpunkt der Unparteilichkeit so, daß jeder Einzelne den Versuch der Rechtfertigung von Grundnormen für sich alleine unternehmen kann. Das gilt auch für den Moralphilosophen selber. Konsequenterweise versteht Rawls den materialen Teil seiner eigenen Untersuchung, z. B. die Entwicklung des Prinzips des Durchschnittsnutzens, nicht als *Beitrag* eines Argumentationsteilnehmers zur diskursiven Willensbildung über Grundinstitutionen einer spätkapitalistischen Gesellschaft, sondern eben als

Ergebnis einer »Theorie der Gerechtigkeit«, für die er als Experte zuständig ist.

Wenn man sich die handlungskoordinierende Rolle normativer Geltungsansprüche in der kommunikativen Alltagspraxis vergegenwärtigt, sieht man aber, warum die Aufgaben, die in moralischen Argumentationen gelöst werden sollen, nicht monologisch bewältigt werden können, sondern eine kooperative Anstrengung erfordern. Indem die Beteiligten in eine moralische Argumentation eintreten, setzen sie ihr kommunikatives Handeln in reflexiver Einstellung mit dem Ziel fort, einen gestörten Konsens wieder herzustellen. Moralische Argumentationen dienen also der konsensuellen Beilegung von Handlungskonflikten. Konflikte im Bereich normengeleiteter Interaktionen gehen unmittelbar auf ein gestörtes normatives Einverständnis zurück. Die Reparaturleistung kann mithin nur darin bestehen, einem zunächst strittigen und dann entproblematisierten, oder einem anderen, für diesen substituierten Geltungsanspruch intersubjektive Anerkennung zu sichern. Diese Art von Einverständnis bringt einen *gemeinsamen Willen* zum Ausdruck. Wenn aber moralische Argumentationen ein Einverständnis dieser Art produzieren sollen, genügt es nicht, daß sich ein Einzelner überlegt, ob er einer Norm zustimmen könnte. Es genügt nicht einmal, daß alle Einzelnen, und zwar jeder für sich, diese Überlegung durchführen, um dann ihre Voten registrieren zu lassen. Erforderlich ist vielmehr eine »reale« Argumentation, an der die Betroffenen kooperativ teilnehmen. Nur ein intersubjektiver Verständigungsprozeß kann zu einem Einverständnis führen, das reflexiver Natur ist: nur dann können die Beteiligten wissen, daß sie sich gemeinsam von etwas überzeugt haben.

Aus dieser Perspektive bedarf auch der Kategorische Imperativ einer Umformulierung in dem vorgeschlagenen Sinne: »Statt allen anderen eine Maxime, von der ich will, daß sie ein allgemeines Gesetz sei, als gültig vorzuschreiben, muß ich meine Maxime zum Zweck der diskursiven Prüfung ihres Universalitätsanspruchs allen anderen vorlegen. Das Gewicht verschiebt sich von dem, was jeder (einzelne) ohne Widerspruch als allgemeines Gesetz wollen kann, auf das, was alle in Übereinstimmung als universale Norm anerkennen wollen«[42]. Tatsächlich zielt die angegebene Formulierung des Verallgemeinerungsgrundsatzes auf eine kooperative Durchführung der jeweiligen Argumentation. Zum einen kann nur eine aktuelle Teilnahme eines jeden Betroffenen der perspektivisch verzerrten Deutung der jeweils eigenen Interessen durch andere vorbeugen. In diesem pragmatischen Sinn ist jeder selbst die letzte Instanz für die Beurteilung dessen, was wirklich im eigenen Interesse liegt. Zum anderen muß aber die Beschreibung, unter der jeder seine Interessen wahrnimmt, auch der Kritik durch andere zugänglich bleiben. Bedürfnisse werden im Lichte kultureller Werte interpretiert; und da diese immer Bestandteil einer intersubjektiv geteilten Überlieferung sind, kann die Revision von bedürfnisinterpretierenden Werten keine Sache sein, über die Einzelne monologisch verfügen.[43]

(5) *Exkurs.* Eine Diskursethik steht und fällt also mit den beiden Annahmen, daß (a) normative Geltungsansprüche einen kognitiven Sinn haben und *wie* Wahrheitsansprüche behandelt werden können, und daß (b) die Begründung von Normen und Geboten die Durchführung eines realen Diskurses verlangt und *letztlich* nicht monologisch, in der Form einer im Geiste hypothetisch durchgespielten Argumentation möglich ist. Bevor ich den Streit zwischen ethischen Kognitivisten und Skeptikern weiter verfolge, möchte ich auf eine jüngst von Ernst Tugendhat entwickelte Konzeption eingehen, die zu dieser Front quer steht. Tugendhat hält einerseits an der Intuition, die wir in Form des Universalisierungsgrundsatzes ausgesprochen haben, fest: eine Norm gilt nur dann als gerechtfertigt, wenn sie für jeden der Betroffenen »gleichermaßen gut« ist. Und ob das der Fall ist, müssen die Betroffenen selbst in einem realen Diskurs feststellen. Andererseits weist Tugendhat die Annahme (a) zurück und lehnt für die Annahme (b) eine diskursethische Deutung ab. Obwohl er wertskeptischen Folgerungen entgehen will, teilt Tugendhat die skeptische Grundannahme, daß sich die Sollgeltung von Normen nicht in Analogie zur Wahrheitsgeltung von Propositionen verstehen läßt. Wenn aber die Sollgeltung von Normen einen volitiven und keinen kognitiven Sinn hat, muß auch der praktische Diskurs zu etwas *anderem* als zur argumentativen Klärung eines strittigen Geltungsanspruches dienen. Tugendhat versteht den Diskurs als eine Vorkehrung, die durch Kommunikationsregeln sicherstellt, daß alle Betroffenen die gleiche Chance erhalten, an einer fairen Kompromißbildung teilzunehmen. Die Notwendigkeit der Argumentation ergibt sich aus Gründen der Ermöglichung der Partizipa-

tion und nicht der Erkenntnis. Zunächst will ich die Fragestellung skizzieren, aus der Tugendhat diese These entwickelt.[44]

Die Fragestellung. Tugendhat unterscheidet semantische Regeln, die die Bedeutung eines sprachlichen Ausdrucks festlegen, von pragmatischen Regeln, die bestimmen, wie Sprecher und Hörer solche Ausdrücke kommunikativ verwenden. Sätze, die, wie beispielsweise die illokutiven Bestandteile unserer Sprache, nur kommunikativ verwendet werden können, erfordern eine pragmatische Analyse – gleichviel ob sie in einer aktuellen Sprechsituation oder nur »im Geiste« auftreten. Andere Sätze können, wie es scheint, ohne Bedeutungseinbuße ihrer pragmatischen Präsuppositionen entkleidet und monologisch verwendet werden; sie dienen primär dem Denken und nicht der Kommunikation. Zu dieser Sorte gehören assertorische und intentionale Sätze: ihre Bedeutung kann mit Hilfe einer semantischen Analyse erschöpfend expliziert werden. In Übereinstimmung mit der auf Frege zurückgehenden Tradition geht Tugendhat davon aus, daß die Wahrheitsgeltung von Sätzen ein semantisches Konzept ist. Dieser Auffassung zufolge ist auch die Begründung von Aussagen eine monologische Angelegenheit; ob beispielsweise ein Prädikat einem Gegenstand zugesprochen werden darf oder nicht, ist eine Frage, die jedes urteilsfähige Subjekt für sich allein anhand semantischer Regeln entscheiden kann. Das gleiche gilt für die Begründung von intentionalen Sätzen. Dazu bedarf es keiner intersubjektiv veranstalteten Argumentation, selbst wenn wir solche Argumentationen tatsächlich kooperativ, d. h. in der Form eines Austausches von Argumenten zwischen mehreren Beteiligten durchführen sollten. Hingegen ist die Rechtfertigung von Normen (im Unterschied zur Begründung von Propositionen) eine nicht nur zufälligerweise, sondern *wesentlich* kommunikative Angelegenheit. Ob eine strittige Norm für jeden Betroffenen gleichermaßen gut ist, ist eine Frage, die nach pragmatischen Regeln in der Form eines realen Diskurses entschieden werden muß. Mit der Rechtfertigung von Normen kommt also ein genuin pragmatischer Begriff ins Spiel.

Für Tugendhats weitere Analyse ist vor allem die Annahme wichtig, daß Fragen der Geltung *ausschließlich* semantische Fragen sind. Unter dieser Voraussetzung kann sich der pragmatische Sinn des Rechtfertigens von Normen nicht auf so etwas wie die »Geltung« von Normen beziehen, jedenfalls dann nicht, wenn dieser Ausdruck in Analogie zur Wahrheit von Propositionen verstanden wird. Es muß sich etwas *anderes* dahinter verbergen: die Vorstellung einer Unparteilichkeit, die sich eher auf die Willens- als auf die Urteilsbildung bezieht.

Problematisch an diesem Ansatz ist die semantizistische Voraussetzung, die ich hier nicht ausführlich diskutieren kann. Das semantische Wahrheitskonzept, überhaupt die These, daß der Streit um die Gültigkeit von Sätzen allein nach semantischen Regeln foro interno entschieden werden kann, ergibt sich aus einer Analyse, die sich an prädikativen Sätzen einer Ding-Ereignis-Sprache orientiert.[45] Dieses Modell ist ungeeignet, weil elementare Sätze wie »Dieser Ball ist rot« Bestandteile der Alltagskommunikation darstellen, über deren Wahrheit normalerweise gar kein Streit entsteht. Wir müssen analytisch fruchtbare Beispiele an den Orten aufsuchen, wo substantielle Kontroversen ausbrechen und Wahrheitsansprüche systematisch in Frage gestellt werden. Wenn man aber die Dynamik des Wissenszuwachses, gar das Wachstum theoretischen Wissens ins Auge faßt und prüft, wie in der Argumentationsgemeinschaft von Wissenschaftlern etwa allgemeine Existenzsätze, irreale Bedingungssätze, Sätze mit Zeitindex usw. begründet werden, verlieren die aus der Wahrheitssemantik abgeleiteten Verifikationsvorstellungen ihre Plausibilität.[46] Gerade die substantiellen Kontroversen lassen sich nicht auf der Grundlage der monologischen Anwendung semantischer Regeln mit zwingenden Argumenten entscheiden; durch diesen Umstand hatte sich Toulmin ja zu seinem pragmatischen Ansatz einer Theorie der informellen Argumentation genötigt gesehen.

Das Argument. Wenn man nun von der genannten semantizistischen Voraussetzung ausgeht, ergibt sich die Frage, warum reale Diskurse für die Rechtfertigung von Normen überhaupt nötig sind. Was können wir mit der Begründung von Normen meinen, wenn sich alle Analogien mit der Begründung von Propositionen verbieten? Gründe, so antwortet Tugendhat, die in praktischen Diskursen auftreten, sind Gründe für oder gegen die Absicht oder den Entschluß, eine bestimmte Handlungsweise zu akzeptieren. Das Muster liefert die Begründung für einen intentionalen Satz der ersten Person. Ich habe gute Gründe dafür, in einer bestimmten Weise zu handeln, wenn es in meinem Interesse liegt oder wenn es gut für mich ist, entsprechende Zwecke zu realisieren. Zunächst geht es also um Fragen des teleologischen Handelns

»Was will ich tun?« und »Was kann ich tun?«, nicht um die moralische Frage »Was soll ich tun?«. Den deontologischen Gesichtspunkt bringt Tugendhat dadurch ins Spiel, daß er die Begründung jeweils eigener Absichten zur Begründung der gemeinsamen Handlungsabsicht einer Gruppe erweitert: »Auf welche gemeinsame Handlungsweise wollen wir uns festlegen?« Oder: »Zu welcher Handlungsweise wollen wir uns verpflichten?« Damit kommt ein pragmatisches Element herein. Denn wenn die begründungsbedürftige Handlungsweise kollektiver Natur ist, müssen die Mitglieder des Kollektivs zu einem *gemeinsamen* Beschluß gelangen. Sie müssen versuchen, einander gegenseitig davon zu überzeugen, daß es im Interesse eines jeden von ihnen liegt, daß alle so handeln. In einem solchen Prozeß wird *einer dem anderen Gründe* dafür nennen, warum er wollen kann, daß eine Handlungsweise sozial verbindlich gemacht wird. Jeder Betroffene muß sich davon überzeugen können, daß die vorgeschlagene Norm unter den gegebenen Umständen für alle »gleichermaßen gut« ist. Und einen solchen Prozeß nennen wir eben den praktischen Diskurs. Eine Norm, die auf diesem Wege in Kraft gesetzt wird, kann »gerechtfertigt« heißen, weil durch den argumentativ erzielten Beschluß angezeigt wird, daß sie das Prädikat »gleichermaßen gut für jeden der Betroffenen« verdient.

Wenn man die Rechtfertigung von Normen in diesem Sinne versteht, wird auch, so meint Tugendhat, die Bedeutung praktischer Diskurse klar. Sie können keinen primär kognitiven Sinn haben. Denn die rational zu entscheidende Frage, ob eine Handlungsweise jeweils im eigenen Interesse liegt, muß am Ende jeder Einzelne für sich selber beantworten: Absichtssätze sollen ja nach semantischen Regeln monologisch begründet werden können. Als eine intersubjektive Veranstaltung ist die Argumentation nur deshalb nötig, weil man für die Festlegung einer kollektiven Handlungsweise die individuellen Absichten koordinieren und darüber zu einem gemeinsamen Beschluß gelangen muß. Aber nur wenn der Beschluß aus Argumentationen hervorgeht, d. h. nach den pragmatischen Regeln eines Diskurses zustande kommt, kann die beschlossene Norm als gerechtfertigt gelten. Es muß nämlich sichergestellt sein, daß jeder Betroffene die Chance hatte, seine Zustimmung aus freien Stücken zu geben. Die Form der Argumentation soll verhindern, daß einige andere bloß suggerieren oder gar vorschreiben, was gut für sie ist. Sie soll nicht die *Un-*

parteilichkeit des Urteils, sondern die *Unbeeinflußbarkeit* oder Autonomie *der Willensbildung* ermöglichen. Insofern haben die Diskursregeln selbst einen normativen Gehalt; sie neutralisieren Machtungleichgewichte und sorgen für eine chancengleiche Durchsetzung jeweils eigener Interessen.

Die Form der Argumentation ergibt sich somit aus Notwendigkeiten der Partizipation und des *Machtausgleichs*: »This then seems to me to be the reason why moral questions, and in particular questions of political morality, must be justified in a discourse among those concerned. The reason ist not, as Habermas thinks, that the process of moral reasoning is in itself essentially communicative, but it is the other way around: one of the rules which result from moral reasoning, which as such may be carried through in solitary thinking, prescribes that only such legal norms are morally justified that are arrived at in an agreement by everybody concerned. And we can now see that the irreducibly communicative aspect is not a cognitive but a volitional factor. It is the morally obligatory respect for the autonomy of the will of everybody concerned that makes is necessary to require an agreement.« (MS, 10 f.)

Diese Moralkonzeption bliebe selbst dann unbefriedigend, wenn man die semantizistische Voraussetzung, auf der sie beruht, akzeptieren würde. Sie kann nämlich keine Rechenschaft geben über jene Intuition, die nur schwer zu verleugnen ist: die Idee der *Unparteilichkeit*, die kognitivistische Ethiken in der Form von Verallgemeinerungsprinzipien entwickeln, läßt sich nicht auf die Idee eines *Machtgleichgewichts* reduzieren. Die Prüfung, ob einer Norm das von Tugendhat ausgezeichnete Prädikat »gleichermaßen gut für jeden« zugesprochen werden darf, verlangt die unparteiliche *Beurteilung* der Interessen aller Betroffenen. Dieser Forderung geschieht nicht schon durch gleichverteilte Chancen der *Durchsetzung* eigener Interessen Genüge. Die Unparteilichkeit der Urteilsbildung läßt sich durch die Autonomie der Willensbildung nicht *ersetzen*. Tugendhat verwechselt die Bedingungen für die diskursive Erzielung eines rational motivierten Einverständnisses mit den Bedingungen für das Aushandeln eines fairen Kompromisses. Im einen Fall wird unterstellt, daß die Betroffenen *einsehen*, was in ihrer aller gemeinsamen Interesse liegt; im anderen Falle geht man davon aus, daß verallgemeinerungsfähige Interessen gar nicht im Spiel sind. Im praktischen Diskurs versuchen sich die Beteiligten über ein gemeinsames Interesse klar zu werden, beim Aushandeln eines Kompromisses versuchen sie, einen Ausgleich zwischen partikularen, einander widerstreitenden Interessen herbeizuführen. Auch Kompromisse stehen unter einschränkenden Bedingungen, weil anzunehmen ist, daß ein fairer Ausgleich nur bei gleichberechtigter Partizipation aller Betroffenen zustande kommen kann. Aber solche *Grundsätze* der Kompromißbildung müßten ihrerseits in praktischen Diskursen gerechtfertigt werden, so daß diese nicht wiederum demselben Anspruch auf Ausgleich zwischen konkurrierenden Interessen unterstehen.

Für die Angleichung von Argumentationen an Willensbildungsprozesse muß Tugendhat einen Preis zahlen; er kann die Unterscheidung zwischen der Gültigkeit und der sozialen Geltung von Normen nicht aufrechterhalten: »To be sure we want the agreement to be a *rational agreement*, an agreement based on arguments and if possible on moral arguments, and yet what is finally decisive is the *factual agreement*, and we have no right to disregard it by arguing that it was not rational ... Here we do have an act which is irreducibly pragmatic, and this precisely because it is not an act of *reason*, but an act of the *will*, an act of collective *choice*. The problem we are confronted with is not a problem of *justification* but of the *participation* in power, in power of who is to make the decisions about what is permitted and what not.« (MS, 11)

Diese Konsequenz ist nicht mit der Absicht in Einklang zu bringen, den rationalen Kern eines argumentativ hergestellten moralischen Einverständnisses gegen skeptische Einwände zu verteidigen. Sie ist unvereinbar mit dem Versuch, der grundlegenden Intuition Rechnung zu tragen, daß sich im »Ja« und »Nein« zu Normen und Geboten etwas anderes ausdrückt als die pure Willkür dessen, der sich einem imperativischen Machtanspruch unterwirft oder widersetzt. Die Assimilation von Geltungs- an Machtansprüche entzieht Tugendhats eigenem Unternehmen, gerechtfertigte von ungerechtfertigten Normen zu unterscheiden, den Boden. Tugendhat will die Bedingungen der Gültigkeit einer semantischen Analyse vorbehalten und von den pragmatisch zu analysierenden Regeln des Diskurses abspalten; damit reduziert er aber den intersubjektiv veranstalteten Prozeß der Rechtfertigung auf einen kontingenten und aus allen Geltungsbezügen herausgelösten Kommunikationsvorgang.

Wenn man die Dimension der Gültigkeit von Normen, über die sich Proponenten und Opponenten mit Gründen streiten können, mit der der sozialen Geltung von faktisch in Kraft gesetzten Normen zusammenwirft, wird die Sollgeltung ihres autonomen Sinnes beraubt. Durkheim hat in seinen eindrucksvollen Analysen vor dem genetischen Fehlschluß gewarnt, den verpflichtenden Charakter von Handlungsnormen auf die Folgebereitschaft gegenüber einer sanktionierenden Befehlsgewalt zurückzuführen. Deshalb interessiert sich Durkheim für den originären Fall des Sakrilegs, für vorstaatliche Normen überhaupt. Ein Verstoß gegen Normen wird geahndet, weil diese kraft moralischer Autorität Geltung beanspruchen; sie genießen Geltung nicht darum, weil sie mit Sanktionen verknüpft sind, die Nachachtung erzwingen.[47]

Die empiristische Umdeutung moralischer Phänomene hat hier ihre Wurzel: die normative Geltung wird fälschlich an imperativische Macht assimiliert. Dieser Begriffsstrategie folgt auch Tugendhat noch, wenn er die Autorität gerechtfertigter Normen auf die Verallgemeinerung der Imperative zurückführt, die die Betroffenen jeweils in der Form von Absichtssätzen an sich selber adressieren. Tatsächlich spricht sich aber in der Sollgeltung die Autorität eines *allgemeinen*, von allen Betroffenen *geteilten* Willens aus, der jede imperativische Qualität abgestreift und moralische Qualität angenommen hat, weil er sich auf ein *diskursiv* feststellbares, also *kognitiv* greifbares, auf ein aus der Teilnehmerperspektive einsehbar allgemeines Interesse beruft.[48]

Tugendhat beraubt die Normgeltung ihres kognitiven Sinnes und hält doch an der Rechtfertigungsbedürftigkeit von Normen fest. Aus diesen widerstreitenden Intentionen erklärt sich ein interessantes *Begründungsdefizit*. Tugendhat geht von der semantischen Frage aus, wie das Prädikat »gleichermaßen gut für jeden« zu verstehen sei; er muß deshalb begründen, warum Normen, die genau dieses Prädikat verdienen, als gerechtfertigt gelten dürfen. »Gerechtigkeit« besagt ja zunächst nur, daß die Betroffenen gute Gründe haben, sich zu einer gemeinsamen Handlungsweise zu entschließen; und jedes religiöse oder metaphysische Weltbild eignet sich als Ressource für »gute Gründe«. Warum sollten wir nur diejenigen Gründe »gut« nennen, die sich dem Prädikat »gleichermaßen gut für jeden« unterordnen lassen? Argumentationsstrategisch hat diese Frage einen ähnlichen Stellenwert wie unser zunächst noch zurückgestelltes Problem, warum der Universalisierungsgrundsatz als Argumentationsregel akzeptiert werden sollte.

Tugendhat rekurriert nun auf die uns bekannte Situation, in der die religiösen und metaphysischen Weltbilder ihre Überzeugungskraft verloren haben und als subjektivierte Glaubensmächte miteinander konkurrieren, jedenfalls keine *kollektiv verbindlichen* Glaubenssätze mehr verbürgen. In dieser Situation ist ein inhaltsneutraler Gesichtspunkt wie der, daß jeder Betroffene für die Adoption einer gemeinsamen Handlungsweise gute Gründe haben möge, bestimmten inhaltlichen, aber traditionsabhängigen Gesichtspunkten ersichtlich überlegen: »Where the moral conceptions relied on higher beliefs these beliefs also consisted in the belief that something being the case is a reason for wanting to submit to the norm. What is different now is that we have two levels of such beliefs. There is a lower level of *premoral beliefs* which concern the question whether the endorsement of a norm is in the interest of the individual A and whether it is in the interest of an individual B etc. It is now only these premoral empirical beliefs that are being presupposed, and the moral belief that the norm is justified if everybody can agree to it is not presupposed but the result of the communicative process of justifying to each other a common course of action on the basis of those premoral beliefs.« (MS, 17)

Es leuchtet ein, daß sich Argumentationsteilnehmer mit konkurrierenden Wertorientierungen auf gemeinsame Handlungsweisen eher werden einigen können, wenn sie auf abstraktere Gesichtspunkte rekurrieren, die gegenüber strittigen Inhalten neutral sind. Mit diesem Argument ist aber nicht viel gewonnen. Denn erstens könnte es auch *andere* formale Gesichtspunkte geben, die auf der *gleichen* Abstraktionsebene liegen und eine *äquivalente* Einigungschance bieten. Tugendhat müßte begründen, warum wir genau das von ihm vorgeschlagene Prädikat auszeichnen sollen. Zweitens wird die Präferenz für höherstufige, formalere Gesichtspunkte zunächst nur mit Bezug auf jene kontingente Ausgangslage plausibel gemacht, in der wir nicht ganz zufällig unsere zeitgenössische Situation wiedererkennen. Wenn wir uns in eine andere Situation versetzen, in der, sagen wir: eine einzige Religion allgemeine und glaubwürdige Verbreitung gefunden hätte, sehen wir sofort, daß eine *andere Art von Argumenten* nötig ist, um zu erklären, warum moralische Normen allein durch den Rekurs auf allgemeine Prinzipien und Verfahren und nicht durch die Berufung auf dogmatisch beglaubigte Sätze gerechtfertigt werden sollten. Um die *Überlegenheit eines reflexiven Rechtfertigungsmodus* und der auf diesem Niveau entwickelten posttraditionalen Rechts- und Moralvorstellungen zu begründen, bedarf es einer normativen Theorie. Genau an dieser Stelle bricht aber Tugendhats Argumentationskette ab.

Dieses Begründungsdefizit läßt sich erst ausgleichen, wenn man nicht semantisch mit der Explikation der Bedeutung eines Prädikats einsetzt, sondern das, was mit dem Prädikat »gleichermaßen gut für jeden« gemeint ist, durch eine Argumentationsregel für praktische Diskurse ausdrückt. Dann kann man den Versuch machen, diese Argumentationsregel auf dem Wege einer Untersuchung der pragmatischen Voraussetzungen von Argumentation überhaupt zu begründen. Dabei wird sich zeigen, daß die Idee der Unparteilichkeit *in* den Strukturen der Argumentation *selbst verwurzelt* ist und nicht als ein zusätzlicher normativer Gehalt in sie *hineingetragen* zu werden braucht.

III.

Mit der Einführung des Universalisierungsgrundsatzes ist ein erster Schritt zur Begründung einer Diskursethik getan. Den systematischen Gehalt der bisherigen Überlegungen können wir uns in der Form eines Dialogs zwischen den Anwälten des Kognitivismus und des Skeptizismus vergegenwärtigen. In der Eröffnungsrunde ging es darum, dem hartgesottenen Skeptiker für den Bereich der *moralischen Phänomene* die Augen zu öffnen. In der zweiten Runde stand die *Wahrheitsfähigkeit praktischer Fragen* zur Diskussion. Wir haben gesehen, daß der Skeptiker in der Rolle des ethischen Subjektivisten gute Gründe gegen den ethischen Objektivisten ins Feld führen konnte. Freilich konnte der Kognitivist seine Position dadurch retten, daß er für normative Aussagen nur noch einen wahrheitsanalogen Geltungsanspruch behauptete. Die dritte Runde wurde mit dem realistischen Hinweis des Skeptikers eröffnet, daß in moralischen Grundsatzfragen auch bei gutem Willen ein Konsens oft nicht zu erreichen ist.

Gegenüber dieser skeptisch stimmenden Tatsache eines *Pluralismus letzter Wertorientierungen* muß sich der Kognitivist um den Nachweis eines konsensermöglichenden Brückenprinzips bemühen. Nachdem nun ein Moralprinzip vorgeschlagen worden ist, beherrscht die Frage des kulturellen Relativismus die nächste Runde der Argumentation. Der Skeptiker macht den Einwand, daß es sich bei ›U‹ um eine vorschnelle Verallgemeinerung der moralischen Intuitionen unserer eigenen westlichen Kultur handelt, während der Kognitivist auf diese Herausforderung mit einer transzendentalen Begründung seines Moralprinzips antworten wird. In der fünften Runde kommt der Skeptiker mit weiteren Bedenken gegen *eine transzendentalpragmatische Begründungsstrategie* zum Zuge, denen der Kognitivist mit einer vorsichtigeren Fassung des Apelschen Arguments begegnen wird. In der sechsten Runde kann der Skeptiker gegenüber dieser aussichtsreichen Begründung einer Diskursethik immer noch die *Flucht in die Diskursverweigerung* antreten. Wir werden aber sehen, wie er sich damit in eine hoffnungslose Lage manövriert. Das Thema der siebten und letzten Diskussionsrunde ist die skeptische Erneuerung der von Hegel gegen Kant vorgetragenen *Vorbehalte gegen den ethischen Formalismus*. In dieser Hinsicht wird der kluge Kognitivist nicht zögern, den wohlerwogenen Bedenken seines Opponenten einen Schritt entgegenzukommen.

In der äußeren Form meiner Darstellung folge ich nicht genau dem idealen Gang der soeben skizzierten sieben Diskussionsrunden. Gegen tief eingewurzelte empiristische Verkürzungen des Rationalitätsbegriffs und gegen die entsprechenden Umdeutungen moralischer Grunderfahrungen hatte ich (im 1. Abschnitt) das in die Alltagspraxis eingewobene Netz moralischer Gefühle und Einstellungen phänomenologisch zur Geltung gebracht. Sodann bin ich (im 2. Abschnitt) auf metaethische Erklärungsversuche eingegangen, die die Wahrheitsfähigkeit praktischer Fragen bestreiten. Dieses Bedenken wurde gegenstandslos, weil wir die falsche Identifizierung von normativen und assertorischen Geltungsansprüchen aufgegeben und (im 3. Abschnitt) gezeigt haben, daß propositionale Wahrheit und normative Richtigkeit in der Alltagskommunikation verschiedene pragmatische Rollen übernehmen. Der Skeptiker hat sich davon nicht beeindrucken lassen und seinen Zweifel dahingehend erneuert, daß sich auch die spezifischen, mit Geboten und Normen verknüpften Geltungsansprüche nicht begründen lassen. Dieser Einwand wird hinfällig, wenn man das (im 4. Abschnitt eingeführte) Prinzip der Verallgemeinerung zuläßt und (wie im 5. Abschnitt) nachweisen kann, daß es sich bei diesem Moralprinzip um eine dem Induktionsprinzip vergleichbare Argumentationsregel und nicht um ein verschleiertes Partizipationsprinzip handelt. Bei diesem Stand des Dialoges wird der Skeptiker eine Begründung auch für dieses Brückenprinzip fordern. Gegen den Einwand des ethnozentrischen Fehlschlusses will ich (im folgenden 6. Abschnitt) Apels Vorschlag einer transzendentalpragmatischen Begründung der Ethik ins Feld führen. Ich werde Apels Argument (im 7. Abschnitt) so modifizieren, daß ich den Anspruch auf »Letztbegründung« unbeschadet preisgeben kann. Gegen die Einwände, die der ethische Skeptiker daraufhin erneut vorbringen kann, läßt sich (im 8. Abschnitt) der Grundsatz der Diskursethik dadurch verteidigen, daß man zeigt, wie moralische Argumentationen in Zusammenhänge kommunikativen Handelns eingebettet sind. Diese interne Verbindung zwischen Moral und Sittlichkeit begrenzt nicht die Allgemeinheit moralischer Geltungsansprüche; sie unterwirft aber praktische Diskurse Beschränkungen, denen theoretische Diskurse nicht in gleicher Weise unterliegen.

(6) Die Forderung nach einer Begründung des Moralprinzips erscheint nicht unbillig, wenn man bedenkt, daß Kant mit dem Kategorischen Imperativ (wie die ihm folgenden Kognitivisten mit ihren Variationen des Verallgemeinerungsprinzips) eine moralische Intuition zum Ausdruck bringt, deren Reichweite fraglich ist. Gewiß, nur diejenigen Handlungsnormen, die jeweils verallgemeinerungsfähige Interessen verkörpern, entsprechen *unseren* Vorstellungen von Gerechtigkeit. Aber dieser »moral point of view« könnte die besonderen Moralvorstellungen unserer westlichen Kultur zum Ausdruck bringen. Der Einwand, den Paul Taylor gegen den Vorschlag von K. Baier erhebt, kann auf alle Formulierungen des Verallgemeinerungsprinzips ausgedehnt werden. Angesichts anthropologischer Evidenzen müssen wir zugeben, daß der Moralkodex, den die kantianischen Moraltheorien auslegen, nur einer unter mehreren ist: »However deeply our own conscience and moral outlook may have been shaped by it, we must recognize that other societies in the history of the world have been able to function on the basis of other codes ... To

claim that a person who is a member of those societies and who knows its moral code, nevertheless does not have true moral convictions is, it seems to me, fundamentally correct. But such a claim cannot be justified on the ground of our concept of the moral point of view for that is to assume that the moral code of liberal western society is the only genuine morality.«[49] Es besteht also der begründete Verdacht, daß sich der Universalitätsanspruch, den ethische Kognitivisten für ein von ihnen jeweils bevorzugtes Moralprinzip erheben, einem »ethnozentrischen Fehlschluß« verdankt. Diese können sich der Begründungsforderung des Skeptikers nicht entziehen.

Nun stützt Kant die Begründung des Kategorischen Imperativs, soweit er sich nicht einfach auf ein »Faktum der Vernunft« beruft, auf die normativ gehaltvollen Begriffe von Autonomie und freiem Willen; damit setzt er sich dem Bedenken einer petitio principii aus. Jedenfalls ist die Begründung des Kategorischen Imperativs so sehr mit der Architektonik des Kantischen Systems verschränkt, daß sie unter veränderten Prämissen nicht leicht zu verteidigen sein dürfte. Die zeitgenössischen Moraltheoretiker bieten für das Moralprinzip gar nicht erst eine Begründung an, sondern beschränken sich, wie man beispielsweise an Rawls' Konzept des Überlegungsgleichgewichts (reflective equilibrium)[50] sehen kann, auf eine Nachkonstruktion vortheoretischen Wissens. Das gilt auch für den konstruktivistischen Vorschlag des methodischen Aufbaus einer Sprache für moralische Argumentationen; denn die sprachnormierende Einführung eines Moralprinzips zieht ihre Überzeugungskraft allein aus der begrifflichen Explikation *angetroffener* Intuitionen.[51]

Bei diesem Stand der Argumentation ist es keine Dramatisierung, zu sagen, daß die Kognitivisten durch die Forderung nach einer Begründung der Allgemeingültigkeit des Universalisierungsgrundsatzes in Schwierigkeiten geraten sind.[52] So fühlt sich der Skeptiker ermutigt, seinen Zweifel an der Möglichkeit der Begründung einer universalistischen Moral zu einer Unmöglichkeitsbehauptung zuzuspitzen. Diese Rolle hat bekanntlich H. Albert mit seinem »Traktat über kritische Vernunft«[53] übernommen, indem er das von Popper wissenschaftstheoretisch entwickelte Modell der kritischen Prüfung, das an die Stelle des traditionellen Begründungs- und Rechtfertigungsdenkens treten soll, auf das Gebiet der praktischen Philosophie überträgt. Der

Versuch der Begründung allgemeingültiger Moralprinzipien verstricke, so ist die These, den Kognitivisten in das »Münchhausentrilemma«, zwischen drei Alternativen, die gleichermaßen unakzeptabel sind, wählen zu müssen: nämlich entweder einen unendlichen Regreß in Kauf zu nehmen oder die Kette der Ableitung willkürlich abzubrechen oder schließlich zirkulär zu verfahren. Dieses Trilemma hat freilich einen problematischen Stellenwert. Es ergibt sich nur unter der Voraussetzung eines *semantischen Begründungskonzepts*, das sich an der deduktiven Beziehung zwischen Sätzen orientiert und allein auf den Begriff der logischen Folgerung stützt. Diese deduktivistische Begründungsvorstellung ist offensichtlich zu selektiv für die Darstellung der pragmatischen Beziehungen zwischen argumentativen Sprechhandlungen: Induktions- und Universalisierungsgrundsätze werden als Argumentationsregeln nur eingeführt, um die logische Kluft in nicht-deduktiven Beziehungen zu überbrücken. Man wird deshalb für diese Brückenprinzipien selbst eine deduktive Begründung, wie sie im Münchhausentrilemma allein zugelassen wird, nicht erwarten dürfen.

K. O. Apel hat unter diesem Gesichtspunkt den Fallibilismus einer einleuchtenden Metakritik unterworfen und den Einwand des Münchhausentrilemmas entkräftet.[54] Darauf brauche ich nicht im Einzelnen einzugehen. Denn im Zusammenhang unserer Problematik kommt K. O. Apel vor allem das Verdienst zu, die inzwischen verschüttete Dimension der nicht-deduktiven Begründung ethischer Grundnormen freigelegt zu haben. Apel erneuert den Modus der transzendentalen Begründung mit sprachpragmatischen Mitteln. Dabei benutzt er den Begriff des *performativen Widerspruchs*, der eintritt, wenn eine konstative Sprechhandlung ›Kp‹ auf nicht-kontingenten Voraussetzungen beruht, deren propositionaler Gehalt der behaupteten Aussage ›p‹ widerspricht. Im Anschluß an eine Überlegung von Hintikka illustriert Apel die Bedeutung performativer Widersprüche für das Verständnis von klassischen Argumenten der Bewußtseinsphilosophie am Beispiel des ›Cogito ergo sum‹. Wenn man das Urteil eines Opponenten in der Form der Sprechhandlung: »Ich bezweifle hiermit, daß ich existiere« ausdrückt, läßt sich das Argument des Descartes mit Hilfe eines performativen Widerspruchs rekonstruieren. Für die Aussage:

(1) Ich existiere (hier und jetzt) nicht

erhebt der Sprecher einen Wahrheitsanspruch; gleichzeitig macht er, *indem er sie äußert*, eine unausweichliche Existenzvoraussetzung, deren propositionaler Gehalt durch die Aussage:
(2) Ich existiere (hier und jetzt)
ausgedrückt werden kann (wobei sich in beiden Sätzen das Personalpronomen also auf dieselbe Person bezieht).[55]

In ähnlicher Weise deckt nun Apel einen performativen Widerspruch in dem Einwand des »konsequenten Fallibilisten« auf, der in der Rolle des ethischen Skeptikers die Möglichkeit der Begründung von Moralprinzipien bestreitet, indem er das erwähnte Trilemma vorführt. Apel charakterisiert den Stand der Diskussion durch eine These des Proponenten, der die Allgemeingültigkeit des Universalisierungsgrundsatzes behauptet, durch einen Einwand des Opponenten, der sich auf das Münchhausentrilemma (t) stützt und von (t) darauf schließt, daß Begründungsversuche für die Allgemeingültigkeit von Prinzipien sinnlos sind: dies sei der Grundsatz des Fallibilismus (f). Einen performativen Widerspruch begeht der Opponent aber dann, wenn ihm der Proponent nachweisen kann, daß er, indem er sich auf diese Argumentation einläßt, einige *in jedem* auf kritische Prüfung angelegten Argumentationsspiel unausweichliche Voraussetzungen machen muß, deren propositionaler Gehalt dem Grundsatz (f) widerspricht. Dies ist tatsächlich der Fall, da der Opponent, indem er seinen Einwand vorträgt, unausweichlich die Gültigkeit mindestens derjenigen logischen Regeln voraussetzt, die nicht ersetzt werden können, wenn man das vorgetragene Argument als Widerlegung verstehen soll. Auch der Kritizist hat, wenn er an einer Argumentation teilnimmt, einen minimalen Bestand an nicht-verwerfbaren Regeln der Kritik schon als gültig akzeptiert. Und diese Feststellung ist unvereinbar mit (f).

Diese innerhalb des kritisch-rationalistischen Lagers geführte Debatte über eine »Minimallogik«[56] ist für Apel insoweit von Interesse, als sie die Unmöglichkeitsbehauptung des Skeptikers entkräftet. Sie nimmt aber dem ethischen Kognitivisten die Beweislast nicht ab. Nun hat diese Kontroverse die Aufmerksamkeit auch darauf gelenkt, daß die Regel vom zu vermeidenden performativen Widerspruch nicht nur auf einzelne Sprechhandlungen und Argumente, sondern auf die argumentative Rede im ganzen Anwendung finden kann. Mit der »Argumentation überhaupt« gewinnt Apel einen Bezugspunkt, der für die Analyse nicht-verwerfbarer Regeln genauso fundamental ist wie das »Ich denke« bzw. das »Bewußtsein überhaupt« für die Reflexionsphilosophie. So wenig derjenige, der an einer Theorie der Erkenntnis interessiert ist, hinter seine eigenen Akte des Erkennens zurückgehen kann (und in der Selbstbezüglichkeit des erkennenden Subjekts gewissermaßen gefangen bleibt), so wenig kann derjenige, der eine Theorie moralischer Argumentation entwickelt, hinter die Situation zurückgehen, die durch seine eigene Teilnahme an Argumentationen (beispielsweise mit dem Skeptiker, der jedem seiner Schritte wie ein Schatten folgt) bestimmt ist. Für ihn ist die Argumentationssituation in demselben Sinne »nicht-hintergehbar« wie das Erkennen für den Transzendentalphilosophen. Der Argumentationstheoretiker wird sich der Selbstbezüglichkeit seiner Argumentation in derselben Weise bewußt wie der Erkenntnistheoretiker der Selbstbezüglichkeit seiner Erkenntnis. Diese Vergegenwärtigung bedeutet gleichzeitig die Abwendung von dem aussichtslosen Bemühen einer deduktiven Begründung »letzter« Prinzipien und eine Rückwendung zur Explikation »unausweichlicher«, d. h. allgemeiner und notwendiger Präsuppositionen. Nun wird der Moraltheoretiker versuchsweise die Rolle des Skeptikers übernehmen, um zu prüfen, ob die Verwerfung eines vorgeschlagenen Moralprinzips mit unausweichlichen Voraussetzungen der moralischen Argumentation überhaupt in einen performativen Widerspruch gerät. Er kann auf diesem indirekten Wege dem Skeptiker nachweisen, daß dieser, indem er sich mit dem Ziel der Widerlegung des ethischen Kognitivismus auf eine bestimmte Argumentation überhaupt einläßt, unvermeidlicherweise Argumentationsvoraussetzungen macht, deren propositionaler Gehalt seinem Einwand widerspricht. Apel stilisiert diese Form der performativen Widerlegung des Skeptikers zu einem Begründungsmodus, den er folgendermaßen beschreibt: »Etwas, das ich nicht, ohne einen aktuellen Selbstwiderspruch zu begehen, bestreiten und zugleich nicht ohne formallogische petitio principii deduktiv begründen kann, gehört zu jenen transzendentalpragmatischen Voraussetzungen der Argumentation, die man immer schon anerkannt haben muß, wenn das Sprachspiel der Argumentation seinen *Sinn* behalten soll.«[57]

Die geforderte Begründung des vorgeschlagenen Moralprinzips könnte demnach die Form annehmen, daß jede Argumentation, in welchen Kontexten sie auch immer durchgeführt würde, auf pragmatischen Voraussetzungen beruht, aus deren propositionalem Gehalt der Universalisierungsgrundsatz ›U‹ abgeleitet werden kann.

(7) Nachdem ich mich der Möglichkeit einer transzendentalpragmatischen Begründung des Moralprinzips vergewissert habe, möchte ich das Argument selbst vorführen. Ich will zunächst einige Bedingungen angeben, denen transzendentalpragmatische Argumente genügen müssen, um anhand dieser Kriterien die beiden bekanntesten Vorschläge, nämlich die von R. S. Peters und K. O. Apel, zu beurteilen (a). Sodann möchte ich dem transzendentalpragmatischen Argument eine Fassung geben, die den bekannten Einwänden standhält (b). Schließlich will ich zeigen, daß diese Begründung der Diskursethik nicht den Stellenwert einer Letztbegründung einnehmen kann und warum dieser Status für sie auch gar nicht reklamiert zu werden braucht (c).

(a) In England hat sich im Anschluß an Collingwood ein Typus der Analyse eingebürgert, der ziemlich genau dem von Apel als transzendentalpragmatisch gekennzeichneten Vorgehen entspricht. A. J. Watt nennt sie »analysis of the presuppositions of a mode of discourse« und beschreibt deren Struktur folgendermaßen: »The strategy of this form of argument is to accept the sceptical conclusion that these principles are not open to any proof, being presuppositions of reasoning rather than conclusions from it, but to go on to argue that commitment to them is rationally inescapable, because they must, logically, be assumed if one is to engage in a mode of thought essential to any rational human life. The claim is not exactly that the principles are *true*, but that their adoption is not a result of mere social convention on free personal decision: that a mistake is involved in repudiating them while continuing to use the form of thought and discourse in question.«[58] Collingwoods Einfluß zeigt sich darin, daß die Präsuppositionsanalyse auf die Art und Weise, bestimmte *Fragen* zu stellen und zu behandeln, angewendet wird: »A presuppositional justification would show, that one was committed to certain principles by raising and considering a certain range of *questions*.« (ebd. 41) Solche Argumente zielen auf den Nachweis der Unausweichlichkeit von Voraussetzungen bestimmter Diskurse; und moralische Grundsätze müßten aus dem propositionalen Gehalt solcher Voraussetzungen gewonnen werden können. Das Gewicht dieser Argumente wird um so größer sein, je allgemeiner die Art von Diskursen ist, für die normativ gehaltvolle Voraussetzungen nachgewiesen werden können. »Transzendental« dürfen die Argumente strenggenommen erst dann heißen, wenn sie sich auf Diskurse oder entsprechende Kompetenzen richten, die so allgemein sind, daß sie nicht durch funktionale Äquivalente ersetzt werden können; sie müssen so beschaffen sein, daß sie nur durch Diskurse bzw. Kompetenzen der gleichen Art substituiert werden können. Es ist also wichtig, genau den Objektbereich zu spezifizieren, auf den das Verfahren der Präsuppositionsanalyse angewendet werden soll.

Andererseits darf die Abgrenzung des Objektbereichs nicht schon den normativen Gehalt seiner Voraussetzungen präjudizieren; sonst macht man sich einer vermeidbaren petitio principii schuldig. Beiden Bedingungen will R. S. Peters genügen. Er beschränkt sich auf praktische Diskurse, also auf diejenigen Verständigungsprozesse, die dazu dienen, praktische Fragen vom Typus »Was soll ich/sollen wir tun?« zu beantworten. Peters will damit eine selbstsubstitutive Ordnung von Diskursen aussortieren und gleichzeitig normative Vorentscheidungen bei der Abgrenzung praktischer Diskurse vermeiden: »It is always possible to produce *ad hominem* arguments pointing out what any individual must actually presuppose in saying what he actually says. But these are bound to be very contingent, depending upon private idiosyncrasies, and would obviously be of little use in developing a general ethical theory. Of far more importance are arguments pointing to what any individual *must* presuppose in so far as he uses a public form of discourse in seriously discussing with others or with himself what he ought to do. In a similar way one might inquire into the presuppositions of using scientific discourse. These arguments would be concerned not with prying into individual idiosyncrasies but with probing public presuppositions.«[59] Nur solche *öffentlichen* Voraussetzungen sind den transzendentalen Bedingungen vergleichbar, auf die Kant seine Analyse angelegt hatte; nur für sie gilt die Unausweichlichkeit von Voraussetzungen nicht-substituierbarer, in diesem Sinne allgemeiner Diskurse.[60]

Peters versucht nun, aus den Voraussetzungen praktischer Diskurse bestimmte Grundnormen abzuleiten, zunächst ein Fairneßprinzip (»all people's claim should be equally considered«), dann konkretere Prinzipien wie beispielsweise das der Meinungsfreiheit. Peters stellt freilich nur ad-hoc-Erwägungen an, statt die relevanten Voraussetzungen praktischer Diskurse der Reihe nach zu identifizieren und ihren Gehalt einer systematischen Analyse zu unterziehen. Ich halte Peters' Analysen keineswegs für wertlos; in der Form, in der er sie durchführt, setzen sie sich aber zwei Einwänden aus.

Der *erste Einwand* variiert den Vorwurf der petitio principii; er läuft darauf hinaus, daß Peters nur diejenigen normativen Gehalte aus den Diskursvoraussetzungen herausholt, die er zuvor in die implizite Definition dessen, was er unter praktischem Diskurs verstanden wissen möchte, hereingesteckt hat. Diesen Einwand könnte man zum Beispiel gegen die semantische Ableitung des Prinzips der Gleichbehandlung erheben.[61]

Diesem Einwand versucht Apel dadurch zu begegnen, daß er die Präsuppositionsanalyse nicht auf *moralische* Argumentationen einschränkt, sondern auf die Bedingungen der Möglichkeit der argumentativen Rede *überhaupt* anwendet. Er will zeigen, daß sich jedes sprach- und handlungsfähige Subjekt, sobald es in irgendeine Argumentation eintritt, um einen hypothetischen Geltungsanspruch kritisch zu prüfen, auf normativ gehaltvolle Voraussetzungen einlassen muß. Mit dieser Argumentationsstrategie erreicht er auch noch den Skeptiker, der sich auf eine metaethische Behandlung moraltheoretischer Fragen versteift und sich konsequent weigert, in *moralische* Argumentationen hineingezogen zu werden. Diesem Skeptiker möchte Apel zu Bewußtsein bringen, daß er sich bereits mit seinem ersten Einwand und seiner ersten Verteidigung auf ein Argumentationsspiel, und damit auf Voraussetzungen eingelassen hat, mit denen er sich in performative Widersprüche verwickelt. Auch Peters bedient sich gelegentlich dieser radikaleren Version, so z. B. bei der Begründung des Prinzips der Meinungsfreiheit: »The argument need not be based simply on the manifest interest of anyone who seriously asks the question ›What ought I to do?‹. For the principle of liberty, at least in the sphere of opinion, is also surely a (general presupposition of this form of) discourse into which any rational being is initiated when he laboriously learns to reason. In matters where reason is paramount it is argument rather than force or inner illumination that is decisive. The conditions of argument include letting any rational being contribute to a public discussion.«[62]

Gegenüber solchen Argumenten drängt sich freilich ein *zweiter Einwand* auf, der nicht so leicht zu entkräften ist. Es leuchtet wohl ein, daß Meinungsfreiheit im Sinne einer Abwehr externer Eingriffe in den Prozeß der Meinungsbildung zu den unausweichlichen pragmatischen Voraussetzungen jeder Argumentation gehört; aber der Skeptiker kann damit allenfalls zu der Einsicht gebracht werden, daß er ein entsprechendes »Prinzip der Meinungsfreiheit« als *Argumentationsteilnehmer* schon anerkannt haben muß. Dieses Argument trägt nicht weit genug, um ihn auch als *Aktor* zu überzeugen. Die Geltung einer Handlungsnorm, z. B. eines staatlich sanktionierten Grundrechts auf freie Meinungsäußerung, kann so nicht begründet werden. Es versteht sich nämlich keineswegs von selbst, daß Regeln, die *innerhalb* von Diskursen unausweichlich sind, auch für die Regulierung des Handelns *außerhalb* von Argumentationen Geltung beanspruchen können. Auch wenn Argumentationsteilnehmer gezwungen sein sollten, normativ gehaltvolle Präsuppositionen zu machen (z. B. sich gegenseitig als zurechnungsfähige Subjekte zu achten, als gleichberechtigte Partner zu behandeln, einander Wahrhaftigkeit zu unterstellen und kooperativ miteinander umzugehen[63]), so könnten sie sich doch dieser transzendentalpragmatischen Nötigung, sobald sie aus dem Kreis der Argumentation heraustreten, entledigen. Jene Nötigung überträgt sich nicht unmittelbar vom Diskurs aufs Handeln. Jedenfalls bedürfte die *handlungsregulierende* Kraft des in den pragmatischen Voraussetzungen der *Argumentation* aufgedeckten normativen Gehalts einer besonderen Begründung.[64]

Ein solcher Transfer läßt sich nicht in der Weise nachweisen, daß man, wie Peters und Apel es versuchen, den Argumentationsvoraussetzungen *unmittelbar* ethische Grundnormen entnimmt. Grundnormen des Rechts und der Moral fallen überhaupt nicht in die Zuständigkeit der Moraltheorie; sie müssen als Inhalte betrachtet werden, die der Begründung in praktischen Diskursen bedürfen. Da sich die historischen Umstände ändern, wirft jede Epoche auf die moralisch-praktischen Grundvorstellungen ihr eigenes Licht. Allerdings machen wir in solchen Diskursen immer schon Gebrauch von normativ gehaltvollen Argumentationsregeln; und *diese* sind es, die transzendentalpragmatisch abgeleitet werden können.

(b) So müssen wir zum Problem der Begründung des Universalisierungsgrundsatzes zurückkehren. Die Rolle, die dabei das transzendentalpragmatische Argument übernehmen kann, läßt sich jetzt in der Weise beschreiben, daß mit seiner Hilfe nachgewiesen werden soll, *wie das als Argumentationsregel fungierende Verallgemeinerungsprinzip von Voraussetzungen der Argumentation überhaupt impliziert wird*. Dieser Forderung ist Genüge getan, wenn sich zeigen läßt, daß

- jeder, der sich auf die allgemeinen und notwendigen Kommunikationsvoraussetzungen der argumentativen Rede einläßt und der weiß, was es heißt, eine Handlungsnorm zu rechtfertigen, implizit die Gültigkeit des Universalisierungsgrundsatzes (sei es in der oben angegebenen oder einer äquivalenten Fassung) unterstellen muß.

Es empfiehlt sich (unter den Gesichtspunkten des aristotelischen Kanons), drei Ebenen von Argumentationsvoraussetzungen zu unterscheiden: Voraussetzungen auf der logischen Ebene der Produkte, der dialektischen Ebene der Prozeduren und der rhetorischen Ebene der Prozesse.[65] Argumentationen sind zunächst darauf angelegt, triftige, aufgrund intrinsischer Eigenschaften überzeugende Argumente, mit denen Geltungsansprüche eingelöst oder zurückgewiesen werden können, zu *produzieren*. Auf dieser Ebene liegen beispielsweise die Regeln einer Minimallogik, die in der Popper-Schule diskutiert worden sind, oder jene Konsistenzforderungen, auf die u. a. Hare hingewiesen hat. Ich halte mich einfachheitshalber an den Katalog von Argumentationsvoraussetzungen, den R. Alexy[66] aufgestellt hat. Für die logisch-semantische Ebene können folgende Regeln[67] als *Beispiele* gelten:

(1.1) Kein Sprecher darf sich widersprechen

(1.2) Jeder Sprecher, der ein Prädikat F auf einen Gegenstand *a* anwendet, muß bereit sein, F auf jeden anderen Gegenstand, der a in allen relevanten Hinsichten gleicht, anzuwenden.

(1.3) Verschiedene Sprecher dürfen den gleichen Ausdruck nicht mit verschiedenen Bedeutungen benutzen.

Vorausgesetzt werden auf dieser Ebene logische und semantische Regeln, die keinen ethischen Gehalt haben. Für das gesuchte transzendentalpragmatische Argument bieten sie keinen geeigneten Ansatzpunkt.

Unter *prozeduralen* Gesichtspunkten erscheinen Argumentationen sodann als Verständigungsprozesse, die so geregelt sind, daß

Proponenten und Opponenten in hypothetischer Einstellung, und von Handlungs- und Erfahrungsdruck entlastet, problematisch gewordene Geltungsansprüche prüfen können. Auf dieser Ebene liegen pragmatische Voraussetzungen einer speziellen Form der Interaktion, nämlich alles, was für eine als Wettbewerb eingerichtete kooperative Wahrheitssuche notwendig ist: so z. B. die Anerkennung der Zurechnungsfähigkeit und der Aufrichtigkeit aller Teilnehmer. Hierher gehören auch allgemeine Kompetenz- und Relevanzregeln für die Verteilung der Argumentationslasten, für die Ordnung von Themen und Beiträgen usw.[68] Aus dem von Alexy aufgeführten Regelkatalog nenne ich als *Beispiele*:

(2.1) Jeder Sprecher darf nur das behaupten, was er selbst glaubt.

(2.2) Wer eine Aussage oder Norm, die nicht Gegenstand der Diskussion ist, angreift, muß hierfür einen Grund angeben.

Einige dieser Regeln haben ersichtlich einen ethischen Gehalt. Auf dieser Ebene kommen Präsuppositionen zur Geltung, die der Diskurs mit dem verständigungsorientierten Handeln überhaupt teilt, z. B. Verhältnisse reziproker Anerkennung.

Es hieße aber, den zweiten Schritt vor dem ersten zu tun, wenn man unmittelbar auf die handlungstheoretischen Grundlagen der Argumentation zurückgriffe. Freilich sind die Voraussetzungen für einen vorbehaltlosen Wettbewerb um bessere Argumente für unseren Zweck insofern relevant, als diese mit traditionalen Ethiken, welche einen dogmatisierten Kern von Grundüberzeugungen jeder Kritik entziehen müssen, unvereinbar sind.

Unter *Prozeß*aspekten stellt sich die argumentative Rede schließlich als Kommunikationsvorgang dar, der im Hinblick auf das Ziel eines rational motivierten Einverständnisses unwahrscheinlichen Bedingungen genügen muß. In der argumentativen Rede zeigen sich Strukturen einer Sprechsituation, die in besonderer Weise gegen Repression und Ungleichheit immunisiert ist: sie präsentiert sich als eine idealen Bedingungen hinreichend angenäherte Form der Kommunikation. Deshalb habe ich seinerzeit versucht, die Argumentationsvoraussetzungen als Bestimmungen einer idealen Sprechsituation zu beschreiben[69]; und der vorliegende Beitrag verdient seine Kennzeichnung als »Skizze« vor allem deshalb, weil ich die fällige Präzisierung, Ausarbeitung und

Revision meiner damaligen Analyse an dieser Stelle nicht vornehmen kann. Richtig scheint mir aber nach wie vor die Intention, jene allgemeinen Symmetriebedingungen zu rekonstruieren, die jeder kompetente Sprecher, sofern er überhaupt in eine Argumentation einzutreten meint, als hinreichend erfüllt voraussetzen muß. Auf dem Wege einer systematischen Untersuchung performativer Widersprüche kann die Voraussetzung von so etwas wie einer »unbegrenzten Kommunikationsgemeinschaft« nachgewiesen werden – diese Idee entwickelt Apel im Anschluß an Peirce und Mead. Argumentationsteilnehmer können der Voraussetzung nicht ausweichen, daß die Struktur ihrer Kommunikation, aufgrund formal zu beschreibender Merkmale, jeden von außen auf den Verständigungsprozeß einwirkenden oder aus ihm selbst hervorgehenden Zwang, außer dem des besseren Argumentes, ausschließt und damit auch alle Motive außer dem der kooperativen Wahrheitssuche neutralisiert. Alexy hat für diese Ebene, im Anschluß an meine Analyse, die folgenden Diskursregeln vorgeschlagen[70]:

(3.1) Jedes sprach- und handlungsfähige Subjekt darf an Diskursen teilnehmen.

(3.2) a. Jeder darf jede Behauptung problematisieren.
b. Jeder darf jede Behauptung in den Diskurs einführen.
c. Jeder darf seine Einstellungen, Wünsche und Bedürfnisse äußern.[71]

(3.3) Kein Sprecher darf durch innerhalb oder außerhalb des Diskurses herrschenden Zwang daran gehindert werden, seine in (3.1) und (3.2) festgelegten Rechte wahrzunehmen.

Dazu einige Erläuterungen. Regel (3.1) bestimmt den Kreis der potentiellen Teilnehmer im Sinne einer Inklusion ausnahmslos aller Subjekte, die über die Fähigkeit verfügen, an Argumentationen teilzunehmen. Regel (3.2) sichert allen Teilnehmern gleiche Chancen, Beiträge zur Argumentation zu leisten und eigene Argumente zur Geltung zu bringen. Regel (3.3) fordert Kommunikationsbedingungen, unter denen sowohl das Recht auf universellen Zugang zum, wie das Recht auf chancengleiche Teilnahme am Diskurs ohne eine noch so subtile und verschleierte Repression (und daher *gleichmäßig*) wahrgenommen werden können.

Wenn es sich nun nicht nur um eine definitorische Auszeichnung einer Idealform der Kommunikation handeln soll, die in der Tat alles Weitere präjudizieren würde, muß gezeigt werden, daß es sich bei den Diskursregeln nicht einfach um *Konventionen* handelt, sondern um unausweichliche Präsuppositionen.

Die Präsuppositionen selbst können nun in der Weise identifiziert werden, daß man demjenigen, der die zunächst hypothetisch angebotenen Rekonstruktionen bestreitet, vor Augen führt, wie er sich in performative Widersprüche verwickelt. Dabei müssen wir an das intuitive Vorverständnis appellieren, mit dem präsumtiv jedes sprach- und handlungsfähige Subjekt in Argumentationen eintritt. Ich kann an dieser Stelle nur exemplarisch zeigen, wie eine solche Analyse durchgeführt werden könnte.

Der folgende Satz

(1) Ich habe H schließlich durch gute Gründe davon überzeugt, daß p

läßt sich als Bericht über den Abschluß eines Diskurses verstehen, in dem der Sprecher einen Hörer durch Gründe dazu bewegt hat, den mit der Behauptung ›p‹ verbundenen Wahrheitsanspruch zu akzeptieren, d. h. ›p‹ für wahr zu halten. Es gehört allgemein zur Bedeutung des Ausdrucks ›überzeugen‹, daß ein Subjekt aus guten Gründen eine Meinung faßt. Deshalb ist der Satz

(1)* Ich habe H schließlich durch eine Lüge davon überzeugt, daß p

paradox; er kann im Sinne von

(2) Ich habe H schließlich mit Hilfe einer Lüge überredet, zu glauben (habe ihn glauben machen), daß p

korrigiert werden.

Wenn man sich nicht mit dem lexikalischen Hinweis auf die Bedeutung von »überzeugen« begnügt, sondern erklären will, *warum* (1)* ein semantisches Paradox ist, das sich durch (2) auflösen läßt, kann man von der internen Beziehung ausgehen, die zwischen den beiden Ausdrücken ›jemanden von etwas überzeugen‹ und ›ein begründetes Einverständnis über etwas erzielen‹ besteht. Überzeugungen beruhen *letztlich* auf einem diskursiv herbeigeführten Konsens. Dann besagt aber (1)*, daß H seine Überzeugung unter Bedingungen gebildet haben soll, unter denen sich Überzeugungen nicht bilden können. Diese widersprechen nämlich pragmatischen Voraussetzungen der Argumentation überhaupt, in diesem Fall der Regel (2.1). Daß diese Präsupposition nicht nur hier und da, sondern unvermeidlicherweise für jede Argumentation zutrifft, kann des weiteren dadurch gezeigt werden, daß man einem Proponenten, der sich anheischig macht, die

Wahrheit von (1)* zu verteidigen, vor Augen führt, wie er sich dabei in einen *performativen Widerspruch* verstrickt. Indem der Proponent irgendeinen Grund für die Wahrheit von (1)* anführt und damit in eine Argumentation eintritt, hat er u. a. die Voraussetzung akzeptiert, daß er einen Opponenten mit Hilfe einer Lüge niemals von etwas *überzeugen*, sondern allenfalls dazu *überreden* könnte, etwas für wahr zu halten. Dann widerspricht aber der Gehalt der zu begründenden Behauptung einer der Voraussetzungen, unter denen die Äußerung des Proponenten allein als eine Begründung zählen darf.

Auf ähnliche Weise müßten sich performative Widersprüche für Äußerungen eines Proponenten nachweisen lassen, der den folgenden Satz begründen möchte:

(3)* Nachdem wir A, B, C ... von der Diskussion ausgeschlossen (bzw. zum Schweigen gebracht, bzw. ihnen unsere Interpretation aufgedrängt) hatten, konnten wir uns endlich davon überzeugen, daß N zu Recht besteht

wobei von A, B, C ... gelten soll, daß sie (a) zum Kreise derer gehören, die von der Inkraftsetzung der Norm N *betroffen* sein würden, und sich (b) *als Argumentationsteilnehmer* in keiner relevanten Hinsicht von den übrigen Teilnehmern unterscheiden. Bei jedem Versuch, (3)* zu *begründen*, müßte sich der Proponent in Widerspruch zu den in (3.1) bis (3.3) aufgeführten Argumentationsvoraussetzungen setzen.

Freilich legt die Regelform, in der Alexy diese Präsuppositionen darstellt, das Mißverständnis nahe, als würden alle real durchgeführten Diskurse diesen Regeln genügen müssen. Das ist in vielen Fällen ersichtlich nicht der Fall, und in allen Fällen müssen wir uns mit Annäherungen zufrieden geben. Das Mißverständnis mag zunächst mit der Zweideutigkeit des Wortes »Regel« zusammenhängen. Denn Diskursregeln im Sinne von Alexy sind für Diskurse nicht in demselben Sinne *konstitutiv* wie beispielsweise Schachregeln für real durchgeführte Schachspiele. Während Schachregeln eine faktische Spielpraxis *bestimmen*, sind Diskursregeln nur eine Form der *Darstellung* von stillschweigend vorgenommenen und intuitiv gewußten pragmatischen Voraussetzungen einer ausgezeichneten Redepraxis. Wenn man die Argumentation ernstlich mit der Praxis des Schachspiels vergleichen will, bieten sich als Äquivalente für die Regeln des Schachspiels am ehesten diejenigen Regeln an, nach denen einzelne Argumente aufgebaut und ausgetauscht werden. Diese Regeln müssen, wenn eine fehlerfreie Argumentationspraxis zustande kommen soll, *tatsächlich* befolgt werden. Hingegen sollen die Diskursregeln (3.1) bis (3.3) nur besagen, daß die Argumentationsteilnehmer eine annähernde und für den Argumentationszweck hinreichende Erfüllung der genannten Bedingungen *unterstellen* müssen, gleichviel ob und in welchem Maße diese Unterstellung im gegebenen Fall *kontrafaktischen Charakter* hat oder nicht.

Da nun Diskurse den Beschränkungen von Raum und Zeit unterliegen und in gesellschaftlichen Kontexten stattfinden; da Argumentationsteilnehmer keine intelligiblen Charaktere sind und auch von anderen Motiven als dem einzig zulässigen der kooperativen Wahrheitssuche bewegt sind; da Themen und Beiträge geordnet, Anfang, Ende und Wiederaufnahme von Diskussionen geregelt, Relevanzen gesichert, Kompetenzen bewertet werden müssen; bedarf es *institutioneller Vorkehrungen*, um unvermeidliche empirische Beschränkungen und vermeidbare externe und interne Einwirkungen soweit zu neutralisieren, daß die von den Argumentationsteilnehmern immer schon vorausgesetzten idealisierten Bedingungen wenigstens in hinreichender Annäherung erfüllt werden können. Diese trivialen Notwendigkeiten der *Institutionalisierung von Diskursen* widersprechen keineswegs dem teilweise kontrafaktischen Gehalt der Diskursvoraussetzungen. Vielmehr gehorchen die Institutionalisierungsversuche ihrerseits normativen Zielvorstellungen, die wir dem intuitiven Vorverständnis von Argumentation überhaupt *unwillkürlich* entnehmen. Diese Behauptung läßt sich empirisch anhand jener Berechtigungen, Immunisierungen, Geschäftsordnungen usw. überprüfen, mit deren Hilfe theoretische Diskurse im wissenschaftlichen, praktische Diskurse beispielsweise im parlamentarischen Betrieb institutionalisiert worden sind.[72] Wenn man eine fallacy of misplaced concreteness vermeiden will, muß man die Diskursregeln sorgfältig von den Konventionen unterscheiden, die der Institutionalisierung von Diskursen, also dazu dienen, den idealen Gehalt der Argumentationsvoraussetzungen unter empirischen Bedingungen zur Geltung zu bringen.

Wenn wir, nach diesen kursorischen Erläuterungen und vorbehaltlich genauerer Analysen, die von Alexy vorläufig aufgestellten Regeln akzeptieren, verfügen wir, in Verbindung mit einem schwachen, d.h. nicht-präjudizierenden Begriff von Normenrechtfertigung, über hinreichend starke Prämissen für die Ableitung von ›U‹.

Wenn jeder, der in Argumentationen eintritt, u. a. Voraussetzungen machen muß, deren Gehalt sich in Form der Diskursregeln (3.1) bis (3.3) darstellen läßt; und wenn wir ferner wissen, was es heißt, hypothetisch zu erörtern, ob Handlungsnormen in Kraft gesetzt werden sollen; dann läßt sich jeder, der den ernsthaften Versuch unternimmt, normative Geltungsansprüche *diskursiv* einzulösen, intuitiv auf Verfahrensbedingungen ein, die einer impliziten Anerkennung von ›U‹ gleichkommen. Aus den genannten Diskursregeln ergibt sich nämlich, daß eine strittige Norm unter den Teilnehmern eines praktischen Diskurses Zustimmung nur finden kann, wenn ›U‹ gilt, d. h.

– wenn die Folgen und Nebenwirkungen, die sich aus einer *allgemeinen* Befolgung der strittigen Norm für die Befriedigung der Interessen eines *jeden Einzelnen* voraussichtlich ergeben, von allen *zwanglos* akzeptiert werden können.

Ist nun aber gezeigt, wie der Universalisierungsgrundsatz auf dem Wege der transzendentalpragmatischen Ableitung aus Argumentationsvoraussetzungen begründet werden kann, kann *die Diskursethik selbst* auf den sparsamen Grundsatz ›D‹ gebracht werden,

– daß nur die Normen Geltung beanspruchen dürfen, die die Zustimmung aller Betroffenen als Teilnehmer eines praktischen Diskurses finden (oder finden könnten).[73]

Die skizzierte Begründung der Diskursethik vermeidet Konfusionen im Gebrauch des Ausdrucks ›Moralprinzip‹. Einziges Moralprinzip ist der angegebene Grundsatz der Verallgemeinerung, der als Argumentationsregel gilt und zur Logik des praktischen Diskurses gehört. ›U‹ muß sorgfältig unterschieden werden

– von irgendwelchen inhaltlichen Prinzipien oder Grundnormen, die nur den *Gegenstand* moralischer Argumentationen bilden dürfen;
– vom normativen Gehalt der Argumentationsvoraussetzungen, die (wie in 3.1–3.3) in Regelform expliziert werden können;
– von ›D‹, dem diskursethischen Grundsatz, der die Grundvorstellung einer Moraltheorie ausspricht, aber nicht zur Argumentationslogik gehört.

Die bisherigen Versuche, eine Diskursethik zu begründen, leiden daran, daß Argumentations*regeln* mit Argumentations*inhalten* und Argumentations*voraussetzungen* kurzgeschlossen – und mit »Moralprinzipien« als Grundsätzen der philosophischen Ethik verwechselt werden. ›D‹ ist die Zielbehauptung, die der Philosoph in seiner Eigenschaft als Moraltheoretiker zu begründen versucht. Das skizzierte Begründungsprogramm beschreibt als den, wie wir jetzt vielleicht sagen dürfen, aussichtsreichsten *Weg* die transzendentalpragmatische Begründung einer normativ gehaltvollen Argumentationsregel. Diese ist gewiß selektiv, aber formal; sie ist nicht mit allen inhaltlichen Moral- und Rechtsprinzipien vereinbar, aber als Argumentationsregel präjudiziert sie keine inhaltlichen Regelungen. Alle Inhalte, auch wenn sie noch so fundamentale Handlungsnormen berühren, müssen von realen (oder ersatzweise vorgenommenen, advokatorisch durchgeführten) Diskursen abhängig gemacht werden. Der Moraltheoretiker kann sich daran als Betroffener, gegebenenfalls als Experte beteiligen, aber er kann diese Diskurse *nicht in eigener Regie* führen. Eine Moraltheorie, die sich, wie beispielsweise Rawls' Theorie der Gerechtigkeit, in inhaltliche Bereiche erstreckt, muß als ein Beitrag zu einem unter Staatsbürgern geführten Diskurs verstanden werden.

(c) Kambartel hat die transzendentalpragmatische Begründung der Diskursethik als ein Vorgehen charakterisiert, bei dem der Proponent versucht, den Opponenten, »der nach der Begründung eines argumentativ gefaßten Vernunftprinzips fragt, dessen zu überführen, daß er sich mit seiner Frageabsicht, recht begriffen, bereits auf den Boden eben dieses Prinzips gestellt hat.«[74] Es fragt sich, welchen Status diese Art von Begründung beanspruchen darf. *Die eine Seite* lehnt es ab, überhaupt von Begründung zu sprechen, da (wie G. F. Gethmann hervorhebt) die Anerkennung von etwas Vorausgesetztem im Unterschied zur Anerkennung von etwas Begründetem stets hypothetisch, nämlich von einer vorgängig akzeptierten Zwecksetzung abhängig sei. Demgegenüber weisen die Transzendentalpragmatiker darauf hin, daß die Nötigung, den propositionalen Gehalt von unausweichlichen Voraussetzungen als gültig anzuerkennen, um so weniger hypothetisch ist, je allgemeiner die Diskurse und die entsprechenden Kompetenzen sind, auf die die Präsuppositionsanalyse angewendet wird. Mit dem »Zweck« von Argumentation überhaupt können wir nicht so arbiträr verfahren wie mit kontingenten Handlungszwecken; dieser Zweck ist mit der intersubjektiven Lebensform sprach- und handlungsfähiger Subjekte so verwoben, daß wir ihn aus freien Stücken weder setzen noch umgehen können. *Die andere Seite* befrachtet die Transzendentalpragmatik wiederum mit dem weitreichenden Anspruch einer Letztbegründung, da diese (wie beispielsweise W. Kuhlmann hervorhebt) eine absolut sichere, den Fallibilismus aller Erfahrungserkenntnis entzogene Basis schlechthin untrüglichen Wissens ermöglichen soll: »Was sich nicht sinnvoll – ohne Selbstwiderspruch – bestreiten läßt, weil es bei sinnvoller Argumentation vorausgesetzt werden muß, und was sich aus denselben Gründen auch nicht sinnvoll – ohne Petitio principii – durch Ableitung begründen läßt, das ist eine sichere, *durch nichts zu erschütternde Basis.* Wir haben die zu diesen Voraussetzungen gehörenden Aussagen und Regeln als Argumentierende immer schon notwendig anerkannt und sind nicht imstande, zweifelnd hinter sie zurück zu gehen, sei es, um ihre Geltung zu bestreiten, sei es, um Gründe für ihre Geltung anzuführen.«[75] Dazu ist zu sagen, daß der von H. Lenk als petitio tollendi gekennzeichnete Typus von Argumenten nur geeignet ist, die *Nichtverwerfbarkeit* bestimmter Bedingungen oder Regeln zu demonstrieren; mit ihrer Hilfe kann einem Opponenten nur gezeigt werden, daß er ein Aufzuhebendes performativ in Anspruch nimmt.

Der Nachweis performativer Widersprüche eignet sich zur Identifizierung von Regeln, ohne die das Argumentationsspiel nicht funktioniert: wenn man überhaupt argumentieren will, gibt es für sie keine Äquivalente. Damit wird die *Alternativenlosigkeit* dieser Regeln für die Argumentationspraxis bewiesen, ohne daß diese selbst aber *begründet* würde. Gewiß – die Beteiligten müssen diese Regeln als ein Faktum der Vernunft allein dadurch, daß sie sich aufs Argumentieren verlegen, schon anerkannt haben. Aber eine transzendentale Deduktion im Sinne Kants kann mit solchen argumentativen Mitteln nicht bewerkstelligt werden. Für Apels transzendentalpragmatische Untersuchung der Argumentationsvoraussetzungen gilt dasselbe wie für Strawsons transzendentalsemantische Untersuchung der Präsuppositionen von Erfahrungsurteilen: »Das Begriffssystem, das unserer Erfahrung zugrunde liegt, verdankt seine Notwendigkeit der Alternativenlosigkeit. Es wird dadurch bewiesen, daß jeder Versuch, ein alternatives Begriffssystem zu entwickeln, daran scheitert, daß er Strukturelemente des konkurrierenden und abzulösenden Systems in Anspruch nimmt ... Solange Strawsons Methode sich in dieser Weise nur auf begriffsimmanente Implikationsverhältnisse richtet, kann es auch keine Möglichkeit geben, ein Begriffssystem a priori zu rechtfertigen, da es prinzipiell offen bleiben muß, ob die erkennenden Subjekte ihre Art und Weise, über die Welt zu denken, nicht einmal ändern.«[76] Schönrich wendet sich provokativ gegen eine Überlastung dieser *schwachen Form transzendentaler Analyse* mit der Bemerkung: »Die dem Skeptiker abgelistete Akzeptierung bestimmter begrifflicher Implikationsverhältnisse kann somit nicht mehr als quasi-empirische Geltung beanspruchen.«[77]

Daß Apel gleichwohl hartnäckig am Letztbegründungsanspruch der Transzendentalpragmatik festhält, erklärt sich, wie ich meine, aus einer inkonsequenten Rückkehr zu Denkfiguren, die er mit dem energisch vollzogenen Paradigmenwechsel von der Bewußtseins- zur Sprachphilosophie selber entwertet hat. In dem interessanten Aufsatz über das Apriori der Kommunikationsgemeinschaft erinnert er nicht zufällig an Fichte, der das Faktum der Vernunft durch »einsichtigen Mit- und Nachvollzug« nach und nach »in seiner bloßen Faktizität auflösen möchte«.[78] Obwohl Apel von Fichtes »metaphysischem Restdogmatismus« spricht, stützt er, wenn ich recht sehe, den Letztbegründungsanspruch der Transzendentalpragmatik genau auf jene Identifikation von Aussagenwahrheit und Gewißheitserlebnis, die nur im reflexiven Nachvollzug einer vorgängig intuitiv vollzogenen Leistung, d. h. nur unter Bedingungen der Bewußtseinsphilosophie vorgenommen werden kann. Sobald wir uns auf der analytischen Ebene der Sprachpragmatik bewegen, ist uns diese Identifikation verwehrt. Das wird klar, wenn wir die Begründungsschritte in der oben skizzierten Weise auseinanderziehen und distinkt, einen nach dem anderen ausführen. Die programmatisch vorgestellte Begründung der Diskursethik verlangt ja

(1) die Angabe eines als Argumentationsregel fungierenden Verallgemeinerungsprinzips;
(2) die Identifizierung von unausweichlichen und normativ gehaltvollen pragmatischen Voraussetzungen der Argumentation überhaupt;
(3) die explizite Darstellung dieses normativen Gehaltes, z. B. in der Form von Diskursregeln; und
(4) den Nachweis, daß zwischen (3) und (1) in Verbindung mit

der Idee der Rechtfertigung von Normen ein Verhältnis der materialen Implikation besteht.

Der unter (2) genannte Analyseschritt, für den die Suche nach performativen Widersprüchen den Leitfaden abgibt, stützt sich auf ein mäeutisches Verfahren, das dazu dient,

(2a) den Skeptiker, der einen Einwand vorbringt, auf intuitiv gewußte Voraussetzungen aufmerksam zu machen;

(2b) diesem vortheoretischen Wissen eine explizite Form zu geben, so daß der Skeptiker unter dieser Beschreibung seine Intuitionen wiedererkennen kann; und

(2c) die vom Proponenten aufgestellte Behauptung der Alternativenlosigkeit der explizierten Voraussetzungen an Gegenbeispielen zu prüfen.

Die Analyseschritte (b) und (c) enthalten unverkennbar hypothetische Elemente. Die Beschreibung, mit der ein ›know how‹ in ein ›know that‹ überführt werden soll, ist eine hypothetische Nachkonstruktion, die Intuitionen nur mehr oder weniger korrekt wiedergeben kann; sie bedarf daher einer mäeutischen Bestätigung. Und die Behauptung, daß es zu einer gegebenen Voraussetzung keine Alternative gibt, daß diese vielmehr zur Schicht der unausweichlichen, d. h. allgemeinen und notwendigen Voraussetzungen gehört, hat den Status einer Annahme; sie muß wie eine Gesetzeshypothese an Fällen überprüft werden. Gewiß, das intuitive Regelwissen, das sprach- und handlungsfähige Subjekte verwenden müssen, um an Argumentationen überhaupt teilnehmen zu können, ist in gewisser Weise nicht fallibel – wohl aber unsere Rekonstruktion dieses vortheoretischen Wissens und der Universalitätsanspruch, den wir damit verbinden. Die *Gewißheit*, mit der wir unser Regelwissen praktizieren, überträgt sich nicht auf die *Wahrheit* von Rekonstruktionsvorschlägen für hypothetisch allgemeine Präsuppositionen; denn diese können wir auf keine andere Weise zur Diskussion stellen als beispielsweise ein Logiker oder ein Linguist seine theoretischen Beschreibungen.

Freilich entsteht auch gar kein Schaden, wenn wir der transzendentalpragmatischen Begründung den Charakter einer Letztbegründung absprechen. Vielmehr fügt sich dann die Diskursethik ein in den Kreis jener rekonstruktiven Wissenschaften, die es mit den rationalen Grundlagen von Erkennen, Sprechen und Handeln zu tun haben. Wenn wir den Fundamentalismus der überlieferten Transzendentalphilosophie gar nicht mehr anstreben, gewinnen wir für die Diskursethik neue Möglichkeiten der Überprüfung. Sie kann, in Konkurrenz mit anderen Ethiken, für die Beschreibung empirisch vorgefundener Moral- und Rechtsvorstellungen eingesetzt, sie kann in Theorien der Entwicklung des Moral- und Rechtsbewußtseins, sowohl auf der Ebene der soziokulturellen Entwicklung wie der Ontogenese, eingebaut und auf diese Weise einer indirekten Überprüfung zugänglich gemacht werden.

Am Letztbegründungsanspruch der Ethik brauchen wir auch nicht mit Rücksicht auf deren präsumtive Relevanz für die Lebenswelt festzuhalten. Die *moralischen* Alltagsintuitionen bedürfen der Aufklärung des Philosophen nicht. In diesem Falle scheint mir ein therapeutisches Selbstverständnis der Philosophie, wie es von Wittgenstein inauguriert worden ist, ausnahmsweise am Platz zu sein. Die philosophische Ethik hat eine aufklärende Funktion allenfalls gegenüber den Verwirrungen, die sie selbst im Bewußtsein der Gebildeten angerichtet hat – also nur insoweit, wie der Wertskeptizismus und der Rechtspositivismus sich als Professionsideologien festgesetzt haben und über das Bildungssystem ins Alltagsbewußtsein eingedrungen sind. Beide haben die im Sozialisationsprozeß naturwüchsig erworbenen Intuitionen mit falschen Deutungen neutralisiert; unter extremen Umständen können sie dazu beitragen, die vom Bildungsskeptizismus erfaßten Akademikerschichten moralisch zu entwaffnen.[79]

(8) Der Streit zwischen dem Kognitivisten und dem Skeptiker ist freilich noch nicht definitiv beigelegt. Dieser gibt sich mit dem Verzicht auf Letztbegründungsansprüche und mit der Aussicht auf indirekte Bestätigungen der Diskurstheorie nicht zufrieden. Er kann erstens die Tragfähigkeit der transzendentalpragmatischen Ableitung des Moralprinzips bezweifeln (a). Und selbst wenn er zugestehen müßte, daß die Diskursethik auf diesem Wege begründet werden kann, hätte er sein Pulver noch nicht ganz verschossen. Der Skeptiker kann sich zweitens in die (aus politischen Motiven wiederbelebte) Front jener Neuaristoteliker und Neuhegelianer einreihen, die darauf hinweisen, daß mit der Diskursethik für das eigentliche Anliegen der Philosophischen Ethik nicht viel gewonnen ist, weil sie einen bestenfalls leeren, in den praktischen Auswirkungen sogar verhängnisvollen Formalismus anbiete (b). Auf diese beiden »letzten« Einwände des Skeptikers möchte ich nur soweit eingehen, wie es nötig ist, um die hand-

lungstheoretischen Grundlagen der Diskursethik deutlich zu machen. Wegen der Einbettung der Moralität in Sittlichkeit unterliegt auch die Diskursethik Beschränkungen – freilich nicht solchen, die ihre kritische Funktion entwerten und den Skeptiker in seiner Rolle als Gegenaufklärer bestärken könnten.

(a) Der Umstand, daß sich die transzendentalpragmatische Begründungsstrategie von den Einwänden eines Skeptikers abhängig macht, ist nicht nur ein Vorteil. Solche Argumente verfangen nur bei einem Opponenten, der seinem Proponenten den Gefallen tut, sich überhaupt auf eine Argumentation einzulassen. Ein Skeptiker, der voraussieht, daß er bei performativen Widersprüchen ertappt werden soll, wird das Spiel der Überlistung von vornherein ablehnen – und jede Argumentation verweigern. Der *konsequente Skeptiker* entzieht dem Transzendentalpragmatiker den Boden für seine Argumente. So kann er sich beispielsweise der eigenen Kultur gegenüber wie ein Ethnologe verhalten, der philosophischen Argumentationen kopfschüttelnd als dem unverständlichen Ritus eines merkwürdigen Stammes beiwohnt. Dieser von Nietzsche eingeübte Blick ist ja von Foucault wieder zu Ehren gebracht worden. Mit einem Schlage verändert sich die Diskussionslage: der Kognitivist, wenn er in seinen Überlegungen fortfährt, wird nur noch *über* den Skeptiker sprechen können, nicht mehr *mit* ihm. Normalerweise wird er kapitulieren und gestehen, daß gegen den Skeptiker in der Rolle des Aussteigers kein Kraut gewachsen ist; er wird sagen, daß Argumentationsbereitschaft, überhaupt die Bereitschaft, sich über sein Handeln Rechenschaft zu geben, in der Tat vorausgesetzt werden muß, wenn das Thema, mit dem es die Moraltheorie zu tun hat, nicht witzlos werden soll. Es bleibe ein dezisionistischer Rest, der sich argumentativ nicht wegarbeiten ließe – das volitive Moment komme an dieser Stelle zu seinem Recht.

Mir scheint indessen, daß sich der Moraltheoretiker dabei nicht beruhigen darf. Ein Skeptiker, der ihm *durch sein schieres Verhalten* das Thema aus der Hand nehmen könnte, behielte zwar nicht das letzte Wort, aber er bliebe sozusagen performativ im Recht – er würde seine Position stumm und eindrucksvoll behaupten.

Bei diesem Stand der Diskussion (wenn es eine solche noch ist) hilft die Überlegung, daß der Skeptiker durch sein Verhalten seine Mitgliedschaft in der Gemeinschaft derer, die argumentieren, aufkündigt – nicht weniger, aber auch nicht mehr. Durch Argumentationsverweigerung kann er beispielsweise nicht, auch nicht indirekt, verleugnen, daß er eine soziokulturelle Lebensform teilt, in Zusammenhängen kommunikativen Handelns aufgewachsen ist und darin sein Leben reproduziert. Er kann, mit einem Wort, Moralität verleugnen, aber nicht die Sittlichkeit der Lebensverhältnisse, in denen er sich sozusagen tagsüber aufhält. Sonst müßte er sich in den Selbstmord oder in eine schwere Geisteskrankheit flüchten. Er kann sich mit anderen Worten der kommunikativen Alltagspraxis, in der er kontinuierlich mit »Ja« oder »Nein« Stellung zu nehmen genötigt ist, nicht entwinden; sofern er *überhaupt* am Leben bleibt, ist eine Robinsonade, mit der der Skeptiker sein Aussteigen aus dem kommunikativen Handeln auf stumme und eindrucksvolle Weise demonstrieren könnte, nicht einmal als eine fiktive Versuchsanordnung vorstellbar.

Nun müssen sich aber, wie wir gesehen haben, kommunikativ handelnde Subjekte, indem sie sich miteinander über etwas in der Welt verständigen, an Geltungsansprüchen, auch an assertorischen und normativen Geltungsansprüchen orientieren. Deshalb gibt es keine soziokulturelle Lebensform, die nicht auf eine Fortsetzung kommunikativen Handelns mit argumentativen Mitteln wenigstens implizit angelegt wäre – wie rudimentär die Formen der Argumentation auch immer ausgebildet, wie wenig diskursive Verständigungsprozesse auch immer institutionalisiert sein mögen. Argumentationen geben sich, sobald wir sie als speziell geregelte Interaktionen betrachten, als Reflexionsform des verständigungsorientierten Handelns zu erkennen. Sie *entlehnen* jene pragmatischen Voraussetzungen, die wir auf der prozeduralen Ebene entdecken, den Präsuppositionen verständigungsorientierten Handelns. Die Reziprozitäten, die die gegenseitige Anerkennung zurechnungsfähiger Subjekte tragen, sind bereits in jenes Handeln eingebaut, in dem Argumentationen *wurzeln*. Deshalb erweist sich die Argumentationsverweigerung des radikalen Skeptikers als leere Demonstration. Auch der konsequente Aussteiger kann aus der kommunikativen Alltagspraxis nicht aussteigen; deren Präsuppositionen bleibt er verhaftet – und diese wiederum sind – mindestens teilweise – identisch mit den Voraussetzungen von Argumentation überhaupt.

Natürlich müßte man im einzelnen sehen, welche normativen Gehalte eine Präsuppositionsanalyse des verständigungsorientierten Handelns zutage fördern kann. Ein Beispiel gibt A. Gewirth, der den Versuch gemacht hat, ethische Grundnormen aus den Strukturen und den allgemeinen pragmatischen Voraussetzungen zielgerichteten Handelns abzuleiten.[80] Er wendet die Präsuppositionsanalyse auf den Begriff der Fähigkeit, spontan und zielgerichtet zu handeln, an, um zu zeigen, daß jedes rational handelnde Subjekt seinen Handlungsspielraum, und die Ressourcen für die Verwirklichung von Zwecken überhaupt, als Güter betrachten *muß*. Interessanterweise reicht aber das teleologische Handlungskonzept nicht aus, um den Begriff eines *Rechtes* auf solche »notwendigen Güter« in derselben Weise transzendentalpragmatisch zu begründen wie diese Güter selbst.[81] Wählt man hingegen den Begriff des kommunikativen Handelns als Basis, kann man auf demselben methodischen Wege einen Begriff von Rationalität gewinnen, der hinreichend stark sein dürfte, um die transzendentalpragmatische Ableitung des Moralprinzips bis in die Geltungsbasis verständigungsorientierten Handelns hinein zu *verlängern*.[82] Das muß ich hier auf sich beruhen lassen.[83]

Wenn man den Begriff zielgerichteten Handelns durch den umfassenderen des verständigungsorientierten Handelns ersetzt und einer transzendentalpragmatischen Analyse zugrunde legt, ruft man freilich den Skeptiker noch einmal mit der Frage auf den Plan, ob diese Auszeichnung eines normativ gehaltvollen Begriffs sozialen Handelns das moraltheoretische Ziel der ganzen Untersuchung nicht präjudizieren müsse.[84] Wenn man davon ausgeht, daß die Typen verständigungs- und erfolgsorientierten Handelns eine vollständige Disjunktion bilden, bietet gerade die Option für den Übergang vom kommunikativen zum strategischen Handeln dem Skeptiker eine neue Chance. Er könnte sich nun doch darauf versteifen, nicht nur nicht zu argumentieren, sondern auch nicht mehr kommunikativ zu handeln – und damit einer vom Diskurs aufs Handeln zurückgreifenden Präsuppositionsanalyse *ein zweites Mal* den Boden entziehen.

Um dem zu begegnen, muß man zeigen können, daß Zusammenhänge kommunikativen Handelns eine selbstsubstitutive Ordnung bilden. Ich will an dieser Stelle auf konzeptuelle Argumente verzichten und mich mit einem empirischen Hinweis, der den zentralen Stellenwert kommunikativen Handelns plausibel macht, begnügen. Die Möglichkeit, zwischen kommunikativem und strategischem Handeln zu *wählen*, ist abstrakt, weil sie nur aus der zufälligen Perspektive des einzelnen Aktors gegeben ist.

Aus der Perspektive der Lebenswelt, der der Aktor jeweils angehört, stehen diese Modi des Handelns nicht zur freien Disposition. Die symbolischen Strukturen jeder Lebenswelt reproduzieren sich nämlich in Formen der kulturellen Tradition, der sozialen Integration und der Sozialisation – und diese Prozesse können sich, wie ich andernorts gezeigt habe[85], allein über das Medium verständigungsorientierten Handelns vollziehen. Zu diesem Medium gibt es kein Äquivalent bei der Erfüllung jener Funktionen. Deshalb steht auch den Einzelnen, die ihre Identität nicht anders als über die Aneignung von Traditionen, über die Zugehörigkeit zu sozialen Gruppen und über die Teilnahme an sozialisatorischen Interaktionen erwerben und behaupten können, die Wahl zwischen kommunikativem und strategischem Handeln nur in einem abstrakten Sinne, d. h. von Fall zu Fall, offen. Die Option für einen langfristigen Ausstieg aus Kontexten verständigungsorientierten Handelns haben sie nicht. Dieser würde den Rückzug in die monadische Vereinsamung strategischen Handelns – oder in Schizophrenie und Selbstmord bedeuten. Auf die Dauer ist er selbstdestruktiv.

(b) Sollte der Skeptiker der über seinen Kopf hinweg fortgesetzten Argumentation gefolgt sein und eingesehen haben, daß ihn der demonstrative Ausstieg aus Argumentation und verständigungsorientiertem Handeln in eine existentielle Sackgasse führt, wird er vielleicht am Ende bereit sein, die vorgeschlagene Begründung des Moralprinzips anzunehmen und den eingeführten diskursethischen Grundsatz zu akzeptieren. Dies tut er freilich nur, um die Argumentationsmöglichkeiten auszuschöpfen, die ihm jetzt noch verbleiben: er zieht den Sinn einer solchen formalistischen Ethik selbst in Zweifel. Die Verwurzelung der Argumentationspraxis in lebensweltlichen Zusammenhängen kommunikativen Handelns hatte ihn ohnehin an Hegels Kantkritik erinnert; diese wird der Skeptiker nun gegen den Kognitivisten zur Geltung bringen.

In einer Formulierung von A. Wellmer besagt dieser Einwand, »daß wir mit der Idee eines ›herrschaftsfreien Diskurses‹ nur scheinbar einen objektiven Maßstab gewonnen haben, an dem wir die praktische Rationalität von Individuen oder Gesellschaften ›messen‹ können. In Wirklichkeit wäre es eine Illusion zu glauben, wir könnten uns von der gleichsam normativ geladenen Faktizität unserer geschichtlichen Situation mit den in ihr tradierten Normen und Rationalitätskriterien emanzipieren, um die

Geschichte im ganzen, und unsere Stellung in ihr, sozusagen ›von der Seite‹ einzusehen. Ein Versuch in dieser Richtung könnte nur in theoretischer Willkür und in praktischem Terror enden.«[86] Ich brauche die Gegenargumente, die Wellmer in seiner brillanten Abhandlung entwickelt, nicht zu wiederholen; ich will aber die Aspekte wenigstens aufzählen, unter denen der Formalismus-Einwand eine Behandlung verdient.

i.) Der diskursethische Grundsatz nimmt auf eine *Prozedur*, nämlich die diskursive Einlösung von normativen Geltungsansprüchen Bezug; insofern läßt sich die Diskursethik mit Recht als *formal* kennzeichnen. Sie gibt keine inhaltlichen Orientierungen an, sondern ein Verfahren: den praktischen Diskurs. Dieser ist freilich ein Verfahren nicht zur Erzeugung von gerechtfertigten Normen, sondern zur Prüfung der Gültigkeit vorgeschlagener und hypothetisch erwogener Normen. Praktische Diskurse müssen sich ihre Inhalte geben lassen. Ohne den Horizont der Lebenswelt einer bestimmten sozialen Gruppe, und ohne Handlungskonflikte in einer bestimmten Situation, in der die Beteiligten die konsensuelle Regelung einer strittigen gesellschaftlichen Materie als ihre Aufgabe betrachteten, wäre es witzlos, einen praktischen Diskurs führen zu wollen. Die konkrete Ausgangslage eines gestörten normativen Einverständnisses, auf die sich praktische Diskurse jeweils als Antezedens beziehen, determiniert Gegenstände und Probleme, die zur Verhandlung »anstehen«. Formal ist mithin diese Prozedur nicht im Sinne der Abstraktion von Inhalten. In seiner Offenheit ist der Diskurs gerade darauf angewiesen, daß die kontingenten Inhalte in ihn »eingegeben« werden. Freilich werden diese Inhalte im Diskurs so bearbeitet, daß partikulare Wertgesichtspunkte als nicht konsensfähig am Ende herausfallen; ist es nicht diese Selektivität, die das Verfahren zur Lösung praktischer Fragen untauglich macht?

ii.) Wenn wir praktische Fragen als Fragen des »guten Lebens« definieren, die sich jeweils auf das Ganze einer partikularen Lebensform oder auf das Ganze einer individuellen Lebensgeschichte beziehen, ist der ethische Formalismus in der Tat einschneidend: der Universalisierungsgrundsatz funktioniert wie ein Messer, das einen Schnitt legt zwischen »das Gute« und »das Gerechte«, zwischen evaluative und streng normative Aussagen. Kulturelle Werte führen zwar einen Anspruch auf intersubjektive Geltung mit sich, aber sie sind so sehr mit der Totalität einer besonderen Lebensform verwoben, daß sie nicht von Haus aus normative Geltung im strikten Sinne beanspruchen können – sie *kandidieren* allenfalls für eine Verkörperung in Normen, die ein allgemeines Interesse zum Zuge bringen sollen.

Sodann können sich die Beteiligten nur von Normen und Normensystemen, die aus der Ganzheit des gesellschaftlichen Lebenszusammenhanges herausgehoben werden, so weit distanzieren, wie es nötig ist, um ihnen gegenüber eine hypothetische Einstellung einzunehmen. Vergesellschaftete Individuen können sich nicht zu der Lebensform oder zu der Lebensgeschichte, in der sich ihre eigene Identität gebildet hat, hypothetisch verhalten. Aus alledem ergibt sich die Präzisierung des Anwendungsbereichs einer deontologischen Ethik: sie erstreckt sich nur auf die praktischen Fragen, die rational, und zwar mit der Aussicht auf Konsens erörtert werden können. Sie hat es nicht mit der Präferenz von Werten, sondern mit der Sollgeltung von Handlungsnormen zu tun.

iii.) Weiterhin bleibt aber der hermeneutische Zweifel bestehen, ob nicht dem diskursethischen Verfahren der Normenbegründung eine überschwengliche, in den praktischen Auswirkungen sogar gefährliche Idee zugrunde liegt. Mit dem diskursethischen Grundsatz verhält es sich wie mit anderen Prinzipien: er kann nicht die Probleme der eigenen Anwendung regeln. Die Anwendung von Regeln verlangt eine praktische Klugheit, die der diskursethisch ausgelegten praktischen Vernunft *vorgeordnet* ist, jedenfalls nicht ihrerseits Diskursregeln untersteht. Dann kann aber der diskursethische Grundsatz nur unter Inanspruchnahme eines Vermögens wirksam werden, welches ihn an die lokalen Übereinkünfte der hermeneutischen Ausgangssituation bindet und in die Provinzialität eines bestimmten geschichtlichen Horizonts zurückholt.

Das ist nicht zu bestreiten, wenn man die Probleme der Anwendung aus der Perspektive einer dritten Person betrachtet. Diese reflexive Einsicht des Hermeneutikers entwertet dennoch nicht den alle lokalen Übereinkünfte transzendierenden Anspruch des Diskursprinzips: diesem kann sich der Argumentationsteilnehmer nämlich nicht entziehen, solange er in performativer Einstellung den Sinn der Sollgeltung von Normen ernst nimmt und Normen nicht als soziale Tatsachen, als etwas in der Welt bloß Vorkommendes objektiviert. Die transzendierende Kraft eines *frontal verstandenen* Geltungsanspruchs ist auch empirisch wirksam und kann durch die reflexive Einsicht des Hermeneutikers *nicht überholt* werden. Die Geschichte der Grundrechte in den modernen Verfassungsstaaten liefert eine Fülle von Beispielen dafür, daß die Anwendungen von Prinzipien, wenn diese erst einmal anerkannt sind, keineswegs von Situation zu Situation schwanken, sondern einen *gerichteten Verlauf* nehmen. Der universelle Gehalt dieser Normen selbst bringt den Betroffenen, im Spiegel veränderter Interessenlagen, die Parteilichkeit und Selektivität von Anwendungen zu Bewußtsein. Anwendungen können den Sinn der Norm selbst verfälschen; auch in der Dimension der klugen Applikation können wir mehr oder weniger *befangen* operieren. In ihr sind *Lernprozesse* möglich.[87]

iv.) Tatsächlich unterliegen praktische Diskurse Beschränkungen, die gegenüber einem fundamentalistischen Selbstverständnis in Erinnerung gebracht werden müssen. Diese Beschränkungen hat Wellmer in einem noch unveröffentlichten Manuskript über »Reason and the Limits of Rational Discourse« mit aller wünschenswerten Klarheit herausgearbeitet.

Erstens behalten praktische Diskurse, in denen auch die Angemessenheit der Interpretation von Bedürfnissen zur Sprache kommen muß, einen internen Zusammenhang mit der ästhetischen Kritik auf der einen, der therapeutischen Kritik auf der anderen Seite; und diese beiden Formen der Argumentation stehen nicht unter der Prämisse strenger Diskurse, daß *grundsätzlich* immer ein rational motiviertes Einverständnis müßte erzielt werden können, wobei »grundsätzlich« den idealisierenden Vorbehalt meint: wenn die Argumentation nur offen genug geführt und lange genug fortgesetzt werden könnte. Wenn aber die verschiedenen Formen der Argumentation letztlich ein System bilden und nicht gegeneinander isoliert werden können, belastet eine Verknüpfung mit den weniger strengen Formen der Argumentation auch den strengeren Anspruch des praktischen (auch des theoretischen und des explikativen) Diskurses mit einer Hypothek, die der geschichtlich-gesellschaftlichen Situierung der Vernunft entstammt.

Zweitens können praktische nicht in gleichem Maße wie theoretische und explikative Diskurse vom Druck der gesellschaftlichen Konflikte entlastet werden. Sie sind weniger »handlungsentlastet«, weil mit strittigen Normen das Gleichgewicht intersubjektiver Anerkennungsverhältnisse berührt wird. Der Streit um Normen bleibt, auch wenn er mit diskursiven Mitteln geführt wird, im »Kampf um Anerkennung« verwurzelt.

Drittens gleichen praktische Diskurse, wie alle Argumentationen, den von Überschwemmung bedrohten Inseln im Meer einer Praxis, in dem das Muster der konsensuellen Beilegung von Handlungskonflikten keineswegs dominiert. Die Mittel der Verständigung werden durch Instrumente der Gewalt immer wieder verdrängt. So muß sich ein Handeln, das sich an ethischen Grundsätzen orientiert, mit Imperativen ins Benehmen setzen, die sich aus strategischen Zwängen ergeben. Das Problem einer Verantwortungsethik, die die zeitliche Dimension berücksichtigt, ist im Grundsätzlichen trivial, da sich der Diskursethik selbst die verantwortungsethischen Gesichtspunkte für eine zukunftsorientierte Beurteilung der Nebenfolgen kollektiven Handelns entnehmen lassen. Andererseits ergeben sich aus diesem Problem Fragen einer politischen Ethik, die es mit den Aporien einer auf Ziele der Emanzipation gerichteten Praxis zu tun hat und jene Themen aufnehmen muß, die einmal in der Marxschen Revolutionstheorie ihren Ort gehabt haben.

In dieser Art von Beschränkungen, denen praktische Diskurse stets unterliegen, bringt sich die Macht der Geschichte gegenüber den transzendierenden Ansprüchen und Interessen der Vernunft zur Geltung. Der Skeptiker neigt freilich dazu, diese Schranken zu dramatisieren. Der Kern des Problems besteht einfach darin, daß moralische Urteile, die auf dekontextualisierte Fragen demotivierte Antworten geben, nach einem *Ausgleich* verlangen. Man muß sich nur die Abstraktionsleistungen klarmachen, denen universalistische Moralen ihre Überlegenheit über alle konventionellen Moralen verdanken, dann erscheint das alte Problem des Verhältnisses von Moralität und Sittlichkeit in einem trivialen Licht.

Für den hypothesenprüfenden Diskursteilnehmer verblaßt die Aktualität seines lebensweltlichen Erfahrungszusammenhangs; ihm erscheint die Normativität der bestehenden Institutionen ebenso gebrochen wie die Objektivität der Dinge und Ereignisse. Im Diskurs nehmen wir die gelebte Welt der kommunikativen Alltagspraxis sozusagen aus einer artifiziellen Retrospektive wahr; denn im Licht hypothetisch erwogener Geltungsansprüche wird die Welt der institutionell geordneten Beziehungen in ähnlicher Weise *moralisiert* wie die Welt existierender Sachverhalte *theoretisiert* – was bis dahin als Tatsache oder Norm fraglos gegolten hatte, kann nun der Fall oder auch nicht der Fall, gültig oder ungültig sein. Die moderne Kunst hat übrigens einen vergleichbaren Problematisierungsschub im Reich der Subjektivität eingeleitet; die Welt der Erlebnisse wird ästhetisiert, d. h. freigesetzt von den Routinen der *Alltagswahrnehmung* und den Konventionen des Alltagshandelns. Es empfiehlt sich deshalb, das Verhältnis von Moralität und Sittlichkeit als Teil eines komplexeren Zusammenhangs zu sehen.

Max Weber hat den okzidentalen Rationalismus unter anderem dadurch charakterisiert gesehen, daß sich in Europa Expertenkulturen herausbilden, die die kulturelle Überlieferung in reflexiver Einstellung bearbeiten und dabei die im engeren Sinne kognitiven, ästhetisch-expressiven und moralisch-praktischen Bestandteile voneinander isolieren. Sie spezialisieren sich jeweils auf Wahrheitsfragen, Geschmacksfragen und Fragen der Gerechtigkeit. Mit dieser internen Ausdifferenzierung der sogenannten »Wertsphären«, der wissenschaftlichen Produktion, der Kunst und Kritik, des Rechts und der Moral treten auf der kulturellen Ebene *die* Elemente auseinander, die innerhalb der Lebenswelt ein schwer auflösbares Syndrom bilden. Mit diesen Wertsphären entstehen erst die reflexiven Perspektiven, aus denen die Lebenswelt als die »Praxis« erscheint, mit der die Theorie vermittelt werden soll, als das »Leben«, mit der die Kunst sich gemäß den surrealistischen Forderungen versöhnen möchte, oder eben: als die »Sittlichkeit«, zu der sich die Moralität ins Verhältnis setzen muß.

Aus der Perspektive eines Teilnehmers an moralischen Argumentationen stellt sich die auf Distanz gebrachte Lebenswelt, wo kulturelle Selbstverständlichkeiten moralischer, kognitiver und expressiver Herkunft miteinander verwoben sind, als Sphäre der Sittlichkeit dar. Dort sind die Pflichten derart mit konkreten Lebensgewohnheiten vernetzt, daß sie ihre Evidenz aus Hintergrundgewißheiten beziehen können. Fragen der Gerechtigkeit stellen sich dort nur innerhalb des Horizonts von *immer schon beantworteten Fragen* des guten Lebens. Unter dem unnachsichtig moralisierenden Blick des Diskursteilnehmers hat diese Totalität ihre naturwüchsige Geltung eingebüßt, ist die normative Kraft des Faktischen erlahmt – können sich vertraute Institutionen in ebensoviele Fälle problematischer Gerechtigkeit verwandeln. Vor diesem Blick ist der überlieferte Bestand an Normen zerfallen, und zwar in das, was aus Prinzipien gerechtfertigt werden kann, und in das, was nur noch faktisch gilt. Die lebensweltliche Fusion von Gültigkeit und sozialer Geltung hat sich aufgelöst. Gleichzeitig ist die Praxis des Alltags in Normen und Werte auseinandergetreten, also in den Bestandteil des Praktischen, der den Forderungen streng moralischer Rechtfertigung unterworfen werden kann, und in einen anderen, nicht moralisierungsfähigen Bestandteil, der die besonderen, zu individuellen oder kollektiven Lebensweisen integrierten Wertorientierungen umfaßt.

Gewiß, auch die kulturellen Werte transzendieren die faktischen Handlungsabläufe; sie verdichten sich zu den historischen und lebensgeschichtlichen Syndromen von Wertorientierungen, in deren Licht die Subjekte das »gute Leben« von der Reproduktion ihres »nackten Lebens« unterscheiden können. Aber die Ideen des guten Lebens sind keine Vorstellungen, die als ein abstraktes Sollen vorschweben; sie prägen die Identität von Gruppen und Individuen derart, daß sie einen integrierten Bestandteil der jeweiligen Kultur oder der Persönlichkeit bilden. So geht die Herausbildung des moralischen Gesichtspunktes mit einer Differenzierung innerhalb des Praktischen Hand in Hand: die *moralischen Fragen*, die unter dem Aspekt der Verallgemeinerungsfähigkeit von Interessen oder der *Gerechtigkeit* grundsätzlich rational entschieden werden können, werden nun von den *evaluativen Fragen* unterschieden, die sich unter dem allgemeinsten Aspekt als Fragen des *guten Lebens* (oder der Selbstverwirklichung) darstellen und die einer rationalen Erörterung nur *innerhalb* des unproblematischen Horizonts einer geschichtlich konkreten Lebensform oder einer individuellen Lebensführung zugänglich sind.

Wenn man sich diese Abstraktionsleistungen der Moralität vor Augen führt, wird beides klar: der Rationalitätsgewinn, den die Isolierung von Gerechtigkeitsfragen einbringt, und die Folgeprobleme einer Vermittlung von Moralität und Sittlichkeit, die daraus entstehen. Innerhalb des Horizonts einer Lebenswelt entlehnen praktische Urteile sowohl die Konkretheit wie die handlungsmotivierende Kraft einer internen Verbindung mit den fraglos gültigen Ideen des guten Lebens, mit der institutionalisierten Sittlichkeit überhaupt. Keine Problematisierung kann, in diesem Umkreis, so tief reichen, daß sie die Vorzüge der existierenden Sittlichkeit verspielen würde. Genau das tritt ein mit jenen Abstraktionsleistungen, die der moralische Gesichtspunkt fordert. Deswegen spricht Kohlberg vom Übergang zur *postkonventionellen* Stufe des moralischen Bewußtseins. Auf dieser Stufe löst sich das moralische Urteil von den lokalen Übereinkünften und der historischen Färbung einer partikularen Lebensform; es kann sich nicht länger auf die Geltung dieses lebensweltlichen Kontextes berufen. Und moralische Antworten behalten nur mehr die rational motivierende Kraft von Einsichten zurück; sie verlieren mit den fraglosen Evidenzen eines lebensweltlichen Hintergrundes die Schubkraft empirisch wirksamer Motive. Jede universalistische Moral muß diese Einbußen an konkreter Sittlichkeit, die sie um des kognitiven Vorteils willen zunächst in Kauf nimmt, wettmachen, um praktisch wirksam zu werden. Universalistische Moralen sind auf Lebensformen angewiesen, die ihrerseits soweit »rationalisiert« sind, daß sie die kluge Applikation allgemeiner moralischer Einsichten ermöglichen und Motivationen für die Umsetzung von Einsichten in moralisches Handeln fördern. Allein Lebensformen, die in diesem Sinne universalistischen Moralen »entgegenkommen«, erfüllen notwendige Bedingungen dafür, daß die Abstraktionsleistungen der Dekontextualisierung und der Demotivierung auch wieder rückgängig gemacht werden können.

Anmerkungen

1 A. MacIntyre, After Virtue, London 1981, 52; M. Horkheimer, Zur Kritik der instrumentellen Vernunft, Ffm. 1967 (engl. Oxford 1947), Kap. 1: Mittel und Zwecke.
2 R. Wimmer, Universalisierung in der Ethik, Ffm. 1980.
3 W. K. Frankena, Analytische Ethik, München 1972, 117 ff.
4 Vgl. Einleitung und Schlußbetrachtung meiner Theorie des kommunikativen Handelns, 2 Bde., Ffm. 1981.
5 P. F. Strawson, Freedom and Resentment, London 1974. Strawson hat freilich ein anderes Thema im Auge.
6 Auch Nietzsche stellt bekanntlich einen genetischen Zusammenhang zwischen dem Ressentiment der Verletzten und Beleidigten und einer universalistischen Moral des Mitleids her. Vgl. dazu J. Habermas, Die Verschlingung von Mythos und Aufklärung, in: K. H. Bohrer (Hg.), Mythos und Moderne, Ffm. 1983, 405 ff.
7 Strawson 1974, 9.

8 Strawson 1974, 9 f.
9 Strawson 1974, 11 f.; an dieser Stelle bezieht sich Strawson auf einen Determinismus, der die Zurechnungsfähigkeit, welche Interaktionsteilnehmer einander reziprok zuschreiben, als Täuschung erklärt.
10 Strawson 1974, 15.
11 Zur Unterscheidung der möglichen Antworten auf diese drei Kategorien von Fragen vgl. L. Krüger, Über das Verhältnis von Wissenschaftlichkeit und Rationalität, in: H. P. Duerr (Hrsg.), Der Wissenschaftler und das Irrationale, Bd. II, Ffm. 1981, 91 ff.
12 Strawson 1974, 22.
13 Strawson 1974, 23.
14 St. Toulmin, An Examination of the Place of Reason in Ethics, Cambridge 1970, 121 ff.
15 Toulmin 1970, 125.
16 Kai Nielsen, On Moral Truth, in: N. Rescher (Ed.), Studies in Moral Philosophy, Am. Phil. Quart., Monograph Series Vol. I, Oxford 1968, 9 ff.
17 A. R. White, Truth, N. Y. 1971, 61.
18 G. E. Moore, Principia Ethica (1903), Stuttg. 1970, bes. Kap. I.
19 G. E. Moore, A reply to my Critics, in: P. A. Schilpp (Ed.), The Philosophy of G. E. Moore, Evanston 1942.
20 Toulmin 1970, 28.
21 A. J. Ayer, On the Analysis of Moral Judgements, in: M. Munitz (Ed.), A Modern Introduction to Ethics, N. Y. 1958, 537.
22 MacIntyre 1981, 12; vgl. C. L. Stevenson, Ethics and Language, London 1945, ch. 2.
23 Oxford 1952.
24 Hare 1952, 3.
25 Vgl. die interessante Bemerkung über »vollständige Rechtfertigungen« bei Hare 1952, 68 f.: »The truth is that, if asked to justify as completely as possible any decision, we have to bring in both effects – to give content to the decision – and principles, and the effects in general of observing those principles, and so on, until we have satisfied our inquirer. Thus a complete justification of a decision would consist of a complete account of its effects, together with a complete account of the principles which it observed, and the effects of observing those principles for, of course, it is the effects (what obeying them in fact consists in) which give content to the principles too. Thus, if pressed to justify a decision completely, we have to give a complete specification of the *way of life* of which it is a part.« Eine andere Variante des Dezisionismus entwickelt H. Albert in Anknüpfung an Max Weber aus Poppers Kritizismus, zuletzt in: H. Albert, Fehlbare Vernunft, Tübingen 1980.
26 Zum historischen Hintergrund der Wertphilosophie, zu der Moores

Intuitionismus und Schelers materiale Wertethik nur Varianten darstellen, vgl. das ausgezeichnete Kapitel über »Werte« in: H. Schnädelbach, Philosophie in Deutschland 1831-1933, Ffm. 1983, 198 ff.

27 Toulmin 1970, 64.

28 Toulmin 1970, 74.

29 Habermas 1981, Bd. 1, Kap. 3: Soziales Handeln, Zwecktätigkeit und Kommunikation, 367 ff.

30 Wir könnten allenfalls Theorien, als höherstufige Systeme von Aussagen, den Normen zur Seite stellen. Aber es fragt sich, ob Theorien in demselben Sinne wie die aus ihnen ableitbaren Beschreibungen, Voraussagen und Erklärungen wahr oder falsch sein können, während Normen so richtig oder unrichtig sind wie die Handlungen, durch die sie erfüllt oder verletzt werden.

31 Vgl. J. Habermas, Legitimationsprobleme im modernen Staat, in: ders., Zur Rekonstruktion des Historischen Materialismus, Ffm. 1976, 271 ff. Zum Verhältnis von Normbegründung, Inkraftsetzung und Durchsetzung von Normen vgl. auch W. Kuhlmann, Ist eine philosophische Letztbegründung von Normen möglich? in: Funkkolleg Ethik, Studienbegleitbrief 8, Weinheim 1981, 32.

32 The Uses of Argument, Cambr. 1958, dtsch. Kronberg 1975.

33 J. Habermas, Wahrheitstheorien, in: H. Fahrenbach, Hrsg., Festschrift für W. Schulz, Pfullingen 1973, 211 ff., und ders., Theorie des kommunikativen Handelns, Ffm. 1981, Bd. 1, 44 ff.

34 Zur Logik des praktischen Diskurses vgl. Th. A. McCarthy, Kritik der Verständigungsverhältnisse, Ffm. 1980, 352 ff.

35 Wimmer 1980, 174 ff.

36 G. Patzig, Tatsachen, Normen, Sätze, Stuttg. 1980, 162.

37 The Moral Point of View, London 1958, dtsch. Düsseld. 1974.

38 The Moral Rules N. Y. 1976, dtsch. Ffm. 1983.

39 Generalization in Ethics, N. Y. 1961, dtsch. Ffm. 1975.

40 G. H. Mead, Fragments on Ethics, in: Mind, Self, Society, Chicago 1934, 379 ff., dazu: H. Joas, Praktische Intersubjektivität, Ffm. 1980, 120 ff.; Habermas 1981, Bd. 2, 141 ff.

41 G. Nunner hat mit Bezugnahme auf B. Gert (1976), 72, den Einwand erhoben, daß ›U‹ nicht hinreicht, um unter den Normen, die den genannten Bedingungen genügen, die im engeren Sinne moralischen Normen auszuzeichnen und andere Normen (z. B. »Du sollst lächeln, wenn Du andere Leute grüßt«) auszuschließen. Soweit ich sehen kann, entfällt dieser Einwand, wenn man daran festhält, nur solche Normen »moralisch« zu nennen, die im strikten Sinne universalisierbar sind, also nicht über soziale Räume und historische Zeiten variieren. Dieser moraltheoretische Sprachgebrauch deckt sich natürlich nicht mit dem deskriptiven Sprachgebrauch des Soziologen oder des Historikers, der auch die epochen- und kulturspezifischen Regeln als moralische Re-

geln beschreibt, welche für Angehörige als solche gelten.

42 T. McCarthy, Kritik der Verständigungsverhältnisse, Ffm. 1980, 371.

43 S. Benhabib, The methodological illusions of modern political Theory. The Case of Rawls and Habermas, Neue Hefte f. Philos., 21, 1982, 47 ff.

44 Ich beziehe mich im Folgenden auf die dritte der Vorlesungen, die Tugendhat 1981 im Rahmen der Christian Gauss Lectures an der Princeton University gehalten hat: Morality and Communication, MS 1981.

45 E. Tugendhat, Einführung in die sprachanalytische Philosophie, Ffm. 1976.

46 M. Dummett, What is a Theory of Meaning?, in: G. Evans, J. McDowell (Eds.), Truth and Meaning, Oxford 1976, 67 ff.; Habermas 1981, Bd. 1, 424 ff.

47 Habermas 1981, Bd. 2, 75 ff.

48 Dieses Moment hat G. H. Mead im Begriff des »generalized other« festgehalten; vgl. dazu Habermas 1981, Bd. 2, 61 ff. und 141 ff.

49 P. Taylor, The Ethnocentric Fallacy, The Monist 47 (1963), 570.

50 J. Rawls, Theorie der Gerechtigkeit, Ffm. 1975, 38 ff., 68 ff.

51 P. Lorenzen, O. Schwemmer, Konstruktive Logik, Ethik und Wissenschaftstheorie, Mannheim 1973, 107 ff.

52 Wimmer 1980, 358 f.

53 Tübingen 1968.

54 K. O. Apel, Das Apriori der Kommunikationsgemeinschaft, in: ders., Transformation der Philosophie, Ffm. 1973, Bd. 2, 405 ff.

55 K. O. Apel, Das Problem der philosophischen Letztbegründung im Lichte einer transzendentalen Sprachpragmatik, in: B. Kanitschneider (Hrsg.), Sprache und Erkenntnis, Innsbruck 1976, 55 ff.

56 H. Lenk, Philosophische Logikbegründung und rationaler Kritizismus, Z. f. Phil. Forschung 24 (1970), 183 ff.

57 Apel 1976, 72 f.

58 A. J. Watt, Transcendental Arguments and Moral Principles, Philos. Quart. 25, 1975, 40.

59 R. S. Peters, Ethics and Education (1966), London 1974, 114 f.

60 Darauf weist Peters selber hin: »If it could be shown that certain principles are necessary for a form of discourse to have meaning, to be applied or to have point, then this would be a very strong argument for the justification of the principles in question. They would show what anyone must be committed to who uses it seriously. Of course, it would be open for anyone to say that he is not so committed because he does not use this form of discourse or because he will give it up now that he realizes its presuppositions. This would be quite a feasible position to adopt in relation, for instance, to the discourse of witchcraft or astrology; for individuals are not necessarily initiated into it in

our society, and they can exercise their discretion about whether they think and talk in this way or not. Many have, perhaps mistakenly, given up using religious language, for instance, because they have been brought to see that its use commits them to, e. g. saying things which purport to be true for which the truth conditions can never be produced. But it would be a very difficult position to adopt in relation to moral discourse. For it would entail a resolute refusal to talk or think about what ought to be done.« Peters 1974, 115 f.

61 Peters 1974, 121.

62 Peters 1974, 181.

63 Kuhlmann 1981, 64 ff.

64 Damit revidiere ich frühere Behauptungen, vgl. J. Habermas, N. Luhmann, Theorie der Gesellschaft oder Sozialtechnologie, Ffm. 1971, 136 ff., ähnlich Apel 1973, 424 ff.

65 B. R. Burleson, On the Foundation of Rationality, Journ. Am. Forensic Ass. 16, 1979, 112 ff.

66 R. Alexy, Eine Theorie des praktischen Diskurses, in: W. Oelmüller (Hrsg.), Normenbegründung, Normendurchsetzung, Paderborn 1978.

67 Alexy, in: Oelmüller 1978, 37 – geänderte Numerierung.

68 Soweit diese sepzieller Natur sind und nicht generell aus dem Sinn eines Wettbewerbs um bessere Argumente gewonnen werden können, handelt es sich um *institutionelle* Vorkehrungen, die (s. u.) auf einer *anderen* Ebene liegen.

69 Habermas, in: Fahrenbach 1973, 211 ff.

70 Alexy, in: Oelmüller 1978, 40 f.

71 Diese Voraussetzung ist für theoretische Diskurse, in denen allein assertorische Geltungsansprüche geprüft werden, offensichtlich *nicht* relevant; sie gehört gleichwohl zu den pragmatischen Voraussetzungen der Argumentation überhaupt.

72 Vgl. J. Habermas, Die Utopie des guten Herrschers, in: ders., Kleine Politische Schriften I-IV, Ffm. 1981, 318 ff.

73 Eine etwas andere Formulierung desselben Grundsatzes findet sich bei F. Kambartel, Moralisches Argumentieren, in: ders. (Hrsg.), Praktische Philosophie und konstruktive Wissenschaftstheorie, Ffm. 1974, 54 ff. Kambartel nennt begründet diejenigen Normen, für die in einem »rationalen Dialog« die Zustimmung aller Betroffenen eingeholt werden kann. Die Begründung ist angewiesen auf »einen rationalen Dialog (oder den Entwurf eines solchen Dialoges), der zur Zustimmung aller Beteiligten dazu führt, daß die in Frage stehende Orientierung bei allen Betroffenen in einer für diese fingierten unverzerrten Kommunikationssituation zur Zustimmung gebracht werden kann.« (68)

74 F. Kambartel, Wie ist praktische Philosophie konstruktiv möglich?, in: Kambartel 1974, 11.

75 Kuhlmann 1981, 57.
76 G. Schönrich, Kategorien und Transzendentale Argumentation, Ffm. 1981, 196 f.
77 Schönrich, a.a.O., 200.
78 Apel 1973, Bd. 2, 419: »Unser Gang ist fast immer der, daß wir a) Etwas vollziehen, in dieser Vollziehung ohne Zweifel geleitet durch ein unmittelbar in uns tätiges Vernunftgesetz. – Was wir in diesem Fall eigentlich, in unserer eigenen höchsten Spitze sind, und worin wir aufgehen, ist doch noch Faktizität. – Daß wir sodann b) das Gesetz, welches eben in diesem ersten Vollziehen uns mechanisch leitete, selber erforschen und aufdecken; also das vorher unmittelbar Eingesehene, mittelbar einsehen aus dem Prinzip und Grunde seines Soseins, also in der Genesis seiner Bestimmtheit es durchdringen. Auf diese Weise nun werden wir von den faktischen Gliedern aufsteigen zu genetischen; welches Genetische denn doch wieder in einer anderen Hinsicht faktisch sein kann, wo wir daher gedrungen werden, wieder zu dem, in Beziehung auf diese Faktizität Genetisches aufzusteigen, solange bis wir zur absoluten Genesis, zur Genesis der Wissenschaftslehre hinaufkommen.« (J. G. Fichte, Werke (Medicus), Leipzig 1910 f., Bd. IV, 206)
79 Anders verhält es sich mit der politischen Relevanz einer Diskursethik, soweit sie die moralisch-praktischen Grundlagen des Rechtssystems, überhaupt die politische Entgrenzung des Privatbereichs der Moral betrifft. In dieser Hinsicht, nämlich für die Anleitung einer emanzipatorischen Praxis, kann die Diskursethik handlungsorientierende Bedeutung gewinnen. Dies freilich nicht als Ethik, also unmittelbar präskriptiv, sondern nur auf dem indirekten Wege über eine für Situationsdeutungen fruchtbar gemachte kritische Gesellschaftstheorie, in die sie eingebaut wird – beispielsweise zum Zweck der Differenzierung zwischen besonderen und verallgemeinerbaren Interessen.
80 A. Gewirth, Reason and Morality, Chicago 1978.
81 Das zeigt A. MacIntyre 1981, 64 f.: »Gewirth argues that anyone who holds that the prerequisites for his exercise of rational agency are necessary goods is logically committed to holding also that he has a right to these goods. But quite clearly the introduction of the concept of a right needs justification both because it is at this point a concept quite new to Gewirth's argument *and* because of the special character of the concept of a right. It is first of all clear that the claim that I have a right to do or have something is a quite different type of claim from the claim that I need or want or will be benefited by something. From the first – if it is the only relevant consideration – it follows that others ought not to interfere with my attempts to do or have whatever it is, whether it is for my own good or not. From the second it does not. And it makes no difference what kind of good or benefits is at issue.«

82 Habermas 1981, Bd. 1, Kap. I und III. Vgl. St. K. White, On the Normative Structure of Action, The Review of Politics, 44, April 1982, 282 ff.

83 Übrigens hat R. S. Peters eine solche Analysestrategie in anderen Zusammenhängen propagiert: »To say ... that men ought to rely more on their reason, that they ought to be more concerned with first-hand justification, is to claim that they are systematically falling down on a job on which they are already engaged. It is not to commit some version of the naturalistic fallacy by basing a demand for a type of life on features of human life which make it distinctively human. For this would be to repeat the errors of the old Greek doctrine of function. Rather it is to say that human life already bears witness to the demands of reason. Without some acceptance by men of such demands their life would be unintelligible. But given the acceptance of such demands they are proceeding in a way which is inappropriate to satisfying them. Concern for truth is written into human life.« R. S. Peters, Education and the education of teachers, London 1977, 104 f.

84 Sehr scharf formuliert diese Frage Th. A. McCarthy in: W. Oelmüller (Hrsg.), Transzendentalphilosophische Normenbegründungen 1979, 134 ff.

85 Habermas 1981, Bd. 2, 212 ff.

86 A. Wellmer, Praktische Philosophie und Theorie der Gesellschaft, Konstanz 1979, 40 f.

87 Ich beziehe mich hier auf ein von Tugendhat entwickeltes Konzept des »normativen Lernens«, dargestellt in: G. Frankenberg, U. Rödel, Von der Volkssouveränität zum Minderheitenschutz, Ffm. 1981.

4. Moralbewußtsein und kommunikatives Handeln*

Eine Diskurstheorie der Ethik, für die ich soeben[1] ein Begründungsprogramm vorgestellt habe, ist kein selbstgenügsames Geschäft; sie vertritt universalistische, also sehr starke Thesen, beansprucht aber für diese Thesen einen verhältnismäßig schwachen Status. Die Begründung besteht im wesentlichen aus zwei Schritten. Zunächst wird ein Universalisierungsgrundsatz (U) als Argumentationsregel für praktische Diskurse eingeführt; sodann wird diese Regel aus dem Gehalt der pragmatischen Voraussetzungen von Argumentation überhaupt, in Verbindung mit der Explikation des Sinnes normativer Geltungsansprüche, begründet. Der Universalisierungsgrundsatz läßt sich – nach dem Vorbild von Rawls' reflective equilibrium – als eine Rekonstruktion derjenigen Alltagsintuitionen verstehen, die der unparteilichen Beurteilung moralischer Handlungskonflikte zugrunde liegen. Der zweite Schritt, mit dem die allgemeine, über die Perspektive einer bestimmten Kultur hinausreichende Geltung von U dargetan werden soll, stützt sich auf den transzendental-pragmatischen Nachweis allgemeiner und notwendiger Argumentationsvoraussetzungen. Diesen Argumenten kann aber der apriorische Sinn einer transzendentalen Deduktion im Sinne der Kantischen Vernunftkritik nicht mehr aufgebürdet werden; sie begründen lediglich den Umstand, daß es zu »unserer« Art von Argumentationen keine erkennbare Alternative gibt. Insofern stützt sich auch die Diskursethik, wie andere rekonstruktive Wissenschaften[2], lediglich auf hypothetische Nachkonstruktionen, für die wir plausible Bestätigungen suchen müssen – natürlich zunächst auf der Ebene, auf der sie mit anderen Moraltheorien konkurriert. Darüber hinaus ist aber eine solche Theorie offen für, und sogar angewiesen auf die *indirekte* Bestätigung durch *andere* konsonante Theorien.

Als eine solche Bestätigung läßt sich die von L. Kohlberg und

* Ich bedanke mich für kritische Kommentare bei Max Miller und Gertrud Nunner-Winkler.

dessen Mitarbeitern entwickelte Theorie der Entwicklung des moralischen Bewußtseins interpretieren.[3] Dieser Theorie zufolge vollzieht sich die Entwicklung der moralischen Urteilsfähigkeit von der Kindheit über die Jugend bis zum Erwachsenenalter nach einem invarianten Muster; den normativen Bezugspunkt des empirisch analysierten Entwicklungspfades bildet eine prinzipiengeleitete Moral: darin kann sich die Diskursethik in ihren wesentlichen Zügen wiedererkennen. In diesem Fall besteht die Konsonanz zwischen der normativen und der psychologischen Theorie, aus der Perspektive der Ethik betrachtet, in folgendem. Gegen universalistische Ethiken wird allgemein die Tatsache ins Feld geführt, daß andere Kulturen über *andere* Moralauffassungen verfügen. Gegen relativistische Bedenken dieser Art bietet Kohlbergs Moralentwicklungstheorie die Möglichkeit, (a) die empirische Mannigfaltigkeit der vorgefundenen Moralauffassungen auf eine Varianz von *Inhalten* gegenüber den universalen *Formen* des moralischen Urteils zurückzuführen und (b) die auch dann noch bestehenden strukturellen Unterschiede als Stufendifferenzen in der Entwicklung der moralischen Urteilsfähigkeit zu erklären.

Die Konsonanz der Ergebnisse scheint freilich durch die internen Beziehungen, die zwischen beiden Theorien bestehen, entwertet zu werden. Denn Kohlbergs Theorie der Moralentwicklung benützt bereits Ergebnisse der philosophischen Ethik für die Beschreibung der kognitiven Strukturen, die prinzipiengeleiteten moralischen Urteilen zugrundeliegen. Indem der Psychologe eine normative Theorie, wie beispielsweise die von Rawls, zum wesentlichen Bestandteil einer empirischen Theorie macht, unterwirft er diese freilich zugleich einer indirekten Überprüfung. Die empirische Bewährung der entwicklungspsychologischen Annahmen überträgt sich nämlich auf *alle* Bestandteile der Theorie, aus der die bestätigten Hypothesen abgeleitet sind. Unter konkurrierenden Moraltheorien werden wir dann derjenigen den Vorzug geben, die einem solchen Test besser standhält. Bedenken wegen des zirkulären Charakters dieser Überprüfung halte ich nicht für stichhaltig.

Gewiß kann die empirische Bestätigung einer Theorie T_e, die die Geltung von Grundannahmen einer normativen Theorie T_n *voraussetzt,* nicht als *unabhängige* Bestätigung für T_n zählen. Aber Unabhängigkeitspostulate haben sich in mehreren Hinsichten als zu stark erwiesen. So können die zur Überprüfung der Theorie T_e

herangezogenen Daten nicht unabhängig von der Sprache dieser Theorie beschrieben werden. Konkurrierende Theorien T_{e1}, T_{e2} können ebenso wenig unabhängig von den Paradigmen, denen ihre Grundbegriffe entstammen, bewertet werden. Auf meta- bzw. intertheoretischer Ebene herrscht allein das Kohärenzprinzip: es geht zu wie beim Zusammenlegen eines Puzzlespiels – wir müssen zusehen, welche Elemente zueinander passen. Die auf die Erfassung allgemeiner Kompetenzen abzielenden rekonstruktiven Wissenschaften durchbrechen zwar jenen hermeneutischen Zirkel, in dem Geisteswissenschaften, auch sinnverstehende Sozialwissenschaften gefangen bleiben; aber auch für einen genetischen Strukturalismus, der, wie die Moralentwicklungstheorien in der Nachfolge Piagets, ehrgeizige universalistische Fragestellungen verfolgt[4], schließt sich der hermeneutische Zirkel auf metatheoretischer Ebene. Hier erweist sich die Suche nach »unabhängigen Evidenzen« als sinnlos; es geht nur noch darum, ob sich die Beschreibungen, die im Lichte *mehrerer* theoretischer Scheinwerfer zusammengetragen werden, zu einer mehr oder weniger zuverlässigen Landkarte kompilieren lassen.

Diese unter Kohärenzgesichtspunkten regulierte *Arbeitsteilung zwischen der philosophischen Ethik* und einer *Entwicklungspsychologie*, die auf rationale Nachkonstruktionen des vortheoretischen Wissens kompetent urteilender Subjekte angewiesen ist, fordert von der Wissenschaft wie von der Philosophie ein verändertes Selbstverständnis.[5] Sie ist nicht nur unvereinbar mit dem Exklusivitätsanspruch, den einst das Programm der Einheitswissenschaft für die Standardform der nomologischen Erfahrungswissenschaften erhoben hat, sondern ebenso unverträglich mit dem Fundamentalismus einer auf Letztbegründung abzielenden Transzendentalphilosophie. Sobald die transzendentalen Argumente vom Sprachspiel der Reflexionsphilosophie entkoppelt und im Sinne Strawsons reformuliert sind, verliert der Rückgriff auf die Synthesisleistung des Selbstbewußtseins seine Evidenz, verliert das Beweisziel transzendentaler Deduktionen seinen Sinn, verliert auch jene Hierarchie ihr Recht, die zwischen der apriorischen Erkenntnis der Grundlagen und der aposteriorischen Erkenntnis der Erscheinungen bestehen sollte. Der reflexive Zugriff auf das, was Kant im Bild der konstitutiven Leistungen des Subjekts festgehalten hatte, oder, wie wir heute sagen, die Rekonstruktion allgemeiner und notwendiger Präsuppositionen, unter denen sich sprach- und handlungsfähige Subjekte miteinander über etwas in der Welt verständigen – diese Erkenntnisbemühung des Philosophen ist nicht weniger fallibel als alles übrige, was dem läuternden und zermürbenden Prozeß der wissenschaftlichen Diskussion ausgesetzt wird und – for the time being – standhält.[6]

Das nicht-fundamentalistische Selbstverständnis entlastet die Philosophie freilich nicht nur von Aufgaben, durch die sie überfordert war; es nimmt der Philosophie nicht nur etwas ab, sondern gibt ihr auch die Chance einer gewissen Unbefangenheit und eines neuen Selbstvertrauens im kooperativen Umgang mit den rekonstruktiv verfahrenden Wissenschaften. Dabei pendelt sich ein Verhältnis gegenseitiger Abhängigkeit ein.[7] So ist die Moralphilosophie, um zu unserem Fall zurückzukehren, nicht nur auf indirekte Bestätigungen von seiten einer Psychologie der Entwicklung des moralischen Bewußtseins angewiesen; diese ist ihrerseits auf philosophische Vorgaben angelegt.[8] Das möchte ich an Kohlbergs Beispiel illustrativ belegen.

I. Die philosophischen Grundannahmen der Kohlbergschen Theorie

Lawrence Kohlberg, der in der Tradition des amerikanischen Pragmatismus steht, hat ein klares Bewußtsein von den philosophischen Grundlagen seiner Theorie.[9] Seit dem Erscheinen von Rawls' »Theorie der Gerechtigkeit« benutzt Kohlberg vor allem diese, an Kant und das rationale Naturrecht anknüpfende Ethik, um seine philosophischen, zunächst von Mead inspirierten Auffassungen über die »Natur des moralischen Urteils« zu schärfen: »These analyses point to the features of a ›moral point of view‹, suggesting truly moral reasoning involves features such as impartiality, universalizability, reversibility and prescriptivity.«[10] Es sind vor allem drei Gesichtspunkte, unter denen Kohlberg die der Philosophie entlehnten Prämissen einführt: (a) Kognitivismus, (b) Universalismus, (c) Formalismus.

Ich möchte im folgenden (1) erklären, warum sich die Diskursethik am besten eignet, den ›moral point of view‹ unter den Gesichtspunkten (a) bis (c) zu erklären. Sodann möchte ich (2) zeigen, inwiefern für die Diskursethik derselbe Begriff des ›konstruktiven Lernens‹ erforderlich ist, mit dem Piaget und Kohlberg operieren; sie empfiehlt sich damit für die Beschreibung von kognitiven Strukturen, die aus Lernprozessen hervorgehen. Schließlich kann die Diskursethik (3) Kohlbergs Theorie auch insofern ergänzen, als sie ihrerseits auf eine Theorie des kommunikativen Handelns verweist. Von diesem internen Zusammenhang werden wir in den folgenden Abschnitten Gebrauch machen, um plausible Gesichtspunkte für eine vertikale Rekonstruktion der Entwicklungsstufen des moralischen Urteils zu gewinnen.

(1) Die drei Aspekte, unter denen Kohlberg den Begriff des Moralischen zu klären versucht, werden von allen kognitivistischen, auf der Kantischen Traditionslinie entwickelten Ethiken berücksichtigt. Die von Apel und mir vertretene Position bietet aber den Vorzug, daß sich die kognitivistischen, universalistischen und formalistischen Grundannahmen aus dem diskursethisch begründeten Moralprinzip ableiten lassen. Für dieses Prinzip habe ich oben die folgende Formulierung vorgeschlagen:

(U) Jede gültige Norm muß der Bedingung genügen, daß die Folgen und Nebenwirkungen, die sich aus ihrer *allgemeinen* Befolgung für die Befriedigung der Interessen *jedes* Einzelnen voraussichtlich ergeben, von *allen* Betroffenen zwanglos akzeptiert werden können.

(a) *Kognitivismus.* Da der Universalisierungsgrundsatz als Argumentationsregel einen Konsens über verallgemeinerungsfähige Maximen ermöglicht, wird mit der Begründung von ›U‹ zugleich gezeigt, daß moralisch-praktische Fragen mit Gründen entschieden werden können. Moralische Urteile haben einen kognitiven Gehalt; sie bringen nicht nur die kontingenten Gefühlseinstellungen, Präferenzen oder Entscheidungen des jeweiligen Sprechers oder Aktors zum Ausdruck.[11] Die Diskursethik widerlegt den *ethischen Skeptizismus*, indem sie erklärt, wie sich moralische Urteile begründen lassen. Jede Theorie der Entwicklung der moralischen Urteilsfähigkeit muß ja voraussetzen, daß diese Möglichkeit, zwischen richtigen und falschen moralischen Urteilen zu unterscheiden, gegeben ist.

(b) *Universalismus.* Aus ›U‹ ergibt sich unmittelbar, daß jeder, der überhaupt an Argumentationen teilnimmt, grundsätzlich zu den gleichen Urteilen über die Akzeptabilität von Handlungsnormen gelangen kann. Mit der Begründung von ›U‹ bestreitet die

Diskursethik die Grundannahme des *ethischen Relativismus*, daß sich die Geltung moralischer Urteile allein an Rationalitäts- oder Wertstandards derjenigen Kultur oder Lebensform bemißt, der das urteilende Subjekt jeweils angehört. Wenn moralische Urteile einen Anspruch auf Allgemeingültigkeit nicht erheben dürften, wäre eine Moralentwicklungstheorie, die allgemeine Entwicklungspfade nachweisen will, von vornherein zum Scheitern verurteilt.

(c) *Formalismus.* ›U‹ funktioniert im Sinne einer Regel, die alle konkreten, mit dem Ganzen einer partikularen Lebensform oder einer individuellen Lebensgeschichte verwobenen Wertorientierungen als nicht verallgemeinerungsfähige Inhalte eliminiert und so von den evaluativen Fragen des »guten Lebens« nur die streng normativen Fragen der Gerechtigkeit als argumentativ entscheidbare Fragen zurückbehält. Mit der Begründung von ›U‹ richtet sich die Diskursethik gegen Grundannahmen *materialer Ethiken*, die sich an Fragen des Gücks orientieren und jeweils einen bestimmten Typus des sittlichen Lebens ontologisch auszeichnen. Indem sie die Sphäre der Sollgeltung von Handlungsnormen herausarbeitet, grenzt die Diskursethik den Bereich des moralisch Gültigen gegenüber dem der kulturellen Wert*inhalte* ab. Nur unter diesem streng deontologischen Gesichtspunkt der normativen Richtigkeit oder Gerechtigkeit lassen sich aus der Menge praktischer Fragen diejenigen herausfiltern, die einer rationalen Entscheidung zugänglich sind. Auf diese sind Kohlbergs moralische Dilemmata zugeschnitten.

Damit ist freilich der Gehalt der Diskursethik noch nicht erschöpft. Während der *Universalisierungsgrundsatz* eine Argumentationsregel angibt, spricht sich die Grundvorstellung der Moraltheorie, die Kohlberg mit dem Begriff des »ideal role taking« der Kommunikationstheorie von George Herbert Mead entlehnt[12], in dem *diskursethischen Grundsatz* (D) aus,

daß jede gültige Norm die Zustimmung aller Betroffenen, wenn diese nur an einem praktischen Diskurs teilnehmen könnten, finden würde.

Die Diskursethik gibt keine inhaltlichen Orientierungen an, sondern eine voraussetzungsvolle *Prozedur*, die Unparteilichkeit der Urteilsbildung garantieren soll. Der praktische Diskurs ist ein Verfahren nicht zur Erzeugung gerechtfertigter Normen, sondern zur Prüfung der Gültigkeit hypothetisch erwogener Normen.

Erst mit diesem Prozeduralismus unterscheidet sich die Diskursethik von *anderen* kognitivistischen, universalistischen und formalistischen Ethiken, so auch von Rawls' Theorie der Gerechtigkeit. ›D‹ bringt zu Bewußtsein, daß ›U‹ lediglich den normativen Gehalt eines Verfahrens diskursiver Willensbildung ausdrückt und daher sorgfältig von Argumentationsinhalten unterschieden werden muß. *Alle* Inhalte, auch wenn sie noch so fundamentale Handlungsnormen betreffen, müssen von realen (oder ersatzweise vorgenommenen, advokatorisch geführten Diskursen) abhängig gemacht werden. Der diskursethische Grundsatz verbietet, bestimmte normative Inhalte (z. B. bestimmte Prinzipien der Verteilungsgerechtigkeit) im Namen einer philosophischen Autorität auszuzeichnen und moraltheoretisch *ein für allemal* festzuschreiben. Sobald sich eine normative Theorie, wie Rawls' Theorie der Gerechtigkeit, in inhaltliche Bereiche erstreckt, zählt sie nur als ein, vielleicht besonders kompetenter, Beitrag zu einem praktischen Diskurs, aber sie gehört nicht zur philosophischen Begründung des »moral point of view«, der praktische Diskurse *überhaupt* kennzeichnet.

Die prozedurale Bestimmung des Moralischen enthält bereits die soeben erörterten Grundannahmen des Kognitivismus, Universalismus und Formalismus, und sie erlaubt eine hinreichend scharfe Trennung der kognitiven Strukturen von den Inhalten moralischer Urteile. Am diskursiven Verfahren können nämlich die Operationen abgelesen werden, die Kohlberg für moralische Urteile auf postkonventioneller Ebene fordert: die vollständige *Reversibilität* der Standpunkte, von denen aus die Beteiligten ihre Argumente vorbringen; *Universalität* im Sinne einer Inklusion aller Betroffenen; schließlich die *Reziprozität* der gleichmäßigen Anerkennung der Ansprüche eines jeden Beteiligten durch alle anderen.

(2) Mit ›U‹ und ›D‹ zeichnet die Diskursethik Merkmale gültiger moralischer Urteile aus, die als normativer Bezugspunkt für die Beschreibung des Entwicklungspfades moralischer Urteilsfähigkeit dienen können. Kohlberg unterscheidet zunächst *sechs Stufen des moralischen Urteils*, die in den Dimensionen der Reversibilität, Universalität und Reziprozität als *schrittweise Annäherung* an die Strukturen der unparteilichen oder gerechten Beurteilung moralisch relevanter Handlungskonflikte verstanden werden können:

Tab. 1. Kohlbergs Moralstufen[13]

Level A. Preconventional Level

Stage 1. The Stage of Punishment and Obedience.

Content

Right is literal obedience to rules and authority, avoiding punishment, and not doing physical harm.

1. What is right is to avoid breaking rules, to obey for obedience' sake, and to avoid doing physical damage to people and property.
2. The reasons for doing right are avoidance of punishment and the superior power of authorities.

Stage 2. The Stage of Individual Instrumental Purpose and Exchange.

1. What is right is following rules when it is to someone's immediate interest. Right is acting to meet one's own interests and needs and letting others do the same. Right is also what is fair; that is, what is an equal exchange, a deal, an agreement.
2. The reason for doing right is to serve one's own needs or interests in a world where one must recognize that other people have their interests, too.

Level B. Conventional Level

Stage 3. The Stage of Mutual Interpersonal Expectations, Relationships, and Conformity.

Content

The right is playing a good (nice) role, being concerned about the other people and their feelings, keeping loyalty and trust with partners, and being motivated to follow rules and expectations.

1. What is right is living up to what is expected by people close to one or what people generally expect of people in one's role as son, sister, friends, and so on. »Being good« is important and means having good motives, showing concern about others. It also means keeping mutual relationships, maintaining trust, loyalty, respect, and gratitude.
2. Reasons for doing right are needing to be good in one's own eyes and those of others, caring for others, and because if one puts oneself in the other person's place one would want good behavior from the self (Golden Rule).

Stage 4. The Stage of Social System and Conscience Maintenance.

Content

The right is doing one's duty in society, upholding the social order, and maintaining the welfare of society or the group.

1. What is right is fulfilling the actual duties to which one has agreed. Laws are to be upheld except in extreme cases where they conflict with other fixed social duties and rights. Right is also contributing to society, the group, or institution.

2. The reasons for doing right are to keep the institution going as a whole, self-respect or conscience as meeting one's defined obligations, or the consequences: »What if everyone did it?«

Level C. Postconventional and Principled Level

Moral decisions are generated from rights, values, or principles that are (or could be) agreeable to all individuals composing or creating a society designed to have fair and beneficial practices.

Stage 5. The Stage of Prior Rights and Social Contract or Utility.

Content

The right is upholding the basic rights, values, and legal contracts of a society, even when they conflict with the concrete rules and laws of the group.

1. What is right is being aware of the fact that people hold a variety of values and opinions, that most values and rules are relative to one's group. These »relative« rules should usually be upheld, however, in the interest of the impartiality and because they are the social contract. Some nonrelative values and rights such as life, and liberty, however, must be upheld in any society and regardless of majority opinion.
2. Reasons for doing right are, in general, feeling obligated to obey the law because one has made a social contract to make and abide by laws, for the good of all and to protect their own rights and the rights of others. Family, friendship, trust, and work obligations are also commitments or contracts freely entered into and entail respect for the rights of others. One is concerned that laws and duties be based on rational calculation of overall utility: »the greatest good for the greatest number.«

Stage 6. The Stage of Universal Ethical Principles.

Content

This stage assumes guidance by universal ethical principles that all humanity should follow.

1. Regarding what is right, Stage 6 is guided by universal ethical principles. Particular laws or social agreements are usually valid because they rest on such principles. When laws violate these principles, one acts in accordance with the principle. Principles are universal principles of justice: the equality of human rights and respect for the dignity of human beings as individuals. These are not merely values that are recognized, but are also principles used to generate particular decisions.
2. The reason for doing right is that, as a rational person, one has seen the validity of principles and has become committed to them.

Kohlberg begreift den Übergang von einer Stufe zur nächsten als *Lernen*. Moralische Entwicklung bedeutet, daß ein Heranwachsender die jeweils schon verfügbaren kognitiven Strukturen so umbaut und ausdifferenziert, daß er dieselbe Sorte von Problemen, nämlich die konsensuelle Beilegung von moralisch relevanten Handlungskonflikten, besser lösen kann als vorher. Dabei versteht der Heranwachsende seine eigene moralische Entwicklung als Lernprozeß. Auf der jeweils höheren Stufe muß er nämlich erklären können, inwiefern die moralischen Urteile, die er auf der vorangegangenen als richtig angesehen hatte, falsch waren. Kohlberg deutet diesen Lernprozeß in Übereinstimmung mit Piaget als eine konstruktive Leistung des Lernenden. Die kognitiven Strukturen, die dem moralischen Urteilsvermögen zugrundeliegen, sollen weder primär durch Umwelteinflüsse, noch durch angeborene Programme und Reifungsprozesse erklärt werden, sondern als Ergebnis einer schöpferischen Reorganisation eines vorhandenen kognitiven Inventars, welches durch hartnäkkig wiederkehrende Probleme überfordert ist.

Diesem *konstruktivistischen* Lernkonzept kommt die Diskursethik insofern entgegen, als sie die diskursive Willensbildung (wie die Argumentation überhaupt) als Reflexionsform des kommunikativen Handelns versteht und für den Übergang vom Handeln zum Diskurs einen *Einstellungswechsel* fordert, den das in der kommunikativen Alltagspraxis heranwachsende und befangene Kind nicht von Haus aus beherrscht haben kann.

In der Argumentation werden Geltungsansprüche, an denen sich die Handelnden in der kommunikativen Alltagspraxis fraglos orientieren, eigens zum Thema gemacht und problematisiert. Dabei nehmen die Argumentationsteilnehmer eine hypothetische Einstellung zu kontroversen Geltungsansprüchen ein. So lassen sie im praktischen Diskurs die Gültigkeit einer umstrittenen Norm dahingestellt – es soll sich ja im Wettbewerb zwischen Proponenten und Opponenten erst erweisen, ob diese es *verdient*, anerkannt zu werden oder nicht. Der Einstellungswechsel beim Übergang vom kommunikativen Handeln zum Diskurs ist im Falle der Behandlung von Gerechtigkeitsfragen kein anderer als bei Wahrheitsfragen. Was bis dahin im naiven Umgang mit Dingen und Ereignissen als »Tatsache« gegolten hatte, muß nun als etwas angesehen werden, das existieren oder auch nicht existieren kann. Und wie sich Fakten in »Sachverhalte« verwandeln, die der Fall oder nicht der Fall sein können, so verwandeln sich sozial eingelebte Normen in Regelungsmöglichkeiten, die als gültig akzeptiert oder als ungültig zurückgewiesen werden können.

Wenn man sich nun die Adoleszenzphase in einem Gedankenexperiment auf einen einzigen kritischen Zeitpunkt zusammengedrängt vorstellt, an dem der Jugendliche gleichsam zum ersten Mal, und zugleich unerbittlich und alles durchdringend, eine hypothetische Einstellung gegenüber den normativen Kontexten seiner Lebenswelt einnimmt, zeigt sich die *Natur des Problems*, mit dem jeder beim Übergang von der konventionellen zur postkonventionellen Ebene des moralischen Urteils fertig werden muß. Mit einem Schlage ist die naiv eingewöhnte, unproblematisch anerkannte soziale Welt der legitim geregelten interpersonalen Beziehungen entwurzelt, ihrer naturwüchsigen Geltung entkleidet.

Wenn dann der Jugendliche nicht zum Traditionalismus und zur fraglosen Identität seiner Herkunftswelt zurückkehren kann und will, muß er die vor dem hypothetisch entschleiernden Blick zerfallenen Ordnungen des Normativen (bei Strafe völliger Orientierungslosigkeit) grundbegrifflich rekonstruieren. Diese müssen aus den Trümmern der entwerteten, als bloß konventionell und rechtfertigungsbedürftig durchschauten Traditionen wieder so zusammengesetzt werden, daß der Neubau dem kritischen Blick eines Ernüchterten standhält, der nicht mehr anders kann, als fortan zwischen sozial geltenden und gültigen, faktisch anerkannten und anerkennungs*würdigen* Normen zu unterscheiden. Zunächst sind es Prinzipien, nach denen der Neubau geplant, gültige Normen erzeugt werden können; am Ende bleibt nurmehr eine Prozedur für die rational motivierte Wahl zwischen den ihrerseits als rechtfertigungsbedürftig erkannten Prinzipien übrig. Gemessen am moralischen Alltagshandeln behält der Einstellungswechsel, den die Diskursethik für die von ihr ausgezeichnete Prozedur, eben den Übergang zur Argumentation, fordern muß, etwas Unnatürliches – er bedeutet einen Bruch mit der Naivität geradehin erhobener Geltungsansprüche, auf deren intersubjektive Anerkennung die kommunikative Alltagspraxis angewiesen ist. Diese Unnatürlichkeit ist wie ein Echo jener Entwicklungskatastrophe, die die Entwertung der Traditionswelt auch historisch einmal bedeutet – und die Anstrengung zu einer Rekonstruktion auf höherer Ebene provoziert hat. Insofern ist in den (beim Erwachsenen zur Routine gewordenen) Übergang vom normengeleiteten Handeln zum normenprüfenden Diskurs bereits eingebaut, was Kohlberg als konstruktiven Lernprozeß für *alle* Stufen in Anschlag bringt.

(3) Kohlbergs Theorie verlangt aber nicht nur die in (1) skizzierte Klärung des *normativen Bezugspunktes* der Moralentwicklung und die Explikation des in (2) behandelten Lernkonzepts, sondern auch die Analyse des *Stufenmodells.* Dieses wiederum Piaget entlehnte Modell für die Entwicklungsstufen einer Kompetenz, hier also der moralischen Urteilsfähigkeit, beschreibt Kohlberg mit Hilfe von drei starken Hypothesen:

I. Die Stufen des moralischen Urteils bilden eine invariante, unumkehrbare und konsekutive Reihenfolge diskreter Strukturen. Mit dieser Annahme wird ausgeschlossen:
   - daß verschiedene Versuchspersonen dasselbe Ziel über verschiedene Entwicklungspfade erreichen;
   - daß dieselbe Versuchsperson von einer höheren zu einer niedrigeren Stufe regrediert; und
   - daß sie im Laufe ihrer Entwicklung eine Stufe überspringt.

II. Die Stufen des moralischen Urteils bilden eine Hierarchie in dem Sinne, daß die kognitiven Strukturen einer höheren Stufe diejenigen der jeweils niedrigeren Stufen »aufheben«, d. h. sowohl ersetzen wie in reorganisierter und ausdifferenzierter Form aufbewahren.

III. Jede Stufe des moralischen Urteils läßt sich als ein strukturiertes Ganzes charakterisieren. Mit dieser Annahme wird ausgeschlossen, daß eine Versuchsperson zu einem gegebenen Zeitpunkt verschiedene moralische Inhalte auf verschiedenen Niveaus beurteilen muß. Nicht ausgeschlossen sind sogenannte Decalage-Phänomene, die eine sukzessive Verankerung neu erworbener Strukturen anzeigen.

Den Kern des Modells bildet offensichtlich die zweite Hypothese. Man kann die beiden anderen Hypothesen lockern und modifizieren, aber mit der Vorstellung eines Entwicklungspfades, der sich durch eine *hierarchisch geordnete Folge von Strukturen* beschreiben läßt, steht und fällt das Modell der Entwicklungsstufen. Für den Begriff der hierarchischen Ordnung verwenden Kohlberg und Piaget auch den der »Entwicklungslogik«. Dieser Ausdruck verrät zunächst eine Verlegenheit angesichts des Umstandes, daß die angenommenen kognitiven Strukturen aufeinanderfolgender Stufen zwar in intuitiv erkennbaren *internen* Beziehungen zueinander stehen, daß diese sich aber einer ausschließlich in logisch-semantischen Begriffen durchgeführten Analyse entziehen. Kohlberg rechtfertigt die Entwicklungslogik seiner sechs Stufen des moralischen Urteils durch Zuordnung zu entsprechenden soziomoralischen Perspektiven:

Tab. 2. Kohlbergs Sozialperspektiven[14]

Stages	
1	This stage takes an egocentric point of view. A person at this stage doesn't consider the interests of others or recognize they differ from actor's, and doesn't relate two points of view. Actions are judged in terms of physical consequences rather than in terms of psychological interests of others. Authority's perspective is confused with one's own.
2	This stage takes a concrete individualistic perspective. A person at this stage separates own interests and points of view from those of authorities and others. He or she is aware everybody has individual interests to pursue and these conflict, so that right is relative (in the concrete individualistic sense). The person integrates or relates conflicting individual interests to one anothers through instrumental exchange of services, through instrumental need for the other and the other's goodwill, or through fairness giving each person the same amount.
3	This stage takes the perspective of the individual in relationship to other individuals. A person at this stage is aware of shared feelings, agreements, and expectations, which take primacy over individual interests. The person relates points of view through the »concrete Golden Rule«, putting oneself in the other person's shoes. He or she does not consider generalized »system« perspective.
4	This stage differentiates societal point of view from interpersonal agreement or motives. A person at this stage takes the viewpoint of the system, which defines roles and rules. He or she considers individual relations in terms of place in the system.
5	This stage takes a prior-to-society perspective – that of a rational individual aware of values and rights prior to social attachments and contracts. The person integrates perspectives by formal mechanisms of agreement, contract, objective impartiality, and due process. He or she considers the moral point of view and the legal point of view, recognizes they conflict, and finds it difficult to integrate them.
6	This stage takes the perspective of a moral point of view from which social arrangements derive or on which they are grounded. The perspective is that of any rational individual recognizing the nature of morality or the basic moral premise of respect for other persons as ends, not means.

Kohlberg beschreibt die soziomoralischen Perspektiven so, daß die Zuordnung zu Stufen des moralischen Urteils intuitiv einleuchtet. Diese Plausibilität wird freilich damit erkauft, daß die Beschreibung die sozialkognitiven Bedingungen für moralische Urteile bereits mit den Strukturen dieser Urteile selbst vermischt. Zudem sind die sozialkognitiven Bedingungen analytisch nicht so scharf gefaßt, daß man ohne weiteres sehen könnte, warum die angegebene Reihenfolge eine Hierarchie im entwicklungslogischen Sinne ausdrückt. Vielleicht lassen sich diese Bedenken ausräumen, wenn man Kohlbergs soziomoralische Perspektiven durch die inzwischen von R. Selman untersuchten Stufen der Perspektivenübernahme[15] ersetzt. Wir werden sehen, daß dieser Schritt tatsächlich hilfreich ist, aber für eine Rechtfertigung der Moralstufen nicht genügt.

Es muß erst noch gezeigt werden, daß die Beschreibungen, die Kohlberg in Tabelle 1 anbietet, die Bedingungen für ein entwicklungslogisches Stufenmodell erfüllen. Dies ist eine begriffsanalytisch zu lösende Aufgabe. Nach meinem Eindruck werden empirische Forschungen erst weiterführen, wenn ein interessanter und hinreichend präziser Lösungsvorschlag in Form einer Rekonstruktionshypothese vorliegt. Ich möchte im folgenden prüfen, ob der diskursethische Ansatz etwas zur Lösung dieses Problems beitragen kann.

Die Diskursethik bedient sich transzendentaler Argumente, die die Nichtverwerfbarkeit bestimmter Bedingungen demonstrieren. Mit ihrer Hilfe kann einem Opponenten gezeigt werden, daß er ein Aufzuhebendes performativ in Anspruch nimmt und damit einen performativen Widerspruch begeht.[16] Bei der Begründung von ›U‹ geht es speziell um die Identifizierung von pragmatischen Voraussetzungen, ohne die das Argumentationsspiel nicht funktioniert. Jeder, der an einer Argumentationspraxis teilnimmt, muß sich auf diese normativ gehaltvollen Bedingungen bereits eingelassen haben – für sie gibt es keine Alternative. Die Beteiligten sind allein dadurch, daß sie sich aufs Argumentieren verlegen, genötigt, dieses Faktum anzuerkennen. Der transzendentalpragmatische *Nachweis* dient also dazu, den Umkreis von Bedingungen zu Bewußtsein zu bringen, unter denen wir uns in unserer Argumentationspraxis, ohne die Möglichkeit eines *Ausweichens in Alternativen,* immer schon vorfinden; die Alternativenlosigkeit bedeutet, daß jene Bedingungen für uns faktisch unausweichlich sind.

Nun läßt sich dieses Faktum der Vernunft zwar nicht deduktiv *begründen,* aber doch in einem weiteren Schritt dadurch *aufklä-*

ren, daß wir die argumentative Rede als ein spezielles, und zwar ausgezeichnetes Derivat verständigungsorientierten Handelns begreifen. Nur wenn wir auf die Ebene der Handlungstheorie zurückgehen und den Diskurs als eine Fortsetzung kommunikativen Handelns mit anderen Mitteln auffassen, verstehen wir die eigentliche Pointe der Diskursethik: in den Kommunikationsvoraussetzungen der Argumentation können wir den Gehalt von ›U‹ darum auffinden, weil Argumentationen eine reflektierte Form kommunikativen Handelns darstellen, und weil in den Strukturen verständigungsorientierten Handelns jene Reziprozitäten und Anerkennungsverhältnisse immer schon vorausgesetzt sind, um die *alle* moralischen Ideen kreisen – im Alltag wie in den philosophischen Ethiken. Diese Pointe hat zwar, wie schon Kants Berufung auf das »Faktum der Vernunft«, eine naturalistische Konnotation; aber sie verdankt sich keineswegs einem naturalistischen Fehlschluß. Denn Kant wie die Diskursethiker stützen sich auf einen Typus von Argumenten, mit denen sie in reflexiver Einstellung – und nicht in der empiristischen Einstellung eines objektivierenden Beobachters – auf die Unausweichlichkeit derjenigen allgemeinen Voraussetzungen aufmerksam machen, unter denen unsere kommunikative Alltagspraxis *immer schon* steht, und die wir nicht »wählen« können wie Automarken oder Wertpostulate.

Der transzendentale Begründungsmodus entspricht der Einbettung des praktischen Diskurses in Zusammenhänge kommunikativen Handelns; insofern verweist die Diskursethik (und ist selber angewiesen) auf eine Theorie des kommunikativen Handelns. Diese ist es, von der wir einen Beitrag zur vertikalen Rekonstruktion der Stufen des moralischen Bewußtseins erwarten dürfen; denn sie bezieht sich auf Strukturen einer sprachlich vermittelten normengeleiteten Interaktion, in denen *zusammengefügt* ist, was die Psychologie unter Gesichtspunkten der Perspektivenübernahme, des moralischen Urteils und des Handelns analytisch trennt.

Kohlberg bürdet die Last der entwicklungslogischen Begründung den soziomoralischen Perspektiven auf. Diese Sozialperspektiven sollen Fähigkeiten der sozialen Kognition zum Ausdruck bringen; aber die in Tab. 2 wiedergegebenen Stufen decken sich nicht mit Selmans Stufen der Perspektivenübernahme. Es wird sich empfehlen, zwei Dimensionen zu trennen, die in Kohlbergs Beschreibung zusammengehen: die Perspektivenstruktur selbst und jene Gerechtigkeitsvorstellungen, die dem jeweiligen sozialkognitiven Inventar »entnommen« werden. Diese normativen Gesichtspunkte brauchen nicht »erschlichen« zu werden, weil den Grundbegriffen der »sozialen Welt« und der »normengeleiteten Interaktion« bereits eine moralische Dimension innewohnt.

Auch Kohlberg geht bei seiner Konstruktion offensichtlich von Begriffen einer konventionellen Rollenstruktur aus. Diese erlernt das Kind auf Stufe 3 zunächst in einer partikularen Gestalt, um sie auf Stufe 4 zu generalisieren. Die Achse, um die sich die Sozialperspektiven gleichsam drehen, bildet die »soziale Welt« als die Gesamtheit der in einer sozialen Gruppe als legitim geltenden, weil institutionell geordneten Interaktionen. Auf den *beiden ersten Stufen* verfügt der Heranwachsende noch nicht über diese Konzepte, während er auf den *beiden letzten Stufen* einen Standpunkt erreicht, mit dem er die konkrete Gesellschaft hinter sich läßt und von wo aus er die Gültigkeit bestehender Normen prüfen kann. Mit diesem Übergang verwandeln sich die Grundbegriffe, in denen sich die soziale Welt für den Heranwachsenden konstituiert hatte, unmittelbar in moralische Grundbegriffe. Diesen Zusammenhängen von sozialer Kognition und Moral möchte ich mit Hilfe der Theorie des kommunikativen Handelns nachgehen. Der Versuch, Kohlbergs Sozialperspektiven in diesem Rahmen zu klären, verspricht eine Reihe von Vorteilen.

Das Konzept des verständigungsorientierten Handelns impliziert die erklärungsbedürftigen Begriffe der »sozialen Welt« und der »normengeleiteten Interaktion«. Die soziomoralische Perspektive, die der Heranwachsende auf den Stufen 3 und 4 ausbildet und die er auf den Stufen 5 und 6 reflexiv handhaben lernt, kann in ein System von *Weltperspektiven* eingeordnet werden, die dem kommunikativen Handeln in Verbindung mit einem System von *Sprecherperspektiven* zugrunde liegen. Weiterhin eröffnet der Zusammenhang zwischen Weltkonzepten und *Geltungsansprüchen* die Möglichkeit, die reflexive Einstellung zur »sozialen Welt« (bei Kohlberg: »prior-to-society-perspective«) mit der hypothetischen Einstellung eines Argumentationsteilnehmers zu verknüpfen, der entsprechende normative Geltungsansprüche thematisiert; damit kann dann erklärt werden, warum der diskursethisch begriffene »moral point of view« aus dem Reflexivwerden der konventionellen Rollenstruktur hervorgeht.

Dieser handlungstheoretische Ansatz legt es nahe, die Entfaltung der soziomoralischen Perspektiven im Zusammenhang mit der *Dezentrierung des Weltverständnisses* zu verstehen. Außerdem lenkt er die Aufmerksamkeit auf die Strukturen der Interaktionen selbst, in deren Horizont der Heranwachsende die sozialkognitiven Grundbegriffe konstruktiv erlernt. Der Begriff des kommunikativen Handelns eignet sich als Bezugspunkt für eine Rekonstruktion von Stufen der Interaktion. Diese *Interaktionsstufen* lassen sich anhand von Perspektivenstrukturen beschreiben, die jeweils in verschiedenen Typen des Handelns implementiert sind. Soweit sich diese in Interaktionen verkörperten und integrierten Perspektiven zwanglos einer entwicklungslogischen Anordnung fügen, lassen sich schließlich die Stufen des moralischen Urteils in der Weise begründen, daß wir Kohlbergs Moralstufen über die Sozialperspektiven auf Stufen der Interaktion zurückführen. Diesem Ziel dienen die folgenden Schritte.

Zunächst werde ich an einige Ergebnisse der Theorie des kommunikativen Handelns erinnern, um zu zeigen, wie der Begriff der sozialen Welt ein Bestandteil des dezentrierten, dem verständigungsorientierten Handeln zugrundeliegenden Weltverständnisses bildet (II). Flavells und Selmans Untersuchungen zur Perspektivenübernahme sollen sodann als Ausgangspunkt für die Analyse von zwei Interaktionsstufen dienen; dabei will ich die Umformung präkonventioneller Handlungstypen auf den beiden Linien des strategischen und des normenregulierten Handelns verfolgen (III). Ferner möchte ich begriffsanalytisch erklären: wie die Einführung der hypothetischen Einstellung ins kommunikative Handeln die anspruchsvolle Kommunikationsform des Diskurses ermöglicht; wie sich aus dem Reflexivwerden der ›sozialen Welt‹ der moralische Gesichtspunkt ergibt; und wie sich schließlich die Stufen des moralischen Urteils über die Sozialperspektiven auf die Interaktionsstufen zurückführen lassen (IV). Diese entwicklungslogische Begründung der Moralstufen muß sich in weiteren empirischen Untersuchungen bewähren; vorderhand will ich unsere Überlegungen nur dazu benützen, um einige der Anomalien und ungelösten Probleme aufzuklären, denen sich Kohlbergs Theorie heute gegenübersieht (V).

II. Zur Perspektivenstruktur des verständigungsorientierten Handelns

Ich werde (1) einige begriffliche Aspekte verständigungsorientierten Handelns nennen und (2) skizzieren, wie die zusammengehörigen Begriffe der sozialen Welt und des normenregulierten Handelns aus der Dezentrierung des Weltverständnisses hervorgehen.

(1) Ich habe an anderem Ort den Begriff des kommunikativen Handelns ausführlich expliziert[17]; an dieser Stelle möchte ich an die wichtigsten Gesichtspunkte erinnern, unter denen ich diese formalpragmatische Untersuchung vorgenommen habe.

(a) *Verständigungs- vs. Erfolgsorientierung.* Soziale Interaktionen sind mehr oder weniger kooperativ und stabil, mehr oder weniger konfliktuös oder unstabil. Der gesellschaftstheoretischen Frage, wie soziale Ordnung möglich ist, entspricht die handlungstheoretische Frage, wie (mindestens zwei) Interaktionsteilnehmer ihre Handlungspläne so koordinieren können, daß Alter seine Handlungen an Egos Handlungen konfliktfrei, jedenfalls unter Vermeidung des Risikos eines Abbruchs der Interaktion »anschließen« kann. Sofern die Aktoren ausschließlich am *Erfolg*, d. h. an den *Konsequenzen* ihres Handelns orientiert sind, versuchen sie, ihre Handlungsziele dadurch zu erreichen, daß sie extern, mit Waffen oder Gütern, Drohungen oder Lockungen auf die Situationsdefinition bzw. auf die Entscheidungen oder Motive ihres Gegenspielers Einfluß nehmen. Die Koordinierung der Handlungen von Subjekten, die in dieser Weise *strategisch* miteinander umgehen, hängt davon ab, wie die egozentrischen Nutzenkalküle ineinandergreifen. Der Grad von Kooperation und Stabilität ergibt sich dann aus den Interessenlagen der Beteiligten. Demgegenüber spreche ich von *kommunikativem* Handeln, wenn sich die Aktoren darauf einlassen, ihre Handlungspläne intern aufeinander abzustimmen und ihre jeweiligen Ziele nur unter der Bedingung eines sei es bestehenden oder auszuhandelnden *Einverständnisses* über Situation und erwartete Konsequenzen zu verfolgen. In beiden Fällen wird die teleologische Handlungsstruktur insofern vorausgesetzt, als den Aktoren die Fähigkeit zu zielgerichtetem Handeln und das Interesse an der Ausführung ihrer Handlungspläne zugeschrieben wird. Aber das *strategische Handlungsmodell* kann sich mit der Beschreibung von Strukturen unmittelbar erfolgsorientierten Handelns begnügen, während das *Modell verständigungsorientierten Handelns* Bedingungen für ein kommunikativ erzieltes Einverständnis, unter denen Alter seine Handlungen an die von Ego anschließen kann, spezifizieren muß.[18]

(b) *Verständigung als Mechanismus der Handlungskoordinierung.* Der Begriff des kommunikativen Handelns ist so angesetzt, daß die Akte der Verständigung, die die Handlungspläne verschiedener Teilnehmer verknüpfen und die zielgerichteten Handlungen zu einem Interaktionszusammenhang zusammenfügen, nicht ihrerseits auf teleologisches Handeln zurückgeführt werden können.[19] Verständigungsprozesse zielen auf ein Einverständnis, das von der rational motivierten Zustimmung zum Inhalt einer Äußerung abhängt. Einverständnis kann der anderen Seite nicht imponiert, kann dem Gegenspieler nicht durch Manipulation auferlegt werden: Was *ersichtlich* durch äußere Einwirkung zustande kommt, kann nicht als Einverständnis *zählen.* Dieses beruht stets auf gemeinsamen Überzeugungen. Das Zustandekommen von Überzeugungen läßt sich nach dem Modell der Stellungnahmen zu einem Sprechaktangebot analysieren. Der Sprechakt des einen gelingt nur, wenn der andere das darin enthaltene Angebot akzeptiert, indem er, wie immer auch implizit, zu einem grundsätzlich kritisierbaren Geltungsanspruch affirmativ Stellung nimmt.[20]

(c) *Handlungssituation und Sprechsituation.* Wenn wir Handeln allgemein als das Bewältigen von Situationen verstehen, schneidet der Begriff des kommunikativen Handelns aus der Situationsbewältigung neben dem teleologischen Aspekt der Durchführung eines Handlungsplans den kommunikativen Aspekt der gemeinsamen Situationsdeutung, überhaupt der Herbeiführung eines Konsenses heraus. Eine *Situation* stellt den im Hinblick auf ein Thema ausgegrenzten Ausschnitt aus einer Lebenswelt dar. Ein *Thema* kommt im Zusammenhang mit Interessen und Handlungszielen der Beteiligten auf; es umschreibt den *Relevanzbereich* der thematisierungsfähigen Gegenstände. Die individuellen *Handlungspläne* akzentuieren das Thema und bestimmen den *aktuellen Verständigungsbedarf,* der durch Interpretationsarbeit gedeckt werden muß. Unter diesem Aspekt ist die Handlungssituation zugleich eine Sprechsituation, in der die Handelnden abwechselnd die *Kommunikationsrollen* von Sprechern, Adressaten und Anwesenden einnehmen. Diesen Rollen entsprechen die *Teilnehmerperspektiven* der ersten und zweiten Person, sowie die Beobachterperspektive der dritten Person, aus der die Ich-Du-Beziehung als ein intersubjektiver Zusammenhang beobachtet und damit vergegenständlicht werden kann. Dieses System von *Sprecherperspektiven* ist mit einem System von *Weltperspektiven* verschränkt (s. unten (g)).

(d) *Der Hintergrund der Lebenswelt.* Kommunikatives Handeln läßt sich als ein Kreisprozeß verstehen, in dem der Aktor beides zugleich ist: er ist der *Initiator,* der mit zurechenbaren Handlungen Situationen bewältigt; gleichzeitig ist er auch das *Produkt* von Überlieferungen, in denen er steht, von solidarischen Gruppen, denen er angehört, und von Sozialisationsprozessen, in denen er heranwächst.

Während sich dem Handelnden, sozusagen von vorne, der situationsrelevante Ausschnitt der Lebenswelt als Problem aufdrängt, das er in eigener Regie lösen muß, wird er a tergo von einer Lebenswelt getragen, die für die Verständigungsprozesse nicht nur den *Kontext* bildet, sondern auch *Ressourcen* bereitstellt. Die jeweils gemeinsame Lebenswelt bietet einen Vorrat an kulturellen Selbstverständlichkeiten, dem die Kommunikationsteilnehmer bei ihren Interpretationsanstrengungen konsentierte Deutungsmuster entnehmen.

Diese kulturell eingewöhnten Hintergrundannahmen sind nur eine Komponente der Lebenswelt; auch die Solidaritäten der über Werte integrierten Gruppen und die Kompetenzen der vergesellschafteten Individuen dienen, in anderer Weise als kulturelle Überlieferungen, als Ressourcen des verständigungsorientierten Handelns.[21]

(e) *Verständigungsprozeß zwischen Welt und Lebenswelt.* Die *Lebenswelt* bildet also den intuitiv vorverstandenen *Kontext* der Handlungssituation; gleichzeitig liefert sie *Ressourcen* für die Deutungsprozesse, mit denen die Kommunikationsteilnehmer den jeweils in der Handlungssituation entstandenen Verständigungsbedarf zu decken suchen. Die kommunikativ Handelnden müssen sich aber, wenn sie ihre Handlungspläne auf der Grundlage einer gemeinsam definierten Handlungssituation einvernehmlich durchführen wollen, *über etwas in der Welt* verständigen.

Sie unterstellen dabei ein formales Konzept der Welt (als der Gesamtheit existierender Sachverhalte) als dasjenige Bezugssystem, mit dessen Hilfe sie entscheiden können, was jeweils der Fall oder nicht der Fall ist. Jedoch ist die Darstellung von Tatsachen nur eine unter mehreren Funktionen sprachlicher Verständigung. Sprechhandlungen dienen nicht nur der Darstellung (oder Voraussetzung) von Zuständen und Ereignissen, wobei der Sprecher auf etwas in der *objektiven Welt* Bezug nimmt. Sie dienen gleichzeitig der Herstellung (oder Erneuerung) interpersonaler Beziehungen, wobei der Sprecher auf etwas in der *sozialen Welt* legitim geregelter Interaktionen Bezug nimmt, wie auch der Manifestation von Erlebnissen, d. h. der Selbstrepräsentation, wobei der Sprecher auf etwas in der ihm privilegiert zugänglichen *subjektiven Welt* Bezug nimmt. Die Kommunikationsteilnehmer legen ihren Verständigungsbemühungen ein Bezugssystem von genau drei Welten zugrunde. So kann sich Einverständnis in der kommunikativen Alltagspraxis gleichzeitig auf ein intersubjektiv geteiltes propositionales Wissen, auf normative Übereinstimmung und auf reziprokes Vertrauen stützen.

(f) *Weltbezüge und Geltungsansprüche.* Ob die Kommunikationsteilnehmer Einverständnis erzielen, bemißt sich jeweils an den Ja/Nein-Stellungnahmen, mit denen ein Adressat die vom Sprecher erhobenen Geltungsansprüche akzeptiert oder zurückweist. In verständigungsorientierter Einstellung erhebt der Sprecher mit *jeder* verständlichen Äußerung einen Anspruch darauf,
- daß die gemachte Aussage wahr ist (bzw. die Existenzvoraussetzungen eines erwähnten propositionalen Gehalts zutreffen);
- daß die Sprechhandlung mit Bezug auf einen bestehenden normativen Kontext richtig (bzw. daß der normative Kontext, den sie erfüllen, selbst legitim) ist; und
- daß die manifestierte Sprecherintention so gemeint ist, wie sie geäußert wird.

Wer ein verständliches Sprechaktangebot zurückweist, bestreitet die Gültigkeit der Äußerung mindestens unter einem dieser drei Aspekte von *Wahrheit*, *Richtigkeit* und *Wahrhaftigkeit*. Er bringt mit diesem »Nein« zum Ausdruck, daß die Äußerung mindestens eine ihrer Funktionen (der Darstellung von Sachverhalten, der Sicherung einer interpersonalen Beziehung oder der Manifestation von Erlebnissen) nicht erfüllt, weil sie entweder mit *der* Welt existierender Sachverhalte, mit *unserer* Welt legitim geordneter interpersonaler Beziehungen oder der *jeweiligen* Welt subjektiver Erlebnisse nicht in Einklang steht. In der normalen Alltagskommunikation werden diese Aspekte keineswegs klar unterschieden; aber im Falle des Dissenses und der hartnäckigen Problematisierung können kompetente Sprecher zwischen einzelnen *Weltbezügen* differenzieren, einzelne *Geltungsansprüche* thematisieren und sich jeweils auf etwas einstellen, das, sei es als etwas Objektives, Normatives oder Subjektives, begegnet.

(g) *Weltperspektiven.* Wenn man nun die Strukturen verständigungsorientierten Handelns unter den (a) bis (f) genannten Gesichtspunkten expliziert, erkennt man die *Optionen,* über die ein kompetenter Sprecher, dieser Analyse zufolge, verfügt. Er hat grundsätzlich die Wahl zwischen einem *kognitiven, interaktiven* und *expressiven Modus* der *Sprachverwendung* und entsprechenden Klassen von *konstativen, regulativen* und *repräsentativen Sprechhandlungen,* um sich unter dem Aspekt eines universalen Geltungsanspruches, sei es auf Wahrheitsfragen, auf Gerechtigkeitsfragen oder auf Fragen des Geschmacks bzw. des persönlichen Ausdrucks zu konzentrieren. Er hat die Wahl zwischen *drei fundamentalen* Einstellungen und den entsprechenden Weltperspektiven. Darüber hinaus erlaubt es ihm das dezentrierte Weltverständnis, gegenüber der äußeren Natur nicht nur eine *objektivierende,* sondern auch eine *normenkonforme* bzw. eine *expressive* Einstellung; gegenüber der Gesellschaft nicht nur eine normenkonforme, sondern auch eine objektivierende bzw. expressive Einstellung; und gegenüber der inneren Natur nicht nur eine expressive, sondern auch eine objektivierende bzw. eine normenkonforme Einstellung einzunehmen.

(2) Ein *dezentriertes Weltverständnis* setzt mithin die Ausdifferenzierung von Weltbezügen, Geltungsansprüchen und Grundeinstellungen voraus. Dieser Prozeß geht seinerseits auf eine *Differenzierung zwischen Lebenswelt und Welt* zurück. In jedem bewußt vollzogenen Kommunikationsvorgang wiederholt sich gewissermaßen diese in der Ontogenese der Sprach- und Handlungsfähigkeit mühsam eingeübte Differenzierung: vom diffusen, nur intuitiv gegenwärtigen und absolut gewissen lebensweltlichen Hintergrund lösen sich die Sphären dessen ab, *worüber* jeweils ein fallibles Einverständnis erzielt werden kann. Je weiter diese Dif-

ferenzierung fortschreitet, um so klarer kann beides auseinandertreten: auf der einen Seite der Horizont frагloser, intersubjektiv geteilter, nicht thematisierter Selbstverständlichkeiten, den die Kommunikationsteilnehmer im Rücken behalten; und andererseits das, was sie als innerweltlich konstituierte Inhalte ihrer Kommunikation vor sich haben – Objekte, die sie wahrnehmen und manipulieren, verpflichtende Normen, die sie erfüllen oder verletzen, privilegiert zugängliche Erlebnisse, die sie manifestieren können. In dem Maße, wie die Kommunikationsteilnehmer das, worüber sie sich verständigen, als *Etwas in einer Welt,* vom lebensweltlichen Hintergrund Abgelöstes, aus ihm Hervorgetretenes verstehen, trennt sich das explizit *Gewußte* von den implizit bleibenden *Gewißheiten,* nehmen die kommunizierten Inhalte den Charakter eines Wissens an, das mit einem Potential von Gründen verknüpft ist, Gültigkeit beansprucht und kritisiert, d. h. mit Gründen bestritten werden kann.[22]

Für unseren Zusammenhang ist es nun wichtig, die Weltperspektiven von den Sprecherperspektiven zu unterscheiden. Einerseits müssen die Kommunikationsteilnehmer die Kompetenz haben, erforderlichenfalls gegenüber existierenden Sachverhalten eine objektivierende, gegenüber legitim geregelten interpersonalen Beziehungen eine normenkonforme, gegenüber eigenen Erlebnissen eine expressive Einstellung einzunehmen (und diese Einstellungen gegenüber jeder der drei Welten noch einmal zu variieren). Andererseits müssen sie, um sich *über etwas* in der objektiven, sozialen und subjektiven Welt *miteinander verständigen* zu können, auch die Einstellungen einnehmen können, die mit den Kommunikationsrollen der ersten, zweiten und dritten Person verbunden sind.

Das dezentrierte Weltverständnis ist also durch eine *komplexe Perspektivenstruktur* gekennzeichnet, die *beides integriert*: die im formalen Bezugssystem der drei Welten begründeten und *mit den Welteinstellungen verknüpften Perspektiven,* sowie die in der Sprechsituation selbst angelegten und *mit den Kommunikationsrollen verknüpften Perspektiven.* Die grammatischen Korrelate dieser Welt- und Sprecherperspektiven sind die drei Grundmodi des Sprachgebrauchs auf der einen, das System der Personalpronomen auf der anderen Seite.

Entscheidend für unsere Fragestellung ist nun, daß wir mit der *Entwicklung* dieser komplexen Perspektivenstruktur auch den

Schlüssel für die angestrebte entwicklungslogische Begründung der Moralstufen in die Hand bekommen. Bevor ich in den beiden folgenden Abschnitten an einschlägige Untersuchungen anknüpfe, möchte ich den Grundgedanken angeben, von dem ich mich dabei leiten lassen werde.

Ich bin überzeugt, daß sich die zu einem dezentrierten Weltverständnis führende *Ontogenese von Sprecher- und Weltperspektiven* nur im Zusammenhang mit der Entwicklung der entsprechenden Interaktionsstrukturen aufklären läßt. Wenn wir, mit Piaget, vom Handeln, d. h. von der *aktiven Auseinandersetzung* eines *konstruktiv lernenden* Subjekts mit seiner *Umwelt* ausgehen, liegt erstens die Annahme nahe, daß sich das komplexe Perspektivensystem aus zwei Wurzeln entwickelt: einerseits aus der Beobachterperspektive, die das Kind im wahrnehmend-manipulierenden Umgang mit seiner physischen Umwelt erwirbt, sowie andererseits aus den reziprok aufeinander bezogenen Ich-Du-Perspektiven, die das Kind im symbolisch vermittelten Umgang mit Bezugspersonen (im Rahmen der sozialisatorischen Interaktion) einübt. Die Beobachterperspektive verfestigt sich später zur objektivierenden Einstellung gegenüber der äußeren Natur (bzw. der Welt existierender Sachverhalte), während die Ich-Du-Perspektiven in jenen Einstellungen der ersten und zweiten Person, die mit den Kommunikationsrollen von Sprecher und Hörer verknüpft sind, auf Dauer gestellt werden. Diese Stabilisierung verdanken sie einer Umformung und Differenzierung der ursprünglichen Perspektiven: die Beobachterperspektive wird in das System von Weltperspektiven eingefügt; und die Ich-Du-Perspektiven werden zum System der Sprecherperspektiven vervollständigt. Dabei kann die Entwicklung der Interaktionsstrukturen als Leitfaden für die Rekonstruktion dieser Vorgänge dienen.

Ich werde zweitens die Hypothese verfolgen, daß sich die *Vervollständigung des Systems der Sprecherperspektiven* in zwei groben Entwicklungsschritten vollzieht. Die präkonventionelle Stufe der Interaktion läßt sich unter strukturellen Gesichtspunkten als Implementierung der über Sprecher- und Hörerrollen eingeübten Ich-Du-Perspektiven in Handlungstypen begreifen. Die Einführung der Beobachterperspektive in den Bereich der Interaktion und die Verknüpfung der Beobachterperspektive mit den Ich-Du-Perspektiven machen es sodann möglich, die Handlungskoordinierung auf ein neues Niveau umzustellen. Aus beiden

Transformationen geht das vollständige System der Sprecherperspektiven hervor: die Kommunikationsrollen der ersten, zweiten und dritten Person fügen sich erst nach dem Übergang zur konventionellen Stufe der Interaktion zusammen.

In anderer Weise *vervollständigt sich das System der Weltperspektiven.* Um diesen Vorgang zu rekonstruieren, können wir an die Beobachtung anknüpfen, daß sich auf der konventionellen Stufe der Interaktion zwei neue Handlungstypen gegenübertreten: strategisches Handeln und normengeleitete Interaktion. Da das Kind mit der Integration der Beobachterperspektive in den Bereich der Interaktion lernt, Interaktionen – und seine Teilnahme an ihnen – als Vorgänge in der objektiven Welt wahrzunehmen, kann sich auf der Linie interessengesteuerten Konfliktverhaltens ein Typus rein erfolgsorientierten Handelns herausbilden. Mit der Einübung ins strategische Handeln tritt aber gleichzeitig die Alternative nicht-strategischen Handelns ins Blickfeld. Und sobald sich die *Wahrnehmung* sozialer Interaktionen in diesem Sinne differenziert, kann sich der Heranwachsende nicht dem Imperativ entziehen, auch die gleichsam zurückgebliebenen Typen des nicht-strategischen Handelns auf konventioneller Ebene zu reorganisieren. Dabei löst sich eine soziale Welt thematisierungsfähiger normengeleiteter Interaktionen von dem lebensweltlichen Hintergrund ab.

Ich will deshalb drittens der Hypothese nachgehen, daß die Einführung der Beobachterperspektive in den Bereich der Interaktion auch den Anstoß dazu gibt, eine soziale Welt zu konstituieren – und Handlungen unter Gesichtspunkte der Erfüllung von und des Verstoßes gegen sozial anerkannte Normen zu bringen. Eine soziale Welt besteht für Angehörige aus genau den Normen, die festlegen, welche Interaktionen jeweils zur Gesamtheit berechtigter interpersonaler Beziehungen gehören; alle Aktoren, für die ein solcher Satz von Normen gilt, gehören derselben sozialen Welt an. Und mit dem Begriff der sozialen Welt ist auch die normenkonforme Einstellung, d. h. die *Perspektive* verbunden, aus der sich ein Sprecher auf anerkannte Normen bezieht.[23]

Die sozialkognitiven Grundbegriffe der sozialen Welt und der normengeleiteten Interaktion bilden sich also im Rahmen eines dezentrierten Weltverständnisses, das sich der Ausdifferenzierung von Sprecher- und Weltperspektiven verdankt. Diese sehr komplexen Voraussetzungen von Kohlbergs Sozialperspektiven sollen uns schließlich den Leitfaden an die Hand geben, um die Stufen des moralischen Urteils auf Interaktionsstufen zurückzuführen.

Es kann im folgenden nur darum gehen, die soeben entwickelten Annahmen über die Ontogenese von Sprecher- und Weltperspektiven, gestützt auf vorliegende empirische Untersuchungen, plausibel zu machen. Eine solche hypothetische Rekonstruktion kann bestenfalls weitere Untersuchungen anleiten. Freilich verlangen unsere Hypothesen eine nicht leicht zu operationalisierende Unterscheidung zwischen (a) Kommunikationsrollen und Sprecherperspektiven, (b) der Implementierung dieser Sprecherperspektiven in verschiedenen Interaktionstypen und (c) der Perspektivenstruktur eines Weltverständnisses, das die Wahl zwischen Grundeinstellungen zur objektiven, sozialen und subjektiven Welt zuläßt. Ich bin mir der Schwierigkeit bewußt die daraus resultiert, daß ich die analytischen Gesichtspunkte (a) bis (c) von außen an das in den bisherigen Untersuchungen vorgefundene Material *herantragen* muß.

III. Die Integration von Teilnehmer- und Beobachterperspektiven und die Umformung präkonventioneller Handlungstypen

Ich werde zunächst R. Selmans Stufen der Perspektivenübernahme unter dem Aspekt deuten, wie schrittweise ein System vollständig reversibler Sprecherperspektiven aufgebaut wird (1). Ferner beschreibe ich vier verschiedene Interaktionstypen, in denen die Ich-Du-Perspektiven verkörpert sind, um dann anhand der Umformung des interessegeleiteten Konfliktverhaltens in strategisches Handeln zu zeigen, was die Einführung der Beobachterperspektive in den Bereich der Interaktion bedeutet (2). Schließlich rekonstruiere ich die Umformung des autoritätsgesteuerten Handelns und des interessengesteuerten Kooperationsverhaltens in normenreguliertes Handeln, um nachzuweisen, daß sich nur auf dieser Linie die komplexe Perspektivenstruktur des verständigungsorientierten Handelns entwickeln kann (3).

(1) In seiner zusammenfassenden Darstellung charakterisiert Selman drei Stufen der Perspektivenübernahme anhand von Personen- und Beziehungskonzepten.[24]

Tab. 3. Selmans Handlungsperspektiven

Level 1: Differentiated and Subjective Perspective Taking
(about Ages 5 to 9)

Concepts of Persons: Differentiated. At Level 1, the key conceptual advance is the clear differentiation of physical and psychological characteristics of persons. As a result, intentional and unintentional acts are differentiated and a new awareness is generated that each person has a unique subjective covert psychological life. Thought, opinion, or feeling states within an individual, however, are seen as unitary, not mixed.

Concepts of Relations: Subjetive. The subjective perspectives of self and other are clearly differentiated and recognized as potentially different. However, another's subjective state is still thought to be legible by simple physical observation. Relating of perspectives is conceived of in one-way, unilateral terms, in terms of the perspective of and impact on one actor. For example, in this simple one-way conception of relating of perspectives and interpersonal causality, a gift makes someone happy. Where there *is* any understanding of two-way reciprocity, it is limited to the physical – the hit child hits back. Individuals are seen to respond to action with like action.

Level 2: Self-reflective/Second-person and Reciprocal Perspective Taking (about Ages 7 to 12)

Concepts of Persons: Self-reflective/Second-person. Key conceptual advances at Level 2 are the growing child's ability to step mentally outside himself or herself and take a self-reflective or second-person perspective on his or her own thoughts and actions *and* on the realization that others can do so as well. Persons' thought or feeling states are seen as potentially multiple, for example, curious, frightened, and happy, but still as groupings of mutually isolated and sequential or weighted aspects, for example, mostly curious and happy and a little scared. Both selves and others are thereby understood to be capable of doing things (overt actions) they may not want (intend) to do. And persons are understood to have a dual, laysered social orientation: visible appearance, possibly put on for show, and the *truer* hidden reality.

Concepts of Relations: Reciprocal. Differences among perspectives are seen relativistically because of the Level 2 child's recognition of the uniqueness of each person's ordered set of values and purposes. A new two-way reciprocity is the hallmark of Level 2 concepts of relations. It is a reciprocity of thoughts and feelings, not merely actions. The child puts himself or herself in another's shoes and realizes the other will do the same. In strictly mechanical-logical terms, the child now sees the infinite regress possibility of perspective taking (I know that she knows that I know that she knows . . . etc.). The child also recognizes that the outer appearance-inner reality distinction means selves can deceive others as to their inner states, which places accuracy limits on taking another's inner perspective. In essence, the two-way reciprocity of this level has the practical result of detente, wherein both parties are satisfied, but in relative isolation: two single individuals seeing self and other, but not the relationship system between them.

Level 3: Third-person and Mutual Perspective Taking
(about Ages 10 to 15)
Concepts of Persons: Third-person. Persons are seen by the young adolescent thinking at Level 3 as systems of attitudes and values fairly consistent over the long haul, as opposed to randomly changeable assortments of states as at Level 2. The critical conceptual advance is toward ability to take a true third-person perspective, to step outside not only one's own immediate perspective, but outside the self as a system a totality. There are generated notions of what we might call an "observing ego," such that adolescents do (and perceive other persons to) simultaneously see themselves as both actors and objects, simultaneously acting and reflecting upon the effects of action on themselves, reflecting upon the self in interaction with the self.

Concepts of Relations: Mutual. The third-person perspective permits more than the taking of another's perspective on the self; the truly third-person perspective on relations which is characteristic of Level 3 *simultaneously* includes and coordinates the perspectives of self and other(s), and thus the system or situation and all parties are seen from the third-person or generalized other perspective. Whereas at Level 2, the logic of infinite regress, chaining back and forth, was indeed apparent, its implications were not. At Level 3, the limitations and ultimate futility of attempts to understand interactions on the basis of the infinite regress model become apparent and the third-person perspective of this level allows the adolescent to abstractly step outside an interpersonal interaction and simultaneously and mutually coordinate and consider the perspectives (and their interactions) of self and other(s). Subjects thinking at this level see the need to coordinate reciprocal perspectives, and believe social satisfaction, understanding, or resolution must be mutual and coordinated to be genuine and effective. Relations are viewed more as ongoing systems in which thoughts and experiences are mutually shared.[25]

In der Altersgruppe zwischen 5 und 9 Jahren[26] ist der Prozeß des Spracherwerbs abgeschlossen. Die unvollständige Perspektivenübernahme, die für Stufe 1 charakteristisch ist, ruht schon auf einem stabilen Sockel sprachlich vermittelter Intersubjektivität. Wenn man mit G. H. Mead davon ausgeht, daß der Heranwachsende das Verständnis identischer Bedeutungen, d. h. intersubjektiv gültiger Bedeutungskonventionen, dadurch erwirbt, daß er im Interaktionszusammenhang die Perspektiven und Einstellungen einer Bezugsperson wiederholt übernimmt, dann schließt sich die von Selman untersuchte Entwicklung von *Handlungs*perspektiven an eine bereits absolvierte Geschichte von Perspektivenübernahmen im Bereich der Sprechperspektiven an. Das Kind, das sprechen kann, hat schon gelernt, wie es eine Äußerung in kommunikativer Absicht an einen Hörer adressiert, und wie es sich umgekehrt als Adressaten einer solchen Äußerung versteht. Es beherrscht eine reziproke Ich-Du-Beziehung zwischen Sprechern und Hörern, sobald es Sagen und Tun unterscheiden kann. Es unterscheidet dann Akte der Verständigung mit einem Hörer, also *Sprech*handlungen und deren Äquivalente, von Akten der Einwirkung auf ein physisches oder soziales Objekt. So ist die Ausgangssituation, mit der unsere Überlegungen einsetzen, dadurch gekennzeichnet, daß die reziproke Sprecher-Hörerbeziehung auf der Ebene der *Kommunikation,* noch nicht jedoch auf der Ebene des *Handelns* etabliert ist. Das Kind versteht, was Alter mit Aussagen, Aufforderungen, Ankündigungen und Wünschen *meint*, und weiß, wie Alter Egos Äußerungen *versteht*. Diese Reziprozität zwischen Sprecher- und Hörerperspektiven, die sich auf das *Gesagte* bezieht, bedeutet aber noch keine *Reziprozität der Handlungsorientierungen,* erstreckt sich jedenfalls nicht automatisch auf die Erwartungsstruktur eines Handelnden, auf die Perspektiven, aus denen Aktoren ihre Handlungspläne entwerfen und verfolgen. Die *Koordinierung von Handlungsplänen* erfordert, über die Reziprozität von Sprecherperspektiven hinausgehend, eine *Verschränkung von Handlungsperspektiven.* Unter diesem Gesichtspunkt lassen sich die Selman-Stufen wie folgt interpretieren.[27]

Für die *erste Stufe* postuliert Selman, daß das Kind zwischen den Deutungs- und Handlungsperspektiven der verschiedenen Interaktionsteilnehmer zwar unterscheidet, aber bei der Beurteilung der Handlungen anderer noch unfähig ist, seinen eigenen Standpunkt beizuhalten und sich gleichzeitig in die Lage des anderen zu versetzen. Deshalb kann es seine eigenen Handlungen auch nicht vom Standpunkt der anderen her beurteilen.[28] Das Kind beginnt, zwischen Außenwelt und privilegiert zugänglichen Innenwelten zu differenzieren; es fehlen jedoch die scharfgeschnittenen sozialkognitiven Grundbegriffe für die Welt des Normativen, die Kohlberg für die konventionelle Stufe der Sozialperspektiven ansetzt. Das Kind macht auf dieser Stufe einen korrekten Gebrauch von Aussage- und Aufforderungs-, Wunsch- und Absichtssätzen. Noch keinen klaren Sinn verbindet es mit normativen Sätzen; Imperative werden noch nicht danach unterschieden, ob der Sprecher mit ihnen einen subjektiven Macht- oder einen normativen, also unpersönlichen Geltungsanspruch verbindet.[29]

Der erste Schritt zur Koordinierung der Handlungspläne verschiedener Interaktionsteilnehmer auf der Grundlage einer gemeinsamen Situationsdefinition besteht mithin darin, *die reziproke Sprecher-Hörerbeziehung auf die Beziehung zwischen Aktoren auszudehnen*, die die gemeinsame *Handlungssituation*, im Lichte ihrer jeweiligen Pläne, aus verschiedenen Perspektiven deuten. Es ist kein Zufall, daß Selman diese Stufe der Perspektivenübernahme durch die Perspektive der »zweiten Person« kennzeichnet. Mit dem Übergang zur *zweiten Stufe* lernt der Jugendliche nämlich, die Handlungsorientierungen von Sprecher und Hörer reversibel zu verknüpfen. Er kann sich in die Handlungsperspektive des anderen versetzen und weiß, daß sich auch der andere in seine, Egos Handlungsperspektive versetzen kann; Ego und Alter können gegenüber der eigenen Handlungsorientierung jeweils die Einstellung des anderen einnehmen. Damit werden die *Kommunikations*rollen der ersten und zweiten Person für die *Handlungs*koordinierung wirksam. Die in die performative Einstellung eines Sprechers eingebaute Perspektivenstruktur ist nicht mehr nur für die Verständigung, sondern für die Interaktion selbst bestimmend. Damit werden die Ich-Du-Perspektiven von Sprecher und Hörer im Handeln koordinationswirksam implementiert.

Diese Perspektivenstruktur verändert sich erneut mit dem Übergang zur *dritten Stufe* dadurch, daß die Beobachterperspektive in den Bereich der Interaktion eingeführt wird. Natürlich machen Kinder vom Pronomen der dritten Person längst einen korrekten Gebrauch, soweit sie sich *über* andere Personen, deren Äußerungen, Besitzverhältnisse usw. verständigen. Sie können auch schon eine objektivierende Einstellung zu wahrnehmbaren und manipulierbaren Dingen und Ereignissen einnehmen. Nun aber lernen die Jugendlichen, sich aus einer solchen Beobachterperspektive auf die interpersonale Beziehung zurückzuwenden, die sie in performativer Einstellung mit einem Interaktionsteilnehmer aufnehmen. Diese verknüpfen sie mit der neutralen Einstellung einer unbeteiligt anwesenden Person, die dem Interaktionsvorgang in der Rolle des Zuhörers oder Zuschauers beiwohnt. Unter dieser Voraussetzung kann die auf der vorangegangenen Stufe hergestellte *Reziprozität der Handlungsorientierungen vergegenständlicht* und in ihrem *systemischen Zusammenhang* zu Bewußtsein gebracht werden.

Diese Vervollständigung des Systems der Handlungsperspektiven bedeutet zugleich die Aktualisierung des vollständigen, in der Grammatik der Personalpronomina angelegten Systems der Sprecherperspektiven, das ein neues Niveau der Gesprächsorganisation ermöglicht.[30] Die neue Struktur besteht darin, daß die reziproke Verschränkung der Handlungsorientierungen der ersten und der zweiten Person als solche aus der Perspektive einer dritten Person verstanden werden kann. Sobald die Interaktion in diesem Sinne umstrukturiert wird, können die Beteiligten nicht nur gegenseitig ihre Handlungsperspektiven *übernehmen*, sondern die Perspektiven der Teilnehmer gegen die Beobachterperspektive *auswechseln* und ineinander transformieren. Auf dieser dritten Stufe der Perspektivenübernahme wird der Aufbau der »sozialen Welt«, der auf der zweiten Stufe vorbereitet worden ist, durchgeführt. Bevor ich das zeigen kann, muß ich zunächst die Interaktionstypen kennzeichnen, die beim Übergang von der zweiten zur dritten Stufe in strategisches bzw. normengeleitetes Handeln umgeformt werden.

(2) Selman hat seine Theorie ursprünglich anhand klinischer Interviews entwickelt, die sich an die Vorführung von zwei Filmgeschichten anschlossen. Im Mittelpunkt einer dieser Kurzfilme steht Holly, ein achtjähriges Mädchen; das Dilemma, in das sie gerät, spiegelt den Konflikt zwischen einem Versprechen, das der Vater ihr abgenommen hat, und der Beziehung zu einer Freundin, der sie helfen soll.[31] Die Geschichte ist so konstruiert, daß in diesem Konflikt jene beiden Handlungssysteme aufeinanderstoßen, denen Kinder der relevanten Altersgruppen in erster Linie angehören: die Familie und die Freundesgruppe. J. Youniss hat die sozialen Beziehungen, die zwischen Erwachsenen und Kindern einerseits, zwischen Gleichaltrigen andererseits typischerweise bestehen, unter strukturellen Gesichtspunkten miteinander verglichen.[32] Er charakterisiert sie anhand verschiedener Formen der Reziprozität. Die nicht-symmetrische Form der Reziprozität,

nämlich eine *Komplementarität zwischen verschiedenartigen Verhaltenserwartungen,* stellt sich eher unter Bedingungen eines Autoritätsgefälles, also in der Familie her, während sich unter Bedingungen egalitärer Freundschaftsbeziehungen eher die *Symmetrie zwischen gleichartigen Verhaltenserwartungen einspielt.* Für die Handlungskoordinierung hat eine autoritätsgesteuerte Komplementarität zu Folge, daß der eine den Interaktionsbeitrag des anderen kontrolliert; eine interessengesteuerte Reziprozität bedeutet hingegen, daß die Beteiligten ihre Interaktionsbeiträge wechselseitig kontrollieren.

Offensichtlich bestimmen die autoritätsgesteuerten komplementären und die interessengesteuerten symmetrischen Sozialbeziehungen zwei *verschiedene Interaktionstypen,* die *dieselbe Perspektivenstruktur* verkörpern können, und zwar jene Reziprozität der Handlungsperspektiven, die Selmans zweite Stufe der Perspektivenübernahme kennzeichnet. In beiden Handlungstypen sind die Ich-Du-Perspektiven, die Sprecher und Hörer zueinander einnehmen, implementiert. Selman zufolge verfügen Kinder auf dieser Stufe auch über strukturell analoge Begriffe der Verhaltenserwartung, der Autorität, des Handlungsmotivs und der Handlungsfähigkeit. Diese sozialkognitive Ausrüstung gestattet eine Differenzierung zwischen äußerer Welt und dem Inneren einer Person, die Zuschreibung von Intentionen und Bedürfnisorientierungen und die Unterscheidung zwischen absichtlichen und unbeabsichtigten Handlungen. Kinder erwerben damit auch die Fähigkeit, Interaktionen erforderlichenfalls über Täuschungsmanöver zu steuern.

In kooperativen Beziehungen verzichten die Beteiligten auf das Mittel der Täuschung. In autoritätsgesteuerten Beziehungen kann der abhängige Teil auch im Konfliktfall nicht auf Täuschungsmanöver zurückgreifen. Die Option einer täuschenden Einflußnahme auf Alters Verhalten besteht nur unter der Bedingung, daß Ego (a) die soziale Beziehung als symmetrisch und (b) die Handlungssituation unter dem Gesichtspunkt konfligierender Bedürfnisse deutet. Dieses *Konkurrenverhalten* erfordert die *reziproke Einwirkung* von Ego und Alter aufeinander. Natürlich findet diese Art von Konkurrenz auch im institutionellen Rahmen der Familie, also unter der Bedingung eines objektiv bestehenden Autoritätsgefälles zwischen den Generationen statt; aber dann verhält sich das Kind gegenüber Angehörigen der älteren Generation so, als ob zwischen ihnen eine symmetrische Beziehung bestünde. Es empfiehlt sich deshalb, die präkonventionellen Handlungstypen nicht nach Handlungssystemen, sondern unter den abstrakteren Gesichtspunkten der Reziprozitätsformen zu unterscheiden:

Tab. 4. Präkonventionelle Handlungstypen

Form der Reziprozität \ Handlungsorientierung	Kooperation	Konflikt
Autoritätsgesteuerte Komplementarität	1	2
Interessengesteuerte Symmetrie	3	4

Konflikte werden in den Fällen 2 und 4 mit verschiedenen Strategien gelöst. Im Fall perzipierter Abhängigkeit wird das Kind versuchen, den Konflikt zwischen den eigenen Bedürfnissen und den imperativen Auflagen des Gegenüber auf dem Wege der Vermeidung angedrohter Sanktionen zu lösen; es wird sein Handeln an Überlegungen orientieren, die in ihrer Struktur den Urteilen auf Kohlbergs erster Moralstufe gleichen (Tab. 1). Im Fall der perzipierten Gleichverteilung der Macht kann das Kind hingegen versuchen, sich die Täuschungsmöglichkeiten zunutze zu machen, die in symmetrischen Beziehungen bestehen. Diesen Fall hat J. H. Flavell mit Hilfe seines Münzexperiments simuliert.[33]

Die psychologische Erforschung der Perspektivenübernahme hat zunächst an diesem speziellen Fall, d. h. an einem von vier Interaktionstypen eingesetzt. Flavell wählt für seine Experimente bekanntlich die folgende Anordnung: Unter zwei umgestülpten Tassen liegt jeweils der Geldbetrag (ein bzw. zwei Nickel) versteckt, der auch sichtbar auf dem nach oben gekehrten Boden der Tassen angezeigt ist. Den Versuchspersonen wird anschaulich vorgeführt, daß zwischen der Beschriftung und dem tatsächlich versteckten Betrag eine willkürlich zu verändernde Beziehung besteht. Die Aufgabe besteht darin, die Geldbeträge heimlich so zu verteilen, daß eine hereingerufene Person, die aufgefordert wird, die Tasse mit dem vermutlich größeren Betrag zu wählen, irregeführt wird und leer ausgeht. Der Versuch ist so definiert, daß die Versuchspersonen den Rahmen eines elementaren Wettbewerbsverhaltens akzeptieren und versuchen, die Entscheidungen eines Gegenübers *indirekt zu beeinflussen.* In diesem Rahmen gehen die Beteiligten davon aus, daß (a) jeder nur seine eigenen Interessen verfolgt – monetäre oder andere; daß (b) beide die Interessen des jeweils anderen kennen; daß (c) eine direkte Verständigung ausgeschlossen ist – jeder muß hypothetisch erschließen, wie sich der andere verhalten wird; daß (d) Täuschungsmanöver auf beiden Seiten erforderlich, jedenfalls zulässig sind und daß (e) normative Geltungsansprüche, die mit den Spielregeln selbst verknüpft sein könnten, *innerhalb* des Spiels nicht auftreten. Der Sinn des Spiels ist klar: Alter wird versuchen, einen maximalen Gewinn zu erzielen, und Ego soll das verhindern. Wenn nun die Versuchspersonen über die Perspektivenstruktur verfügen, die Selman der zweiten Stufe zuordnet, werden sie Flavells *Strategie B* wählen. Das Kind vermutet, daß sich Alter von monetären Erwägungen leiten läßt und die zwei Nickel unter der Ein-Nickel-Tasse suchen wird mit der Begründung: Alter geht davon aus, daß ich ihn irreführen möchte und daher die zwei Nickel *nicht* unter die entsprechend beschriftete Tasse legen werde.

Dies ist ein experimentell erzeugtes Beispiel für ein Wettbewerbsverhalten, in dem reziproke Ich-Du-Perspektiven verkörpert sind (Fall 4, Tab. 4). Auf der Linie dieses Handlungstyps läßt sich die Umformung der präkonventionellen Stufe der Interaktion gut verfolgen. Sobald die Versuchspersonen über eine Perspektivenstruktur verfügen, die Selman der dritten Stufe zuordnet, werden sie Flavells *Strategie C* wählen. Sie werden nämlich die Reflexionsspirale weiterdrehen und in Betracht ziehen, daß Alter auch Egos Strategie B (und die Reziprozität der Handlungsperspektiven, die dieser zugrundeliegt) durchschaut. Zu dieser Einsicht gelangt der Jugendliche, sobald er die reziproken Beziehungen zwischen Ego und Alter aus der Perspektive eines Beobachters vergegenständlichen und als ein System betrachten kann. Grundsätzlich ist er dann sogar in der Lage, die Struktur dieses Zweipersonenspiels zu erkennen: vorausgesetzt, daß sich beide Teilnehmer rational verhalten, sind die Wahrscheinlichkeiten für

Gewinn und Verlust gleich verteilt, so daß Ego ebensogut die eine wie die andere Entscheidung treffen kann.

Die Strategie C kennzeichnet also ein Handeln, das erst auf der konventionellen Stufe der Interaktion möglich ist, wenn, wie vorgeschlagen, für diese Stufe die komplexe Perspektivenstruktur der dritten Selman-Stufe erforderlich sein soll.[34] Unter diesem Gesichtspunkt läßt sich die Umformung des präkonventionellen Wettbewerbsverhaltens in strategisches Handeln durch die Koordinierung von Beobachter- und Teilnehmerperspektiven kennzeichnen.

Dabei verändert sich auch das Konzept des handelnden Subjekts insofern, als Ego nunmehr in der Lage ist, Alter ein über Zeit stabiles Einstellungs- oder Präferenzmuster zuzuschreiben. Alter, der sich bis dahin allenfalls klug nach seinen wechselnden Bedürfnislagen oder Interessen zu richten schien, wird nun als ein Subjekt wahrgenommen, das intuitiv Regeln rationaler Wahl folgt. Darüber hinaus bedarf es aber *keiner* strukturellen Veränderung der sozialkognitiven Ausrüstung. In allen anderen Hinsichten reicht das präkonventionelle Inventar auch für den strategisch Handelnden aus; für diesen genügt es, Verhaltenserwartungen aus zugeschriebenen Intentionen abzuleiten, Motive in Begriffen einer Orientierung an Belohnung und Bestrafung zu verstehen und Autorität als ein Vermögen zu deuten, positive oder negative Sanktionen in Aussicht zu stellen bzw. anzudrohen (Tab. 5).

Im Unterschied zum elementaren Wettbewerbsverhalten (Fall 4, Tab. 4) können die drei *anderen* präkonventionellen Handlungstypen (Fälle 1-3, Tab. 4) nicht mit ebenso sparsamen Mitteln auf die konventionelle Stufe der Interaktion umgestellt werden.

(3) Ich habe bisher verfolgt, wie sich der strategische Handlungstypus auf der Linie des Wettbewerbsverhaltens ausdifferenziert. Nach der von mir favorisierten Hypothese vollzieht sich der Übergang zur konventionellen Stufe der Interaktion dadurch, daß die Beobachterperspektive mit den Ich-Du-Perspektiven zu einem System ineinander transformierbarer Handlungsperspektiven zusammenwächst. Gleichzeitig wird das System der Sprecherperspektiven vervollständigt; damit erreicht die Gesprächsorganisation ein neues Niveau. Die Entwicklung kommunikativer Fähigkeiten braucht uns indessen nicht zu interessieren. Ich

Tab. 5: Übergang zur konventionellen Interaktionsstufe (1): Vom präkonventionellen Wettbewerbsverhalten zum strategischen Handeln.

Sozialkognitive Ausstattung / Handlungstypen	Perspektivenstruktur	Struktur der Verhaltenserwartung	Begriff der Autorität	Begriff der Motivation
präkonventionelles Wettbewerbsverhalten	Reziproke Verknüpfung von Handlungsperspektiven (Selman: Stufe 2 Flavell: Strategie B)	Partikulares Verhaltensmuster; Zuschreibung latenter Intentionen	Äußerlich sanktionierte Willkür von Bezugspersonen	Orientierung an Belohnung/Bestrafung
strategisches Handeln	Koordinierung von Beobachter- und Teilnehmerperspektiven (Selman: Stufe 3 Flavell: Strategie C)			

möchte vielmehr untersuchen, wie sich die anderen präkonventionellen Handlungstypen (die Fälle 1-3 in Tab. 4) beim Übergang zur konventionellen Stufe der Interaktion verändern.

Dabei beschränke ich mich wiederum auf die strukturellen Merkmale und lasse dahingestellt, wie die Dynamik der Umstrukturierung der Handlungsperspektiven erklärt werden kann. Ich möchte lediglich die Entwicklungspfade des normenregulierten und des strategischen Handelns analytisch trennen. Die problematische Ausgangssituation sei dadurch charakterisiert:

- daß die handlungssteuernde Kraft der Autorität von Bezugspersonen oder die der unmittelbaren Orientierung an eigenen Bedürfnissen nicht mehr hinreicht, um den anfallenden Koordinationsbedarf zu decken;
- daß das Wettbewerbsverhalten schon auf strategisches Handeln umgestellt und somit von der *unmittelbaren* Orientierung an eigenen Bedürfnissen abgekoppelt ist;
- und daß damit eine Polarisierung zwischen erfolgs- und verständigungsorientierten Einstellungen eintritt, die die Wahl zwischen Handlungstypen mit und ohne Täuschungsmöglichkeiten gleichzeitig erzwingt und normalisiert.

In dieser Situation geraten die präkonventionellen Modi der Handlungskoordinierung in den nicht durch Konkurrenz bestimmten Verhaltensbereichen unter Druck. Die sozialkognitive Ausstattung muß so umstrukturiert werden, daß ein Mechanismus nichtstrategischer, und zwar verständigungsorientierter Handlungskoordinierung eingeführt werden kann, der nach beiden Seiten unabhängig ist – sowohl von der Autoritätsbeziehung zu konkreten Bezugspersonen wie von der direkten Beziehung zu eigenen Interessen. Die Stufe dieses konventionellen, aber nichtstrategischen Handelns erfordert sozialkognitive Grundbegriffe, die um das Konzept der überpersönlichen Willkür zentriert sind. Das Konzept der durch überpersönliche Autorität gedeckten Verhaltenserwartung (d. h. der sozialen Rolle) ebnet nämlich die Differenz zwischen fremden Imperativen und eigenen Intentionen ein und verwandelt gleichermaßen den Begriff der Autorität wie den des Interesses.

Selman (1980) und Damon[35] haben in wesentlichen Zügen übereinstimmend die Entwicklung von Freundschafts-, Personen-, Gruppen- und Autoritätskonzepten während der mittleren Kindheit beschrieben. Wie die humanethologischen Beobachtungen von frühen Mutter-Kind-Interaktionen zeigen, haben diese Grundbegriffe eine überaus komplexe Entwicklungsgeschichte, die bis in die ersten Lebensmonate zurückreicht.[36] Offensichtlich werden die sozialkognitiven Fähigkeiten, die aus diesem Fundus frühester sozialer Bindungen und intersubjektiver Beziehungen bis zur mittleren Kindheit stufenweise ausdifferenziert werden, für den Bereich des Wettbewerbsverhaltens nur selektiv ausgeschöpft; denn das präkonventionelle Wettbewerbsverhalten kann in strategisches Handeln umgeformt werden, ohne daß die Einführung der Beobachterperspektive in den Interaktionsbereich die sozialkognitive Ausstattung auf ganzer Breite erfaßt. Eine globale Umstrukturierung, die Selman in vier Dimensionen verfolgt[37], ist hingegen für den Übergang zum normenregulierten Handeln notwendig. Das mag damit zusammenhängen, daß die Reorganisation auf dieser Entwicklungslinie an jenen drei präkonventionellen Handlungstypen ansetzt, die die im Konkurrenzverhalten zulässige Täuschung ausschließen und auf Konsens angewiesen sind. Einen empirischen Zugang zu den Vorformen des normenregulierten Handelns bieten die Untersuchungen zur kooperativen Bearbeitung von Verteilungsproblemen und von Handlungskonflikten in Peer-Gruppen verschiedener Altersstufen.[38] Die Fähigkeit, interpersonelle Probleme mit Gleichaltrigen konsensuell zu lösen, wächst regelmäßig mit zunehmendem Alter und kognitiver Reife. Diese Fähigkeit ist ein guter Indikator für die Mechanismen der Handlungskoordinierung, die auf verschiedenen Entwicklungsstufen verfügbar sind.

Ich werde mich im folgenden auf die Konzepte der überpersönlichen Autorität und der Handlungsnorm beschränken, weil diese für den strikten Begriff der sozialen Welt als der Gesamtheit legitim geregelter interpersoneller Beziehungen konstitutiv sind. Während sich aus der Perspektive des Kindes beispielsweise Autoritäts- und Freundschaftsbeziehungen auf präkonventionellem Niveau als Tauschbeziehungen darstellen (z. B. als Tausch von Gehorsam gegen Führung oder Sicherheit, von Anspruch gegen Belohnung, von Leistung gegen Leistung oder Vertrauensbeweis), eignet sich die Kategorie des Tausches nicht mehr für die auf konventioneller Stufe reorganisierten Beziehungen.[39] Die Vorstellungen von sozialer Bindung, Autorität, Loyalität lösen sich von besonderen Kontexten und Bezugspersonen und verwandeln sich in die normativen Begriffe der moralischen Verpflichtung, der

Legitimität von Regeln, der Sollgeltung von autorisierten Befehlen usw.

Ein solcher Schritt wird noch auf der zweiten Interaktionsstufe, d. h. auf der Grundlage reziprok verschränkter Handlungsperspektiven vorbereitet, wenn der Heranwachsende (A) in der Interaktion mit einer bestimmten Bezugsperson (B) Verhaltensmuster partikularen Zuschnitts erlernt.[40] Für die Rekonstruktion dieses Übergangs habe ich an anderem Orte einen Vorschlag gemacht, der freilich nur der begrifflichen Analyse dient.[41]

Da für das Kind hinter den partikularen Verhaltenserwartungen der Eltern zunächst nur die Autorität eines eindrucksvollen, stark gefühlsbesetzten Gegenübers steht, ist die Aufgabe des Übergangs zur konventionellen Stufe der Interaktion darin zu sehen, daß die imperativische Willkür einer überlegenen Person umgearbeitet wird in die Autorität einer überpersönlichen, von dieser bestimmten Person abgelösten Willkür. Bekanntlich haben Freud und Mead übereinstimmend angenommen, daß sich partikulare Verhaltensmuster in dem Maße von den kontextgebundenen Intentionen und Sprechakten einzelner Personen lösen und die externe Gestalt gesellschaftlicher Normen erhalten, wie die mit ihnen verknüpften Sanktionen durch Einstellungsübernahme *internalisiert*, d. h. in die Persönlichkeit des Heranwachsenden hineingenommen und damit von der Sanktionsgewalt konkreter Bezugspersonen unabhängig gemacht werden. Dabei verschiebt sich der imperativische Sinn von »Erwartung« in der Weise, daß A und B ihren jeweils individuellen Willen einer *kombinierten*, an die sozial *generalisierte* Verhaltenserwartung sozusagen *delegierten* Willkür unterordnen. Auf diesem Wege entsteht für A der *höherstufige Imperativ* eines über alle Angehörigen einer sozialen Gruppe generalisierten Musters, den beide, A und B, in Anspruch nehmen, wenn sie den Imperativ ›q‹ oder den Wunsch ›r‹ äußern.

Während Freud die psychodynamische Seite dieses Vorgangs aufklärt, interessiert sich Mead für die *sozialkognitiven Bedingungen der Internalisierung*. Er erklärt, warum partikulare Verhaltensmuster erst dann generalisiert werden können, wenn A gelernt hat, gegenüber der eigenen Handlung eine objektivierende Einstellung einzunehmen und so das System der zwischen A und B verschränkten Handlungsperspektiven von den besonderen Kontexten abzuheben, in denen sich diese beiden Personen jeweils begegnen. Nur wenn sich A in seinen Interaktionen mit B gleichzeitig die Einstellung zu eigen macht, die ein Angehöriger ihrer sozialen Gruppe als Unbeteiligter beiden gegenüber einnehmen würde, kann er sich der *Austauschbarkeit* der von A und B eingenommenen Positionen bewußt werden. Dabei kann A auch erkennen, daß sich das, was ihm als ein konkretes, auf dieses Kind und diese Eltern zugeschnittenes Verhaltensmuster erschienen war, für B immer schon aus einem intuitiven Verständnis der Normen ergeben hatte, die die Beziehungen zwischen Kindern und Eltern überhaupt regulieren. Mit der Verinnerlichung konkreter Erwartungen bildet A das Konzept eines sozial, nämlich über *alle* Gruppenangehörigen generalisierten Verhaltensmusters aus, dessen Plätze nicht für Ego und Alter reserviert sind, sondern grundsätzlich von allen Angehörigen ihrer sozialen Gruppe eingenommen werden können.

Von dieser sozialen Generalisierung des Verhaltensmusters bleibt der mit ihm verbundene *imperativische Sinn* nicht unberührt. Fortan versteht A Interaktionen, in denen A, B, C, D ... Imperative oder Wünsche äußern bzw. befolgen, als Erfüllung des *kollektiven Willens der Gruppe*, dem A und B ihre Willkür gemeinsam unterordnen. Hinter der *sozialen Rolle* steht die Autorität eines gruppenspezifisch verallgemeinerten Imperativs, die vereinigte Macht einer konkreten Gruppe, die Loyalität fordert und der Loyalität entgegengebracht wird. Damit verwandeln sich auch die den sozialen Beziehungen innewohnenden Formen der Reziprozität. Indem die Beteiligten ihre sozialen Rollen in dem Bewußtsein spielen, daß sie als Angehörige einer sozialen Gruppe *berechtigt* sind, in angegebenen Situationen bestimmte Handlungen voneinander zu erwarten, und zugleich *verpflichtet* sind, die berechtigten Verhaltenserwartungen anderer zu erfüllen, stützen sie sich auf eine symmetrische Form der Reziprozität, obwohl die Rollen*inhalte* nach wie vor komplementär auf verschiedene Adressaten verteilt sind.

Die hinter sozialen Rollen stehende Sanktionsmacht der sozialen Gruppe verliert den Charakter eines höherstufigen Imperativs freilich erst in dem Maße, wie der Heranwachsende die ihm zunächst faktisch gegenübertretende Gewalt der Institutionen noch einmal verinnerlicht und in seinem Selbst als System innerer Verhaltenskontrollen verankert. Erst wenn A die Gruppensanktionen als seine eigenen, von ihm *selbst* gegen *sich* gerichteten Sanktionen betrachtet, muß er seine Zustimmung zu einer Norm, deren Verletzung er auf diese Weise ahndet, *voraussetzen.* Anders als sozial verallgemeinerte Imperative besitzen Institutionen eine Geltung, die auf die intersubjektive Anerkennung, auf die Zustimmung der Betroffenen zurückgeht. Die affirmativen Stellungnahmen, die diesen Konsens tragen, behalten zunächst einen zweideutigen Status. Einerseits bedeuten sie *nicht mehr* einfach das »Ja«, mit dem ein folgebereiter Hörer auf einen Imperativ ›q‹ antwortet. Dieses »Ja« wäre einem Absichtssatz äquivalent, der sich auf die geforderte Handlung $h_{(q)}$ bezieht, und würde mithin einen Ausdruck bloßer, normativ ungebundener Willkür darstellen. Andererseits sind jene Stellungnahmen *noch nicht* von der Art des »Ja« zu einem kritisierbaren Geltungsanspruch. Sonst müßten wir annehmen, daß die faktische Geltung von Handlungsnormen von Anbeginn und überall auf einem rational motivierten Einverständnis aller Betroffenen beruhte – dagegen spricht ersichtlich der repressive Charakter, der sich darin äußert, daß die meisten Normen in der Form sozialer Kontrolle wirksam werden. Jedoch beruht die soziale Kontrolle, die über gruppenspezifisch geltende Normen ausgeübt wird, nicht *allein* auf Repression.

Dieses immer noch zwieschlächtige traditionalistische Verständnis stützt sich bereits auf die Vorstellung der Legitimität von Handlungsnormen. In diesem Vorstellungshorizont können die sozialen Rollen, die zunächst Primärgruppen anhaften, zu Bestandteilen eines Normensystems verallgemeinert werden. Damit konstituiert sich eine Welt legitim geordneter interpersonaler Beziehungen, und das Konzept des Rollenhandelns wird in das der normengeleiteten Interaktion umgearbeitet. Im Hinblick auf die legitime Geltung von Normen trennen sich Pflichten von Neigungen, verantwortliches Handeln von zufälligen oder ungewollten Verstößen. Das folgende Schema gibt einen Überblick über die entsprechenden Veränderungen der sozialkognitiven Ausstattung, auf die ich nicht im Einzelnen einzugehen brauche.

Tab. 6. Übergang zur konventionellen Interaktionsstufe (2): Vom präkonventionellen Kooperationsverhalten zum normenregulierten Handeln.

<table>
<tr><th>Sozialkognitive Grundbegriffe / Handlungstypen</th><th>Perspektivenstruktur</th><th>Struktur der Verhaltenserwartung</th><th>Begriff der Autorität</th><th>Begriff der Motivation</th></tr>
<tr><td>autoritätsgesteuerte Interaktion</td><td rowspan="2">Reziproke Verknüpfung von Handlungsperspektiven (Selman Stufe 2)</td><td rowspan="2">Partikulares Verhaltensmuster</td><td rowspan="2">Autorität von Bezugspersonen; äußerlich sanktionierte Willkür</td><td rowspan="2">Loyalität gegenüber Personen; Orientierung an Belohnung/Strafe</td></tr>
<tr><td>interessengesteuerte Kooperation</td></tr>
<tr><td>Rollenhandeln</td><td rowspan="2">Koordinierung von Beobachter- und Teilnehmerperspektiven (Selman Stufe 3)</td><td>Sozial generalisierte Verhaltensmuster: Rolle</td><td>Verinnerlichte Autorität überindividueller Willkür = Loyalität</td><td rowspan="2">Pflicht vs. Neigung</td></tr>
<tr><td>normengeleitete Interaktion</td><td>Sozial generalisierte Rollen: Normensystem</td><td>Verinnerlichte Autorität des unpersönlichen Kollektivwillens = Legitimität</td></tr>
</table>

IV. Zur Frage einer entwicklungslogischen Begründung der Moralstufen

Nachdem ich am Leitfaden der Untersuchungen zur Perspektivenübernahme einen Vorschlag zur Rekonstruktion von zwei Stufen der Interaktion entwickelt habe, möchte ich zu unserer Ausgangsfrage zurückkehren, ob sich Kohlbergs Sozialperspektiven in der Weise auf Interaktionsstufen beziehen lassen, daß eine entwicklungslogische Begründung der Moralstufen plausibel gemacht werden kann. Ich will zunächst prüfen, wie sich die Ontogenese des in verständigungsorientiertem Handeln strukturell verankerten dezentrierten Weltverständnisses im Lichte der bisherigen Überlegungen darstellt. Dabei erweist es sich als nötig, Diskurse als dritte Interaktionsstufe einzuführen (1). Die Einführung der hypothetischen Einstellung in den Interaktionsbereich und der Übergang vom kommunikativen Handeln zum Diskurs bedeutet im Hinblick auf die soziale Welt eine Moralisierung der jeweils bestehenden Normen. Diese Entwertung naturwüchsig geltender Institutionen erzwingt eine Umformung der sozialkognitiven Ausstattung der konventionellen Stufe in unmittelbar moralische Grundbegriffe (2). Schließlich werde ich die entwicklungslogischen Gesichtspunkte sammeln, unter denen sich die Sozialperspektiven verschiedenen Stufen der Interaktion zuordnen und die entsprechenden Formen des moralischen Bewußtseins *als* Stufen rechtfertigen lassen (3).

(1) Die präkonventionelle Interaktionsstufe läßt sich mit Selman durch die Reziprozität der Handlungsperspektiven von Teilnehmern charakterisieren. Diese habe ich als Ergebnis einer Implementierung von Sprecherperspektiven in Handlungstypen gedeutet – und zwar der Ich-Du-Perspektiven, die das Kind mit den Kommunikationsrollen von Sprecher und Hörer zuvor erworben hatte. Die konventionelle Stufe der Interaktion läßt sich sodann durch ein System von Handlungsperspektiven kennzeichnen, das durch die Koordination der Beobachterperspektive mit den Teilnehmerperspektiven der vorangehenden Stufe zustande kommt. Diese Einführung der Beobachterperspektive in den Bereich der Interaktion ermöglicht (a) eine Vervollständigung des Systems der Sprecherperspektiven, wodurch die Kommunikationsrollen der

ersten und zweiten Person mit der der dritten Person verknüpft werden (das wirkt sich auf das Niveau der Gesprächsorganisation aus). Die neue Perspektivenstruktur ist eine notwendige Bedingung (b) für die Umformung des interessengeleiteten Konfliktverhaltens in strategisches Handeln und (c) für den Aufbau jener sozialkognitiven Grundbegriffe, die das normenregulierte Handeln strukturieren. Mit dem Aufbau einer sozialen Welt legitim geregelter interpersonaler Beziehungen bilden sich (d) eine normenkonforme Einstellung und eine entsprechende Perspektive, die die mit Innen- und Außenwelt verbundenen Grundeinstellungen und Weltperspektiven ergänzen. Dieses System der Weltperspektiven findet sein sprachliches Korrelat in den drei Grundmodi der Sprachverwendung, die kompetente Sprecher in performativer Einstellung systematisch unterscheiden und verknüpfen können. Mit (a) bis (d) sind schließlich die strukturellen Voraussetzungen für ein kommunikatives Handeln erfüllt, bei dem (e) die Handlungspläne der Interaktionsteilnehmer durch den Mechanismus sprachlicher Verständigung koordiniert werden. Normenreguliertes Handeln repräsentiert einen unter mehreren reinen Typen verständigungsorientierten Handelns.[42]

Im Zusammenhang der bisher analysierten Handlungstypen ist freilich die ausdifferenzierte Gestalt des kommunikativen Handelns nur insofern von Interesse, als die zugehörige Reflexionsform, nämlich der Diskurs, eine dritte, wenn auch eigentümlich handlungsentlastete Interaktionsstufe darstellt. Argumentationen dienen dazu, die im kommunikativen Handeln zunächst implizit erhobenen und naiv mitgeführten Geltungsansprüche zum Thema zu machen und zu prüfen. Die Teilnahme an Argumentationen ist durch eine *hypothetische Einstellung* gekennzeichnet; aus dieser Perspektive verwandeln sich Dinge und Ereignisse in Sachverhalte, die sowohl existieren als auch nicht existieren können; ebenso verwandeln sich bestehende, d. h. faktisch anerkannte oder sozial gültige Normen in solche, die sowohl gültig, d. h. anerkennungswürdig als auch ungültig sein können. Zur Diskussion stehen die Wahrheit assertorischer Aussagen oder die Richtigkeit von Normen (bzw. entsprechender normativer Aussagen).

Auch auf dieser dritten Interaktionsstufe setzt sich der Komplexitätszuwachs der Perspektivenstruktur fort. Auf der konventionellen Stufe sind die reziproken Teilnehmerperspektiven und die Beobachterperspektive, also zwei Elemente, zusammengefügt worden, die auf der präkonventionellen Stufe schon ausgebildet, aber noch nicht koordiniert worden waren. In ähnlicher Weise werden nun auf der dritten Stufe jene beiden Systeme von Sprecher- und Weltperspektiven zusammengefügt, die auf der zweiten Stufe je für sich komplettiert, aber dort noch nicht miteinander koordiniert worden sind. Einerseits ist das System der gleichsam hypothetisch gebrochenen Weltperspektiven für jene Geltungsansprüche konstitutiv, die in Argumentationen das eigentliche Thema bilden. Andererseits ist das System der vollständig reversiblen Sprecherperspektiven für den Rahmen konstitutiv, innerhalb dessen Argumentationsteilnehmer zu einem rational motivierten Einverständnis gelangen können. Beide Systeme müssen also im Diskurs aufeinander bezogen werden. Man kann sich diese komplexer werdende Perspektivenstruktur auch anhand der folgenden intuitiven Überlegung klarmachen. Auf der konventionellen Stufe bestand die charakteristische Leistung darin, daß sich die Aktoren im Vollzug einer Handlung, aus der reziproken Beziehung zu einem Gegenüber, als Teilnehmer verstehen, aber *gleichzeitig*, aus der Aktion heraustretend, auch als Objekt, nämlich als Bestandteil eines Interaktionszusammenhangs beobachten können. Die Perspektiven mußten sich im interpersonellen Rahmen der Interaktion verschränken: die Perspektive des Beobachters wurde spezifiziert und mit der Kommunikationsrolle der dritten Person, d. h. des unbeteiligt Anwesenden verknüpft. In ähnlicher Weise gilt nun für das diskursiv erzielte Einverständnis, daß die Aktoren sich im Akt der Zustimmung auf die vollständige Reversibilität ihrer Beziehungen zu allen anderen Argumentationsteilnehmern verlassen, aber *gleichzeitig* ihre Stellungnahme, unabhängig vom faktisch herbeigeführten Konsensus, allein der Überzeugungskraft des besseren Argumentes zuschreiben. Die Perspektiven verschränken sich auch hier im interpersonellen Rahmen einer in ihren Voraussetzungen unwahrscheinlichen Kommunikation: die reflexiv gebrochenen Weltperspektiven werden mit den Rollen von Opponenten und Proponenten, die Geltungsansprüche kritisieren und verteidigen, verknüpft.

Die jeweils höhere Interaktionsstufe zeichnet sich freilich nicht nur durch die Koordinierung bisher getrennter *Perspektiven* aus, sondern auch durch die Integration bisher getrennter *Inter-*

aktionstypen. So gelang, wie wir gesehen haben, im Typus des Rollenhandelns eine Integration von zwei Formen der Reziprozität, die sich auf der ersten Interaktionsstufe in verschiedenen Handlungstypen ausgeprägt hatten. Nicht erst im ausgereiften Konzept der Sollgeltung, schon im Konzept des höherstufigen, von einzelnen Personen abgelösten Imperativs, in dem sich die intersubjektive Autorität eines gemeinsamen Willens ausdrückt, wurden komplementäre und symmetrische Beziehungen synthetisiert – dies allerdings um den Preis der Polarisierung zwischen dem normenregulierten Handeln auf der einen, dem strategischen Handeln auf der anderen Seite. Eben diese Spaltung wird auf der dritten Interaktionsstufe in gewisser Hinsicht überwunden. In der Argumentation wird jedenfalls die erfolgsorientierte Einstellung von Wettbewerbern in eine Kommunikationsform einbezogen, die verständigungsorientiertes Handeln mit anderen Mitteln fortsetzt. In der Argumentation tragen Opponenten und Proponenten einen *Wettbewerb mit Argumenten* aus, um einander zu überzeugen, d. h. zu einem Konsens zu gelangen. Diese dialektische Rollenstruktur stellt eristische Formen für die kooperative Wahrheitssuche bereit. Sie kann den Konflikt zwischen erfolgsorientiert eingestellten Wettbewerbern für den Zweck der Konsenserzeugung in Dienst nehmen, soweit die Argumente nicht als Mittel reziproker Beeinflussung funktionieren – im Diskurs teilt sich der Zwang des besseren Argumentes den Überzeugungen nur »zwanglos«, d. h. intern, auf dem Wege rational motivierter Einstellungsänderungen mit.

(2) Mit dem Übergang zur postkonventionellen Stufe der Interaktion dreht sich der Erwachsene aus der Naivität der Alltagspraxis heraus. Er verläßt die naturwüchsige soziale Welt, in die er mit dem Übergang zur konventionellen Stufe der Interaktion eingetreten war. Für den Diskursteilnehmer verblaßt die Aktualität des Erfahrungszusammenhangs, verblaßt die Normativität der bestehenden Ordnungen nicht weniger als die Objektivität der Dinge und Ereignisse. Von dieser metakommunikativen Ebene aus eröffnen sich nur noch Retrospektiven auf die gelebte Welt: im Licht hypothetischer Geltungsansprüche wird die Welt existierender Sachverhalte theoretisiert, die Welt legitim geordneter Beziehungen moralisiert. Sowie die Gesellschaft, also jenes normativ integrierte Beziehungsgefüge, das sich der Heranwachsende

zunächst einmal konstruktiv aneignen mußte, moralisiert wird, erlahmt die normative Kraft des Faktischen – unter dem isolierten Gesichtspunkt deontologischer Geltung können sich Institutionen, die ihrer Naturwüchsigkeit entkleidet sind, in ebensoviele Fälle problematischer Gerechtigkeit verwandeln. Diese Problematisierung hält gleichsam das Handeln an. Sie sistiert den Vollzug kommunikativen Handelns, schneidet die Verbindungsfäden zwischen der sozialen Welt und ihrem lebensweltlichen Kontext ab und erschüttert jene Gewißheiten, die der sozialen Welt aus der Lebenswelt intuitiv zuströmen. Zugleich erscheinen die Interaktionen in einem anderen Licht. Sobald diese nämlich einer Beurteilung unter rein moralischen Gesichtspunkten unterworfen werden, emanzipieren sie sich einerseits von lokalen Übereinkünften und büßen andererseits die kraftvolle historische Färbung einer partikularen Lebensform ein. Interaktionen, die unter den Anspruch prinzipiengeleiteten und autonomen Handelns treten, werden eigentümlich abstrakt.

In dem Maße wie die soziale Welt aus dem Kontext einer faktisch eingewöhnten, aber im Modus der Hintergrundgewißheit präsenten Lebensform abgelöst und vom hypothetisch eingestellten Diskursteilnehmer auf Distanz gebracht wird, bedürfen die bodenlos gewordenen Normensysteme freilich einer *anderen* Grundlage. Diese neue Grundlage muß aus der Reorganisation der auf der vorangehenden Interaktionsstufe verfügbaren sozialkognitiven Grundbegriffe gewonnen werden. Dabei bietet dieselbe Perspektivenstruktur eines vollständig dezentrierten Weltverständnisses, die das Problem erst erzeugt, auch die Mittel zu dessen Lösung. Handlungsnormen werden nun ihrerseits als normierbar vorgestellt; sie werden Prinzipien, d. h. höherstufigen Normen untergeordnet. Der Begriff der Legitimität von Handlungsnormen wird in die Bestandteile der faktischen Anerkennung und der Anerkennungswürdigkeit zerlegt; die soziale Geltung bestehender Normen deckt sich nicht mehr mit der Gültigkeit gerechtfertigter Normen. Diesen Differenzierungen in den Begriffen der Norm und der Sollgeltung entspricht eine Differenzierung im Begriff der Pflicht; nun zählt nicht mehr die Achtung vor dem Gesetz per se als sittliches Motiv. Der Heteronomie, d. h. der Abhängigkeit von bestehenden Normen, wird die Forderung entgegengesetzt, daß der Handelnde anstelle der sozialen Geltung einer Norm vielmehr deren Gültigkeit zum Bestimmungsgrund seines Handelns erhebt.

Mit diesem Begriff von Autonomie verschiebt sich auch das Konzept der Fähigkeit, verantwortlich zu handeln. Verantwortlichkeit wird zum speziellen Fall der Zurechnungsfähigkeit; diese bedeutet die Orientierung des Handelns an einem als universal vorgestellten, rational motivierten Einverständnis – moralisch handelt, wer aus Einsicht handelt.

An dem Konzept der Handlungsfähigkeit, das sich auf der postkonventionellen Stufe der Interaktion ausbildet, wird klar, daß moralisches Handeln jenen Fall normenregulierten Handelns darstellt, bei dem sich der Handelnde an reflexiv geprüften Geltungsansprüchen orientiert. Moralisches Handeln steht unter dem Anspruch, daß sich die Beilegung von Handlungskonflikten allein auf begründete Urteile stützt – es ist ein durch moralische Einsichten geleitetes Handeln.

Dieser scharfe Begriff von Moralität kann sich erst auf postkonventioneller Stufe ausbilden. Auch auf den vorangehenden Stufen ist die Intuition des Moralischen mit der Vorstellung einer konsensuellen Lösung von Handlungskonflikten verknüpft. Dabei gehen die Beteiligten aber von Ideen, sagen wir: des guten und gerechten Lebens aus, die es erlauben, die konfligierenden Bedürfnisse transitiv zu ordnen. Erst die Entkoppelung der sozialen Welt vom Fluß kultureller Selbstverständlichkeiten macht eine autonome Begründung der Moral zum unausweichlichen Problem: die Gesichtspunkte, die den Konsens ermöglichen sollen, sind nun selber strittig. Unabhängig von kontingenten Gemeinsamkeiten der sozialen Herkunft, der politischen Zugehörigkeit, des kulturellen Erbes, der tradierten Lebensform usw. können sich kompetente Handlungssubjekte nur dann auf einen moral point of view, einen *der Kontroverse entzogenen Gesichtspunkt* beziehen, wenn sie auch bei divergierenden Wertorientierungen nicht umhin können, diesen zu akzeptieren. Diesen moralischen Bezugspunkt müssen sie deshalb den Strukturen entnehmen, in denen sich alle Interaktionsteilnehmer, sofern sie überhaupt kommunikativ handeln, *immer schon* vorfinden. Einen Gesichtspunkt dieser Art enthalten, wie die Diskursethik zeigt, die allgemeinen pragmatischen Voraussetzungen der Argumentation überhaupt.

Der Übergang zum prinzipiengeleiteten moralischen Urteil ist nur ein erster, noch ergänzungsbedürftiger Schritt, mit dem sich der Erwachsene von der Traditionswelt bestehender Normen losmacht. Denn die Prinzipien, die der Beurteilung von Normen zugrunde gelegt werden (z. B. Grundsätze distributiver Gerechtigkeit) treten im Plural auf und bedürfen selber der Begründung. Der moral point of view kann nicht in einem »ersten« Prinzip oder in einer »letzten« Begründung, also außerhalb des Kreises der Argumentation selber gefunden werden. Rechtfertigende Kraft behält allein das diskursive Verfahren der Einlösung normativer Geltungsansprüche; und diese Kraft verdankt die Argumentation letztlich ihrer Verwurzelung im kommunikativen Handeln. Der gesuchte »moralische Gesichtspunkt«, der allen Kontroversen vorausliegt, entspringt einer fundamentalen, ins verständigungsorientierte Handeln eingebauten Reziprozität. Diese tritt zunächst, wie wir gesehen haben, in den Formen der autoritätsgesteuerten Komplementarität und der interessengesteuerten Symmetrie auf; sodann in der Reziprozität von Verhaltenserwartungen, die in sozialen Rollen, sowie in der Reziprozität von Rechten und Pflichten, die in Normen verknüpft sind; und schließlich im idealen Rollentausch der diskursiven Rede, der sicherstellen soll, daß die Rechte auf universellen Zugang zur, und auf chancengleiche Teilnahme an der Argumentation zwanglos und gleichmäßig wahrgenommen werden können. Auf dieser dritten Interaktionsstufe wird eine idealisierte Form der Reziprozität zur Bestimmung der kooperativen Wahrheitssuche einer im Prinzip unbegrenzten Kommunikationsgemeinschaft. Insofern stützt sich die diskursethisch begründete Moral auf ein Muster, das dem Unternehmen sprachlicher Verständigung sozusagen von Anbeginn innewohnt.

(3) Nachdem wir uns einen Überblick über die sozialkognitive Ausstattung und die Perspektivenstruktur der drei Interaktionsstufen verschafft haben, möchte ich zu den soziomoralischen Perspektiven zurückkehren, aus denen Kohlberg die Stufen des moralischen Urteils unmittelbar ableitet. Kohlberg bestimmt mit Hilfe der Sozialperspektiven jene Gesichtspunkte, unter denen sich jeweils eine transitive Ordnung strittiger Interessen herstellen und eine konsensuelle Beilegung von Konflikten herbeiführen läßt. Diese Gesichtspunkte ergeben sich, wie sich nun zeigt, aus einer Kombination der jeweils verfügbaren Perspektivenstruktur mit einer entsprechenden Idee des guten und gerechten Lebens. Wie die beiden rechten Spalten der folgenden Tabelle zeigen, er-

Tab. 7. *Interaktionsstufen, Sozialperspektiven*

Kognitive Strukturen / Handlungstypen	Perspektivenstruktur	Struktur der Verhaltenserwartung	Begriff der Autorität
präkonventionell:			
autoritätsgest. Interaktion - - - - - - - - - interessengest. Kooperation	Reziproke Verknüpfung von Handlungsperspektiven	Partikulares Verhaltensmuster	Autorität von Bezugspersonen; äußerlich sanktionierte Willkür
konventionell:			
Rollenhandeln	Koordinierung von Beobachter- und Teilnehmerperspektiven	Sozial generalisierte Verhaltensmuster: soziale Rolle	Verinnerlichte Autorität überindividueller Willkür = Loyalität
normengeleitete Interaktion		Sozial generalisierte Rollen: Normensystem	Verinnerlichte Autorität des unpersönl. Kollektivwillens = Legitimität
postkonventionell:			
Diskurs	Integration von Sprecher- und Weltperspektiven	Regel zur Normprüfung: Prinzip	ideale vs. soziale Geltung
		Regel zur Prüfung von Prinzipien: Verfahren der Normenbegründung	

Begriff der Motivation	Sozialperspektiven		Stufen des moralischen Urteils
	Perspektive	Gerechtigkeitsvorstellung	
Loyalität gegenüber Personen; Orientierung an Belohnung/Bestrafung	Egozentrische Perspektive	Komplementarität von Befehl und Gehorsam	1
		Symmetrie der Entschädigungen	2
Pflicht vs. Neigung	Primärgruppenperspektive	Rollenkonformität	3
	Perspektive eines Kollektivs (system's point of view)	Konformität mit bestehendem Normensystem	4
Autonomie vs. Heteronomie	Prinzipienperspektive (prior to society)	Orientierung an Gerechtigkeitsprinzipien	5
	Prozedurale Perspektive (ideal-role-taking)	Orientierung an Verfahren der Normenbegründung	6

klärt sich die erste dieser beiden Komponenten von selbst; erklärungsbedürftig ist die andere Komponente:

Es ist nicht auf den ersten Blick ersichtlich, wie der normative Bestandteil der Sozialperspektiven, nämlich die Gerechtigkeitsvorstellung, aus der sozialkognitiven Ausstattung der entsprechenden Interaktionsstufe hervorgeht.

Zunächst muß man den von Durkheim analysierten Umstand berücksichtigen, daß das normativ integrierte Beziehungsgefüge der Gesellschaft *von Haus aus* moralischen Charakter hat. Das moralische Grundphänomen ist die verpflichtende Kraft von Normen, gegen die handelnde Subjekte verstoßen können. Deshalb enthalten alle für normenreguliertes Handeln konstitutiven Grundbegriffe bereits eine moralische Dimension, welche bei der Beurteilung von Normverstößen und Konflikten lediglich aktualisiert und ausgeschöpft wird. Mit dem Aufbau einer sozialen Welt und dem Übergang zur normengeleiteten Interaktion haben alle sozialen Beziehungen einen *implizit* sittlichen Charakter erhalten. Goldene Regeln und Gesetzesgehorsam sind ethische Imperative, die lediglich einklagen, was in sozialen Rollen und in Normen, bevor irgendein moralischer Konflikt ausbricht, bereits angelegt ist: die Komplementarität von Verhaltenserwartungen und die Symmetrie von Rechten und Pflichten.

Darüber hinaus müssen wir aber den Umstand in Betracht ziehen, daß sich der konsenssichernde Gesichtspunkt einer Konformität gegenüber Rollenerwartungen und Normen nur deshalb zwanglos aus dem sozialkognitiven Inventar ergibt, weil die soziale Welt auf der konventionellen Stufe noch in den Kontext der Lebenswelt eingebettet und mit lebensweltlichen Gewißheiten rückgekoppelt ist. Die Moralität hat sich noch nicht von der Sittlichkeit einer fraglos eingelebten partikularen Lebensform gelöst, noch nicht *als* Moralität verselbständigt. Die Pflichten sind derart in konkrete Lebensgewohnheiten eingelassen, daß sie ihre Evidenz aus Hintergrundgewißheiten beziehen können. Fragen der Gerechtigkeit stellen sich hier im Umkreis der *immer schon beantworteten* Fragen des guten Lebens. Auch die religiösen oder klassisch-philosophischen Ethiken, die diesen sittlichen Lebenszusammenhang zum Thema machen, verstehen und rechtfertigen das Moralische nicht aus ihm selber, sondern aus dem Horizont eines heilsgeschichtlich oder kosmologisch begriffenen Ganzen.

Wir haben gesehen, wie sich dieses Syndrom mit der Einführung einer hypothetischen Einstellung auflöst. Vor den reflexiven Blikken eines Diskursteilnehmers zerfällt die soziale Welt in rechtfertigungsbedürftige Konventionen; der faktische Bestand an überlieferten Normen teilt sich in soziale Tatsachen einerseits, Normen andererseits – diese haben ihre Rückendeckung durch lebensweltliche Evidenzen verloren und müssen im Lichte von Prinzipien gerechtfertigt werden. So ergibt sich die *Orientierung an Gerechtigkeitsprinzipien,* letztlich am *Verfahren des normenbegründenden Diskurses* aus der unvermeidlichen Moralisierung einer fragwürdig gewordenen sozialen Welt. Dies sind die Gerechtigkeitsvorstellungen, die auf postkonventioneller Stufe die Konformität mit Rollen und Normen ersetzen.

Auf der präkonventionellen Stufe können wir nicht in demselben Sinne von Gerechtigkeitsvorstellungen sprechen wie auf den folgenden Interaktionsstufen. Hier hat sich noch keine soziale Welt im angegebenen Sinne konstituiert. Den sozialkognitiven Begriffen, über die das Kind verfügt, fehlt eine klar geschnittene Dimension deontologischer Geltung. Gesichtspunkte, die eine sozial bindende Kraft haben, muß das Kind einem Inventar entnehmen, das reziprok verschränkte Handlungsperspektiven im Sinne von Autoritätsbeziehungen oder externen Beeinflussungen interpretiert. Die präkonventionellen *Bindungsvorstellungen* und Loyalitäten stützen sich daher entweder auf die Komplementarität von Befehl und Gehorsam oder auf die Symmetrie von Entschädigungen. Diese beiden Formen der Reziprozität bilden den naturalistischen, der Handlungsstruktur selbst innewohnenden Keim von Gerechtigkeitsvorstellungen. Diese werden aber erst auf der konventionellen Stufe *als* Gerechtigkeitsvorstellungen konzipiert. Und erst auf der postkonventionellen Stufe kommt sozusagen die Wahrheit der präkonventionellen Vorstellungswelt heraus: daß die Idee der Gerechtigkeit allein der idealisierten Form einer im Diskurs unterstellten Reziprozität entnommen werden kann.

Diese Hinweise müssen einstweilen genügen, um plausibel zu machen, daß zwischen Moralstufen und Sozialperspektiven auf der einen, Interaktionsstufen auf der anderen Seite strukturelle Beziehungen bestehen, die die in Tab. 7 vorgenommenen Zuordnungen rechtfertigen. Diese Zuordnungen können allerdings nur dann die Last einer entwicklungslogischen Begründung tragen, wenn sich für die Interaktionsstufen selbst nachweisen läßt, was ich mit dem Terminus »Stufen« bisher stillschweigend vorweggenommen habe: daß nämlich die vorgeschlagene *Hierarchisierung der Handlungstypen* einen *entwicklungslogischen* Zusammenhang zum Ausdruck bringt. Diese vorwegnehmende theoretische Charakterisierung habe ich freilich durch die Art der Einführung der Interaktionsstufen, insbesondere durch die Rekonstruktion der Übergänge von einer Stufe zur anderen evident machen wollen. Erstens ließ sich zeigen, daß aus den Elementen der Ich-Du-Perspektiven und der Beobachterperspektive immer komplexer werdende Perspektivenstrukturen aufgebaut werden, die auf das dezentrierte Weltverständnis verständigungsorientiert handelnder Subjekte abzielen. Unter dem Gesichtspunkt einer *fortschreitenden Dezentrierung des Weltverständnisses* bringen die Interaktionsstufen eine gerichtete und kumulative Entwicklung zum Ausdruck. Zweitens haben wir die Interaktionsstufen anhand bestimmter Koordinationsleistungen voneinander diskriminiert. Auf der präkonventionellen Stufe werden die Handlungsperspektiven verschiedener Teilnehmer reziprok aufeinander bezogen. Auf der konventionellen Stufe wird mit diesen Teilnehmerperspektiven eine Beobachterperspektive verknüpft. Schließlich werden die auf dieser Grundlage ausgebildeten Systeme von Sprecher- und Weltperspektiven miteinander integriert. Diese *Einschnitte* sprechen dafür, daß die Perspektivenstrukturen, die aufeinander folgen, *diskrete Ganzheiten* bilden. Drittens haben wir gesehen, daß im normenregulierten Handeln der in den präkonventionellen Handlungstypen ausgeprägte Gegensatz zwischen autoritätsgesteuerter Komplementarität und interessengesteuerter Symmetrie ebenso überwunden wird wie im Argumentationsspiel der im Verhältnis von normenreguliertem und strategischem Handeln aufbrechende Gegensatz zwischen Konsens- und Erfolgsorientierung. Dieser Umstand scheint zu bestätigen, daß auf der jeweils höheren Stufe die kognitiven Strukturen der niedrigeren Stufe ersetzt, aber in reorganisierter Form auch aufbewahrt werden. Dieses schwer zu analysierende Verhältnis der *»Aufhebung« überwundener Strukturen* müßte freilich an der Umformung der sozialkognitiven Ausstattung im einzelnen nachgewiesen werden.

Immerhin können wir innerhalb einzelner Dimensionen gewisse Trends feststellen. So lassen sich beispielsweise aus den einfacheren Strukturen der *Verhaltenserwartung* die komplexeren Strukturen durch Selbstanwendung und Generalisierung gewinnen: die sozial verallgemeinerte Erwartung von reziprok verknüpften Verhaltenserwartungen ergibt Normen; die generalisierte Selbstanwendung von Normen ergibt Prinzipien, mit denen andere Normen normiert werden können. In ähnlicher Weise gehen die komplexeren Begriffe der *Normgeltung* und der *Autonomie* aus den einfacheren Begriffen der imperativischen Willkür und der persönlichen Loyalität bzw. der Lust/Unlust-Orientierung hervor. Die zentrale Bedeutungskomponente des jeweils elementareren Begriffs wird so dekontextualisiert und verschärft, daß aus der Begriffsperspektive des höherstufigen Konzepts das überwundene Konzept zum *Gegenbegriff* stilisiert wird. Beispielsweise verwandelt sich die Autoritätsausübung der Bezugsperson auf der nächsten Stufe in die *bloße* Willkür, die mit legitimer Willensäußerung kontrastiert; aus persönlichen Loyalitäten oder Lust/Unlust-Orientierungen werden *bloße* Neigungen, die mit Pflichten kontrastieren. Entsprechend wird die Legitimität von Handlungsnormen auf der nächsten Stufe als eine nur noch faktische, *bloß* soziale Geltung konzipiert, die der idealen Geltung entgegengesetzt ist, während das Handeln aus konkreten Pflichten nun als etwas Heteronomes gilt, dem die Autonomie gegenübersteht.

Eine ähnliche Dichotomisierung und Entwertung vollzieht sich beim Übergang vom Konzept der äußerlich imponierten Strafe zu Konzepten der Scham und der Schuld, oder beim Übergang vom Konzept der natürlichen Identität zu Rollen- und Ich-Identität.[43] Diese Hinweise sind programmatischer Natur. Es bedürfte eines präzisierten Begriffs von Entwicklungslogik, um diese Art von Analysen ernsthaft durchführen und um zeigen zu können, wie die sozialkognitive Ausstattung der elementaren Stufe den rekonstruierenden Operationen der Selbstanwendung (Reflexivität), der Verallgemeinerung und der idealisierenden Abstraktion unterworfen wird.

Rückblickend auf den Gang der bisherigen Überlegungen zeigen sich die Interpretationsvorteile, die sich bieten, wenn man die Moralentwicklung in den Rahmen einer Theorie des kommunikativen Handelns stellt – Vorteile sowohl für die Präzisierung der Zusammenhänge zwischen moralischem Urteil und sozialer Kognition wie für eine entwicklungslogische Begründung der Moralstufen.

Zunächst hat sich die Variationsbreite von Interaktionstypen gezeigt, in denen jeweils dieselben Perspektivenstrukturen verkörpert sind. Ein vollständig dezentriertes Weltverständnis entwikkelt sich nur auf der Linie der nicht durch Konkurrenz bestimmten Verhaltensbereiche. Es wird beim Übergang vom konventionellen Handeln zur diskursiven Rede reflexiv. Die Fortsetzung kommunikativen Handelns mit argumentativen Mitteln kennzeichnet eine Stufe der Interaktion, die Anlaß gibt, über die von Selman untersuchten Stufen der Perspektivenübernahme hinauszugehen. Die in der Argumentation vollzogene Integration von Welt- und Sprecherperspektiven bildet die Nahtstelle zwischen sozialer Kognition und postkonventioneller Moral.

Diese Klärungen waren von Vorteil bei dem Versuch, die Moralstufen entwicklungslogisch zu begründen. Kohlbergs Sozialperspektiven, die diese Beweislast tragen sollen, können, wie wir gesehen haben, Interaktionsstufen zugeordnet werden, die nach Perspektivenstrukturen und Grundbegriffen hierarchisch angeordnet sind. Dabei wird vor allem klar, wie sich die Gerechtigkeitsvorstellungen den Reziprozitätsformen der jeweiligen Interaktionsstufen verdanken. Mit dem Übergang vom normenregulierten Handeln zum praktischen Diskurs ergeben sich die Grundbegriffe einer prinzipiengeleiteten Moral unmittelbar aus der entwicklungslogisch notwendigen Reorganisation der verfügbaren sozialkognitiven Ausstattung. Mit diesem Schritt wird die soziale Welt moralisiert, wobei die in soziale Interaktionen eingebauten und immer abstrakter herausgearbeiteten Formen der Reziprozität den gleichsam naturalistischen Kern des moralischen Bewußtseins bilden.

Ob sich die hier geltend gemachten Interpretationsgewinne auch forschungsstrategisch auszahlen, muß sich auf einer anderen Ebene zeigen. Fürs erste möchte ich die vorgeschlagenen Rekonstruktionen nur benützen, um einige Schwierigkeiten aufzuklären, mit denen Kohlbergs Theorie in den letzten Jahren zu kämpfen hatte.[43a]

V. Anomalien und Probleme – ein Beitrag zur Theoriekonstruktion

Die Diskussion des Kohlbergschen Ansatzes konzentriert sich heute vor allem auf *vier Probleme*. Da es bisher nicht gelungen ist, die hypothetisch eingeführte sechste Stufe des moralischen Urteils experimentell nachzuweisen, fragt es sich, ob und gegebenenfalls in welchem Sinne auf der postkonventionellen Ebene überhaupt von *natürlichen* Stufen die Rede sein kann. Ferner haben die in der Postadoleszenz, d. h. im dritten Lebensjahrzehnt auftretenden Fälle von Regression Zweifel aufkommen lassen, ob der *normative Bezugspunkt der Moralentwicklung* richtig gewählt ist, d. h. vor allem: ob sich die Urteils- und Handlungsfähigkeit des moralisch reifen Erwachsenen im Lichte kognitivistischer und formalistischer Theorien angemessen bestimmen lassen. Sodann besteht nach wie vor das Problem, wie die Gruppe der *Relativisten* oder der *Wertskeptiker* im Stufenmodell untergebracht werden kann. Und schließlich ist die Frage offen, wie die strukturalistische Theorie so mit ich-psychologischen Erkenntnissen verbunden werden kann, daß auch die *psychodynamischen Aspekte der Urteilsbildung* zu ihrem Recht kommen. Die Natur dieser Probleme läßt sich besser verstehen, wenn man sich klar macht: welche Freiheitsgrade der Heranwachsende mit dem Übergang vom normenregulierten Handeln zum Diskurs und mit dem Abstand von einer naturwüchsig eingebetteten sozialen Welt gewinnt (1); welche Probleme der Vermittlung zwischen Moralität und Sittlichkeit auftreten, sobald die soziale Welt moralisiert und vom Zustrom lebensweltlicher Gewißheiten abgeschnitten wird (2); welchen Ausweg der Heranwachsende sucht, wenn er bei einer Distanzierung von der entwerteten Traditionswelt der Normen stehenbleibt, ohne den weiteren Schritt zu tun, die sozialkognitive Ausstattung der konventionellen Stufe insgesamt zu reorganisieren (3); und welche Diskrepanzen zwischen moralischen Urteilen und Handlungen auftreten müssen, wenn die Trennung von erfolgs- und verständigungsorientierten Einstellungen mißlingt (4).

(1) Kohlberg hat sein Auswertungsschema während der letzten Jahrzehnte wiederholt revidiert. Ob die jüngste Auswertungsmethode, der das Standard Form Scoring Manual[44] zugrunde liegt, in jeder Hinsicht eine Verbesserung darstellt, ist eine Frage, die ich nicht ohne weiteres bejahen würde; die in der Piaget-Tradition entwickelten Theorien verlangen beim Verkoden der Antworten eine theoretisch angeleitete hermeneutische Auslegung, die gerade nicht narrensicher, d. h. mit dem Ziel der Neutralisierung eines

hochkomplexen Vorverständnisses operationalisiert werden kann. Wie dem auch sei, die neuerliche Auswertung des Interviewmaterials hat Kohlberg gezwungen, die zunächst eingeführte Stufe 6 wegzulassen, weil sich dafür in den Längsschnittuntersuchungen (in den USA, Israel und der Türkei) keine Evidenzen mehr finden ließen. Heute zögert er, die Frage zu entscheiden, ob es sich bei Stufe 6 um eine psychologisch identifizierbare natürliche Stufe oder um eine »philosophische Konstruktion« handelt.[45] Eine Revision müßte freilich, wenn sie nicht nur durch Meßprobleme begründet sein sollte, auch den Status der Stufe 5 berühren. Sobald wir nämlich den Versuch, auf postkonventioneller Ebene überhaupt noch Stufen zu differenzieren, aufgeben, drängt sich die Frage auf, ob prinzipiengeleitete moralische Urteile *in demselben Sinne* eine natürliche Stufe repräsentieren wie die als präkonventionell und konventionell eingestuften Urteile.

Im Lichte der Diskursethik habe ich bereits stillschweigend eine *andere* Interpretation der beiden letzten Moralstufen vorgenommen und zwischen der Orientierung an allgemeinen Prinzipien einerseits, der Orientierung an Verfahren zur Begründung möglicher Prinzipien andererseits unterschieden (Tab. 7). Dabei begründet die Art der Prinzipien, ob sie sich nun utilitaristischen, naturrechtlichen oder kantianischen Ethiken zurechnen lassen, keine Stufendifferenz mehr. Eine relevante Unterscheidung ergibt sich nach diesem Vorschlag allein zwischen zwei *Reflexionsstufen*. Auf Stufe 5 gelten die Prinzipien als ein Letztes, das keiner weiteren Begründung bedarf, während auf Stufe 6 diese Prinzipien nicht nur flexibel gehandhabt, sondern ausdrücklich an Prozeduren der Rechtfertigung relativiert werden. Diese Reflexionsstufendifferenz muß allerdings im Rahmen einer bestimmten normativen Theorie geltend gemacht werden. Es muß gezeigt werden, daß eine Person, die der legitimierenden Kraft des Begründungsverfahrens und nicht nur der Evidenz allgemeiner Prinzipien vertraut, skeptischen Einwänden besser entgegnen – und insofern auch konsequenter urteilen kann. Andererseits gibt es philosophische Ethiken, die diesen Prozeduralismus bestreiten und darauf beharren, daß ein Verfahren der moralischen Begründung keinen anderen Status hat, und auch nicht mehr leistet, als ein universales sittliches Prinzip. Solange dieser Streit unter Philosophen nicht beigelegt ist, sollten Grundannahmen der Diskursethik an dem Platz, wo sie mit anderen philosophischen Auffassungen konkurrieren, verteidigt und nicht naturalistisch, als Aussagen über natürliche Stufen des moralischen Bewußtseins, verstanden werden. Jedenfalls lassen sich der Diskursethik selber keine Gründe für eine (reifizierende?) Deutung entnehmen, die für *Reflexionsstufen* den Status natürlicher, intrapsychisch repräsentierter *Entwicklungsstufen* in Anspruch nimmt.

Wenn aber empirische Evidenzen für die Annahme mehrerer postkonventioneller Stufen fehlen, wird auch die Beschreibung problematisch, die Kohlberg von Stufe 5 gibt. Es besteht mindestens der Verdacht, daß die Ideen des Gesellschaftsvertrages und des größten Nutzens der größten Zahl spezifischen, vor allem in angelsächsischen Ländern verbreiteten Traditionen verhaftet sind und eine bestimmte kulturspezifische inhaltliche Ausprägung prinzipiengeleiteten moralischen Urteilens darstellen.

Im Anschluß an Bedenken von John C. Gibbs macht Thomas A. McCarthy zudem darauf aufmerksam, daß sich das Verhältnis des moraltheoretisch informierten Psychologen zu seinen Versuchspersonen in einer methodisch relevanten Weise ändert, sobald diese die postkonventionelle Ebene erreichen und eine hypothetische Einstellung zu ihrer sozialen Welt einnehmen: »The suggestion I should like to advance is that Kohlberg's account places the higher-stage moral subject, at least in point of competence, at the same reflective or discursive level as the moral psychologist. The subject's thought is now marked by the decentration, differentiation and reflexivity which are the conditions of entrance into the moral theorist's sphere of argumentation. Thus the asymmetry between the pre-reflective and the reflective, between theories-in-action and explications, which underlies the model of reconstruction begins to break down. The subject is now in a position to argue with the theorist about questions of morality.«[46]

Im selben Zusammenhang zieht McCarthy eine Parallele zwischen soziomoralischer und kognitiver Entwicklung: »Piaget views the underlying functioning of intelligence as unknown to the individual at lower stages of cognition. At superior levels, however, the subject may reflect on previously tacit thought operations and the implicit cognitive achievements of earlier stages, that is, that he or she may engage in epistemological reflection. And this places the subject, at least in point of competence, at the same discursive level as the cognitive psychologist. Here, too, asymmetry between the subject's pre-reflective know-how and the investigator's reflective know-that begins to break down. The subject is now in a position to argue with the theorist about the structure and conditions of knowledge.«[47] Auf der Ebene formaler Operationen hat sich der Erwachsene das intuitive Wissen, mit dem er seine Aufgaben erfolgreich bewältigt hatte, reflexiv angeeignet. Damit hat er die Fähigkeit erworben, konstruktive Lernprozesse mit Mitteln der Rekonstruktion fortzusetzen. Grundsätzlich fallen nun auch die rekonstruktiven Wissenschaften in seinen Kompetenzbereich.

Daraus ergibt sich für die Methodologie dieser Wissenschaften die Konsequenz, daß der Psychologe, der seine Annahmen über das formal-operationale Stadium prüfen will, auf Versuchspersonen angewiesen ist, die er prinzipiell als *ebenbürtige* Teilhaber am Geschäft dieser wissenschaftlichen Rekonstruktion behandeln muß. Die Theorie selbst belehrt ihn darüber, daß auf dieser Stufe die Asymmetrie verschwindet, die auf den vorangegangenen Stufen zwischen den präreflexiven Leistungen und dem Versuch ihrer reflexiven Erfassung bestanden hatte. Solange der rekonstruktiv verfahrende Psychologe sich selbst im offenen Horizont eines Forschungsprozesses stehen sieht, dessen Ergebnisse nicht antizipiert werden können, muß er auch Versuchspersonen der höchsten Kompetenzstufe *den gleichen Standort* zugestehen.

Das gleiche gilt für diejenigen Befragten, die die ihnen vorgelegten moralischen Dilemmata aus der Einstellung eines postkonventionell urteilenden Diskursteilnehmers beantworten. Soweit diese grundsätzlich die Perspektive des befragenden Moralpsychologen teilen, haben ihre moralischen Urteile nicht mehr nur den Charakter von Äußerungen, die naiv mit Hilfe eines intuitiven Regelverständnisses generiert sind. Die postkonventionellen Versuchspersonen werden in das Geschäft der Moralphilosophie, nämlich in die Rekonstruktion der zugrundeliegenden moralischen Alltagsintuitionen soweit hineingezogen, daß ihre moralischen Urteile nicht mehr nur ein vortheoretisches Wissen *widerspiegeln,* d. h. präreflexiv zum Ausdruck bringen, sondern als ein im Ansatz theoretisches Wissen *explizieren.* Prinzipiengeleitete moralische Urteile sind nicht ohne erste Schritte der Rekonstruktion der zugrundeliegenden moralischen Intuitionen möglich und haben daher in nuce bereits den Sinn moraltheoretischer Urteile. Sobald das postkonventionelle Denken aus der Traditionswelt der Normen herausgetreten ist, bewegt es sich in derselben Arena, in der

der Streit der Moraltheoretiker stattfindet; dieser Streit wird durch historische Erfahrungen angetrieben und – for the time being – durch philosophische Argumente entschieden, nicht durch die psychologisch identifizierten Entwicklungspfade.

(2) Der zweite Problemkomplex, der in den letzten Jahren eine umfangreiche Diskussion ausgelöst hat, ist nicht leicht zu entwirren. Die Diskussion ist durch Beiträge von N. Haan[48] und C. Gilligan[49] ausgelöst worden. Den unmittelbaren Anlaß gaben Zweifel, ob nicht in bestimmten kritischen Fällen die Einstufung moralischer Urteile nach dem Kohlbergschema zu weit von dem intuitiven Verständnis eines moralisch sensiblen Auswerters abführt. Dabei handelt es sich einerseits um Frauen, deren Äußerungen der Stufe 3 zugeordnet werden müssen, obgleich sie die Vermutung einer größeren moralischen Reife für sich haben sollen; andererseits um Versuchspersonen, die als relativistische Wertskeptiker eingestuft werden (nach Stufe 4½, s. unten), obwohl ihre Äußerungen eher reifer erscheinen als die üblichen postkonventionellen Urteile. Gilligan und Murphy erinnern daran, daß nach Kohlbergs Maßstäben im Schnitt mehr als die Hälfte der US-Bevölkerung hinter der postkonventionellen Ebene des moralischen Bewußtseins zurückbleiben würden. Vor allem aber verweisen sie auf den Befund, daß die Mehrheit eines Samples von 26 Versuchspersonen, die nach dem revidierten Auswertungsverfahren zunächst als postkonventionell eingestuft worden waren, später auf relativistische Positionen (4½) zurückfielen.[50] Obwohl Kohlberg die Fakten, auf die sich seine Kritiker in erster Linie stützen – die Überrepräsentanz weiblicher Versuchspersonen auf den niederen Stufen und Fälle von theoretisch nicht erklärbaren Regressionen – bestreitet[51], hat die Diskussion die Aufmerksamkeit auf Probleme gelenkt, die, in der Sprache der philosophischen Tradition, mit dem Verhältnis von Moralität und Sittlichkeit zusammenhängen.

Gilligan und Murphy behaupten (im Anschluß an eine Monographie von Perry zur Überwindung absolutistischen Denkens in der späten Adoleszenz[52] und in Anlehnung an Riegels Annahmen über postformale Operationen[53]) einen postkonventionellen Entwicklungspfad von Kohlbergs Stufen 5/6 (postconventional formal: PCF) zu einer Stufe, die sie »kontextuellen Relativismus« nennen (postconventional contextual: PCC). Auf dieser Stufe lernt der in Konflikten und Erfahrungen moralisch gereifte Erwachsene, wie er die Abstraktionen überwinden kann, mit denen eine streng deontologische, den Gesichtspunkt normativer Richtigkeit verabsolutierende Gerechtigkeitsmoral Kantischer Prägung behaftet ist. Diese *relativistische Verantwortungsethik* stellt sich auf reale, nicht nur auf hypothetisch erwogene Dilemmata ein; sie berücksichtigt die Komplexitäten gelebter Situationen; verbindet den Aspekt der Gerechtigkeit mit Aspekten der Fürsorge und der Verantwortung für anvertraute Personen; und verlangt über den abstrakten Begriff der Autonomie hinaus ein umfassenderes Konzept der reifen Persönlichkeit: »While the logical concepts of equality and reciprocity can support a principled morality of universal rights and respect, experiences of moral conflict and choice seem to point rather to special obligations and responsibility for consequences that can be anticipated and understood only within a more contextual frame of reference. The balancing of these two points of view appeared to us to be the key to understanding adult moral development. In our view, this would require a restructuring of moral thought which would include but supersede the principled understanding of Kohlberg's highest stages.«[54] Dabei wird die Position des Verantwortungsethikers von der des Wertskeptikers (im Übergangsstadium $4^1/_2$) unterschieden; wohl sind beide relativistisch, aber nur der kontextuelle Relativismus stützt sich auf, und überwindet gleichzeitig, den ethischen Formalismus.

Aus der Sicht der Diskursethik stellen sich die Dinge etwas anders dar. Gilligan und Murphy behandeln tatsächlich Folgeprobleme eines gelungenen Übergangs zur prinzipiengeleiteten Moral. Diese geht, wie wir gesehen haben, aus einer eigentümlichen Abstraktionsleistung hervor, welche die soziale Welt als die Gesamtheit legitim geordneter interpersonaler Beziehungen ihrer naturwüchsigen Stabilität beraubt und unter Rechtfertigungszwang setzt. Die soziale Welt verdankt zunächst ihre unerschütterliche Faktizität der Einbettung in naiv eingewöhnte, konkrete Lebensformen, die den handelnden Subjekten als fragloser, präreflexiv gegenwärtiger Hintergrund im Rücken bleiben. Die kommunikativ Handelnden haben von den bestehenden institutionellen Ordnungen, auf die sie sich mit ihren Sprechhandlungen beziehen, ein explizites Wissen; dieses Wissen bleibt aber, auf konventioneller Stufe, mit den impliziten Hintergrundgewißheiten partikularer Lebensformen so eng verwoben, daß dem intersubjektiv anerkannten Normenbestand absolute Gültigkeit zuwächst. Wenn nun die soziale Welt aus der hypothetischen Einstellung des Diskursteilnehmers moralisiert und damit aus der lebensweltlichen Totalität herausgehoben wird, löst sich jene Fusion zwischen Gültigkeit und sozialer Geltung auf. Gleichzeitig zerfällt die Einheit der Praxis eingelebter Alltagskommunikationen in Normen und Werte, also in jenen Teil des Praktischen, der unter dem Gesichtspunkt deontologischer Geltung der Forderung moralischer Rechtfertigung unterworfen werden kann, und in einen anderen, nicht moralisierungsfähigen Teil des Praktischen, der die besonderen, zu kollektiven und individuellen Lebensweisen integrierten Wertkonfigurationen umfaßt.

Die in Totalitäten von Lebensformen und Lebensgeschichten zusammengewachsenen und verkörperten kulturellen Werte durchziehen das Gewebe einer existenzprägenden und identitätssichernden kommunikativen Alltagspraxis, von der sich die handelnden Subjekte nicht in gleicher Weise distanzieren können wie von den institutionellen Ordnungen ihrer sozialen Welt. Auch kulturelle Werte transzendieren die faktischen Handlungsabläufe; sie verdichten sich zu den historischen und lebensgeschichtlichen Syndromen von Wertorientierungen, in deren Licht die Subjekte das »gute Leben« von der Reproduktion ihres »nackten Lebens« unterscheiden können. Aber die Ideen des guten Lebens sind keine Vorstellungen, die als ein abstraktes Sollen bloß vorschweben; sie prägen die Identität von Gruppen und Individuen derart, daß sie einen integrierten Bestandteil der jeweiligen Kultur und der Persönlichkeit bilden. Wer Lebensformen in Frage stellt, in denen sich die eigene Identität gebildet hat, muß die eigene Existenz in Frage stellen. Die Distanz, die in solchen Lebenskrisen hergestellt wird, ist von anderer Art als der Abstand des normprüfenden Diskursteilnehmers von der Faktizität bestehender Institutionen.

So geht die Herausbildung des moralischen Gesichtspunktes mit einer Differenzierung innerhalb des Praktischen Hand in Hand: die *moralischen Fragen*, die unter dem Aspekt der Verallgemeinerungsfähigkeit von Interessen oder der *Gerechtigkeit* grundsätzlich rational entschieden werden können, werden nun von den *evaluativen Fragen* unterschieden, die sich unter dem allgemeinsten Aspekt als Fragen des *guten Lebens* darstellen und die einer rationalen Erörterung nur *innerhalb des* Horizonts einer geschichtlich konkreten Lebensform oder einer individuellen Lebensführung zugänglich sind. Die konkrete Sittlichkeit einer naiv eingewöhnten Lebenswelt läßt sich dadurch charakterisieren, daß moralische Fragen mit evaluativen Fragen noch ein unauflösliches Syndrom bilden, während sich in einer rationalisierten Lebenswelt die moralischen Fragen gegenüber den Problemen des guten Lebens verselbständigen – sie müssen zunächst autonom, d. h. *als* Gerechtigkeitsfragen beantwortet werden. In diesem »zunächst« kommt das Problem zum Vorschein, das unter dem Titel der »Verantwortungsethik« behandelt wird.

Der Rationalitätsgewinn, den die Isolierung von Gerechtigkeitsfragen einbringt, fordert nämlich auch einen Preis. Fragen des guten Lebens haben den Vorzug, daß sie aus dem Horizont lebensweltlicher Gewißheiten beantwortet werden können. Sie stellen sich von vornherein als kontextgebundene und daher als *konkrete* Fragen. Die entsprechenden Antworten behalten die *handlungsmotivierende* Kraft einer in diesen Kontexten stets vorausgesetzten Lebensform. Im Rahmen konkreter Sittlichkeit, in dem sich die konventionelle Moral bewegt, entlehnen moralische Urteile sowohl die Konkretheit wie die handlungsmotivierende Kraft ihrer intrinsischen Verbindung mit den Ideen des guten Lebens und der institutionalisierten Sittlichkeit. Die Problematisierung reicht auf dieser Stufe nicht so tief, daß sie die Vorzüge einer existierenden Sittlichkeit verspielen könnte. Mit dem Übergang zur postkonventionellen Moral tritt aber genau dies ein. Jene Abstraktionsleistung, die die soziale Welt moralisiert und damit von ihrem lebensweltlichen Hintergrund trennt, hat zwei Konsequenzen: unter streng deontologischen Gesichtspunkten werden die moralischen Fragen aus ihren Kontexten so herausgenommen, daß die moralischen Antworten nur mehr die rational motivierende Kraft von Einsichten zurückbehalten.

Nun stellen sich aber moralische Fragen niemals um ihrer selbst willen; sie treten mit dem Interesse auf, Handlungsanleitungen zu gewinnen. *Deshalb müssen die demotivierten Antworten auf dekontextualisierte Fragen in die Praxis zurückgeführt werden.* Die Moralität muß die Einbußen an konkreter Sittlichkeit, die sie um des kognitiven Vorteils willen zunächst in Kauf nimmt, wettmachen, um praktisch wirksam zu werden. Die demotivierten Antworten auf dekontextualisierte Fragen können praktische Wirksamkeit nur erlangen, wenn *zwei Folgeprobleme* gelöst werden: die Abstraktion von den Handlungskontexten muß ebenso rückgängig gemacht werden wie die Trennung der rational motivierenden Einsichten von den empirischen Einstellungen. Jede kognitivistische Moral wird den Handelnden mit den Fragen der *situationsspezifischen Anwendung* und der *motivationalen Verankerung* moralischer Einsichten konfrontieren.[55] Und beide Probleme können nur gelöst werden, wenn zum moralischen Urteil etwas *hinzutritt*: die hermeneutische Anstrengung und die Verinnerlichung von Autorität.

Die Konstruktion der »Stufe« des kontextuellen Relativismus verdankt sich einer Verkennung des Grundproblems, wie Sittlichkeit und Moral zu vermitteln sind. C. Gilligan trennt zunächst nicht hinreichend zwischen dem *kognitiven Problem* der Anwendung und dem *motivationalen Problem* der Verankerung moralischer Einsichten. Deshalb tendiert sie dazu, den postkonventionellen Formalismus (PCF) vom postkonventionellen Kontextualismus (PCC) nach Bezügen zu hypothetisch erwogenen vs. aktuellen Handlungssituationen zu unterscheiden. Die Frage, ob ich das, was ich tun soll, auch tun würde, betrifft aber nur die motivationale Seite des Vermittlungsproblems. Die andere Seite dieses Problems ist kognitiver Natur: wie muß ich das allgemeine Gebot, das nur sagt, was ich tun soll, in der gegebenen Situation verstehen, um danach handeln zu können.

Zweitens verkennt C. Gilligan, daß sich beide Probleme erst stellen, nachdem Moral von Sittlichkeit abstrahiert und die moralphilosophische Grundfrage nach der Begründbarkeit von Normen im Sinne einer kognitivistischen Ethik beantwortet worden ist. Die Frage der kontextspezifischen Anwendung allgemeiner Normen darf mit der Begründungsfrage nicht zusammengeworfen werden. Weil moralische Normen nicht schon die Regeln ihrer Anwendung enthalten, erfordert ein Handeln aus moralischer Einsicht zusätzlich das Vermögen hermeneutischer Klugheit oder, in den Worten Kants, reflektierende Urteilskraft. Daraus ergeben sich aber keineswegs Konsequenzen, die die vorgängig getroffene Entscheidung für eine universalistische Position in Frage stellen müßten.[56]

Drittens soll der kontextuelle Relativismus Mängel ausgleichen, die auf der postkonventionellen Ebene des moralischen Urteils auftreten, wenn die beiden genannten Folgeprobleme nicht bewältigt werden. Von *moralischem Rigorismus* können wir dann sprechen, wenn die hermeneutische Sensibilität für das Anwendungsproblem fehlt und wenn abstrakte moralische Einsichten unvermittelt konkreten Situationen übergestülpt werden – fiat justitia pereat mundus. Max Webers Kontrastierung von Gesinnungs- und Verantwortungsethik lebt zu einem guten Teil von dieser populären Kantkritik. Von *Intellektualisierung* sprechen wir dann, wenn moralische Abstraktionen Abwehrfunktionen erfüllen. C. Gilligan neigt dazu, diese *Defizienzen* fälschlich zu Merkmalen einer *normalen* Stufe postkonventionellen Denkens (PCF) zu stilisieren.

Schließlich verbindet sie die Unterscheidung zwischen PCF und PCC mit dem Gegensatz zwischen einer Orientierung an Gerechtigkeit einerseits, einer Orientierung an Fürsorge und Verantwortung für einen bestimmten Personenkreis andererseits, und vertritt die Hypothese, daß diese beiden Orientierungen nach Geschlechtern ungleich verteilt sind.

Wenn man sich hingegen klar macht,
- daß sich der »moralische Gesichtspunkt« im strengen Sinne erst mit dem Übergang von der zweiten zur dritten Interaktionsstufe dadurch konstituiert,
- daß die soziale Welt aus der hypothetischen Einstellung eines Argumentationsteilnehmers moralisiert und von der Lebenswelt abgespalten wird;
- daß die deontologische Abstraktion Gerechtigkeitsfragen von Fragen des guten Lebens trennt;
- daß damit moralische Fragen von ihren Kontexten ebenso wie moralische Antworten von empirischen Motiven entkoppelt werden;
- und daß sich aus diesen Entkoppelungen die Notwendigkeit ergibt, moralische Einsichten kontextspezifisch anzuwenden und in besonderer Weise motivational zu verankern;

dann verlangt die Lösung dieser Probleme eine Vermittlung von Moralität und Sittlichkeit, die über das, was moralische Urteile im Sinne einer deontologischen Ethik leisten können, hinausgeht. Deshalb ist es nicht sinnvoll, die Stufen des moralischen Urteils ergänzen oder revidieren zu wollen. Jene beiden Probleme liegen auf einer anderen Ebene als die moralische Urteilsfähigkeit; sie erfordern eine andere Kategorie von Leistungen, nämlich Kontextsensibilität und Klugheit auf der einen, autonome Selbststeuerung auf der anderen Seite. Die kritischen Beiträge zu der von C. Gilligan ausgelösten Diskussion[57] lassen sich unter diesen Gesichtspunkten zusammenfassen.

Das kognitive Problem der Anwendung

(a) Diejenigen, die Kohlbergs Moralstufen entweder um eine weitere postkonventionelle Stufe (C. Gilligan) oder um eine parallel eingeführte Hierarchie von Stufen (N. Haan) ergänzen möchten, unterscheiden nicht hinreichend zwischen moralischen und evaluativen Fragen, zwischen Gerechtigkeitsfragen und Fragen des guten Lebens. Im Hinblick auf die individuelle Lebensführung entspricht dem die Unterscheidung zwischen Aspekten der Selbstbestimmung und der Selbstverwirklichung.[58] Oft stellen sich Fragen der Präferenz von Lebensformen oder Lebenszielen (Ich-Ideale), auch Fragen der Bewertung von Charakteren und Handlungsweisen erst, nachdem die im engeren Sinne moralischen Fragen beantwortet sind.[59] Im übrigen läßt die diskursethische Bestimmung des moralischen Gesichtspunktes neben Gerechtigkeit oder normativer Richtigkeit *gleichrangig* konkurrierende Gesichtspunkte nicht zu. Wenn gültige Normen verallgemeinerungsfähige Interessen verkörpern müssen, ist in der Bedeutung normativer Geltung das Prinzip der allgemeinen Wohlfahrt (Frankenas principle of beneficence[60]) oder das der nicht-privilegierenden Fürsorge bzw. Verantwortung für andere (care and responsibility – soweit diese Ausdrücke *moralische* Prinzipien bezeichnen) schon berücksichtigt.

(b) Die diskursethische Fassung des Moralprinzips schließt auch eine gesinnungsethische Verengung des moralischen Urteils aus. Die Berücksichtigung der Folgen und Nebenwirkungen, die sich aus der allgemeinen Anwendung einer strittigen Norm in bestehenden Kontexten voraussichtlich ergeben, bedarf keiner *zusätzlichen* verantwortungsethischen Gesichtspunkte. Freilich verlangt auch die diskursethisch ausgelegte praktische Vernunft praktische Klugheit bei der Regelanwendung. Aber die Inanspruchnahme dieses Vermögens bannt die praktische Vernunft nicht in den Horizont einer bestimmten Epoche oder einer besonderen Kultur. Auch in der Dimension der Anwendung sind Lernprozesse möglich, die vom universalistischen Gehalt der anzuwendenden Norm geleitet sind.

(c) Die ideale Rollenübernahme dient als Stichwort für einen prozeduralen Begründungstypus. Sie verlangt anspruchsvolle kognitive Operationen. Diese stehen wiederum in internen Beziehungen zu Motiven und Gefühlseinstellungen wie z. B. der Empathie. Anteilnahme am Schicksal des »Nächsten«, der oft der Fernste ist, ist in Fällen soziokultureller Distanz eine notwendige emotionale Bedingung für die vom Diskursteilnehmer erwarteten kognitiven Leistungen. Ähnliche Verbindungen zwischen Kognition, Einfühlungsvermögen und Agape können für die hermeneutische Leistung der kontextsensitiven Anwendung allgemeiner Normen geltend gemacht werden. Diese Integration von Erkenntnisleistungen und Gefühlseinstellungen bei der Begründung und der Anwendung von Normen kennzeichnet jedes *ausgereifte* moralische Urteilsvermögen. Erst dieses Konzept der Reife macht die Erscheinungen des moralischen Rigorismus als Beeinträchtigungen des Urteilsvermögens sichtbar; es muß aber nicht im Sinne des Gegensatzes zwischen Liebes- und Gesetzesethik *von außen* ans postkonventionelle Denken herangetragen werden, sondern sollte sich aus einer angemessenen Beschreibung der höchsten Moralstufe selber ergeben.[61]

Das motivationale Problem der Verankerung

(a) Diejenigen, die Kohlbergs Moralstufen im erwähnten Sinne ergänzen möchten, unterscheiden nicht hinreichend zwischen Moral- und Ich-Entwicklung. Der moralischen Urteilsfähigkeit entsprechen im Persönlichkeitssystem Verhaltenskontrollen oder Über-Ich-Strukturen. Diese bilden sich auf höheren Stufen allein in der Distanzierung von und der Auseinandersetzung mit der sozialen Welt, also dem normativ integrierten Beziehungsgefüge der jeweiligen gesellschaftlichen Umgebung; die Strukturen des Über-Ichs lassen sich in sozialkognitiven Grundbegriffen des normenregulierten Handelns analysieren. Die Identität des Ichs bildet sich hingegen in den komplexeren Zusammenhängen kommunikativen Handelns, nämlich im Umgang mit dem Gefüge der objektiven, sozialen und subjektiven Welt, das sich aus lebensweltlichen Kontexten nach und nach ausdifferenziert.[62]

(b) Die postkonventionelle Entflechtung von Moral und Sittlichkeit bedeutet den Verlust der Deckung moralischer Grundauffassungen durch kulturelle Selbstverständlichkeiten, lebensweltliche Gewißheiten überhaupt. Damit trennen sich auch die Einsichten von den kulturell eingewöhnten empirischen Motiven. Um das dadurch entstehende Gefälle zwischen moralischen Urteilen und moralischen Handlungen auszugleichen, bedarf es eines Systems von inneren Verhaltenskontrollen, das auf prinzipiengeleitete moralische Urteile, also auf motivbildende Überzeugungen anspringt und *Selbststeuerung* ermöglicht; es muß autonom, nämlich unabhängig vom sanften, aber externen Druck faktisch anerkannter, legitimer Ordnungen funktionieren. Diesen Bedingungen genügt nur die vollständige Internalisierung von wenigen hochabstrakten und allgemeinen Prinzipien, die sich, wie die Diskursethik erklärt, als Implikate eines Verfahrens der Normbegründung zu erkennen geben. Nun können diese postkonventionellen Über-Ich-Strukturen u. a. dadurch *getestet* werden, daß man Antworten auf Fragen vom Typus »was soll ich tun?« durch Antworten auf Fragen des Typus »Was würde ich tun?« kontrolliert. Auch solche »Verantwortungsurteile«, mit denen der Befragte die *Absicht* oder die *Zuversicht* äußert, in Übereinstimmung mit seinen moralischen Urteilen auch zu handeln, liegen immer noch auf derselben kognitiven Ebene wie die moralischen Urteile. Selbst wenn sie als Ausdruck einer Gesinnung interpretiert werden dürfen, können sie *als* Urteile keineswegs die Korrespondenz von Urteilen und Handlungen garantieren. Wohl läßt sich *die Art* der motivationalen Verankerung, ohne die eine postkonventionelle Moral nicht in Handeln umgesetzt werden kann, aus der Struktur der Handlungsfähigkeit, d. h. aus einer postkonventionell umgeformten sozialkognitiven Ausstattung ableiten. Ob die psychodynamischen Prozesse den Erfordernissen dieser Struktur tatsächlich genügen, zeigt sich aber nicht an *Antworten* auf Fragen des Typus »Warum ausgerechnet ich?«, sondern nur in der Praxis selber.[63]

(c) Auch wenn der Übergang zur postkonventionellen Stufe des moralischen Urteils gelingt, kann eine mangelhafte motivationale Verankerung die Fähigkeit zu autonomem Handeln einschränken. *Eine* besonders auffällige Erscheinungsform dieser Diskrepanz zwischen Urteil und Handeln ist die Intellektualisierung, die eine elaborierte moralische Beurteilung von manifesten Handlungskonflikten für die Abwehr latent gehaltener Triebkonflikte in Dienst stellt.

(3) Eine dritte Schwierigkeit bildet jene Gruppe von moralischen Urteilen, die Kohlberg zur Einführung des Zwischentypus »4½« genötigt haben. Es handelt sich um relativistische Äußerungen, die eher unter strategischen als unter moralischen Gesichtspunk-

ten gemacht werden. Zunächst waren Kohlberg und seine Mitarbeiter in Versuchung, die Ähnlichkeit mit dem instrumentellen Hedonismus der zweiten Stufe zu betonen. Andererseits konnten sie diese Urteile nicht als präkonventionell einstufen, weil sich die Befragten dieses Typs auf einem hohen Argumentationsniveau bewegten; die hypothetische Einstellung, aus der sie die soziale Welt, ohne sie zu moralisieren, beurteilten, sprach auch für eine Verwandtschaft ihrer Äußerungen mit Urteilen der postkonventionellen Stufe. Deshalb hat Kohlberg diese Urteile zwischen der konventionellen und der postkonventionellen Ebene lokalisiert; er hat sie in einem Übergangsstadium untergebracht, das weniger strukturell beschrieben als vielmehr psychodynamisch erklärt werden muß, und zwar als Ausdruck einer noch nicht bewältigten Adoleszenzkrise.[64] Diese Interpretation ist unbefriedigend, da sie die Möglichkeit der Stabilisierung dieses Urteilsniveaus nicht erklären kann. Für eine Stabilisierung spricht u. a. die Tatsache, daß der Wertskeptizismus der »Stufe« 4½ auch philosophisch ausgearbeitet worden ist und auf der Linie Weber-Popper als eine ernstzunehmende Position verteidigt wird.

Die empiristisch begründete Wertskepsis, die die subjektivistischen Ansätze in der Ethik verbindet, zieht die rationalistische Grundannahme, auf der auch Kohlbergs Moralentwicklungstheorie beruht, in Zweifel. Der moderne Wertskeptiker bestreitet, daß moralische Fragen mit guten Gründen, also intersubjektiv verbindlich entschieden werden können; er führt meta-ethische Untersuchungen durch, die erklären sollen, wie die rationalistische Täuschung unserer moralischen Alltagsintuitionen in unserer Sprache wurzeln. Nun böte die Psychologie gewiß das falsche Forum, den Streit zwischen dem Skeptiker und dem Kognitivisten auszutragen.[65] Dieser muß sich mit philosophischen Argumenten durchsetzen – davon geht jedenfalls die Theorie der Entwicklung des moralischen Bewußtseins aus. Aber die Psychologie muß erklären können, warum die Wertskepsis, die doch aus der Logik der Entwicklung des Moralbewußtseins herauszuspringen scheint, als ein natürliches Stadium innerhalb dieser Entwicklung auftritt. Kohlberg darf sich nicht damit begnügen, eine nur psychodynamisch zu erklärende Übergangsstufe in das Moralstufenschema einzufügen; diese klassifikatorische Lösung verpflichtet ihn, auch den *entwicklungslogischen Ort des Übergangsstadiums* anzugeben, also die Stufe 4½ wie die anderen Stufen strukturell zu beschreiben. Dieser Forderung genügt die von ihm angebotene Beschreibung nicht[66]:

Tab. 8. Die Übergangsstufe 4½

Level B/C. Transitional Level
This level is postconventional but not yet principled.

Content of Transition
At Stage 4½, choice is personal and subjective. It is based on emotions, conscience is seen as arbitrary and relative, as are ideas such as »duty« and »morally right.«

Transitional Social Perspective
At this stage, the perspective is that of an individual standing outside of his own society and considering himself as an individual making decisions without a generalized commitment or contract with society. One can pick and choose obligations, which are defined by particular societies, but one has no principles for such choice.

Ich möchte das für die Theorie unbequeme Phänomen einer Übergangsstufe damit erklären, daß diese Gruppe von Befragten den Übergang zur postkonventionellen Ebene nur partiell vollzieht. Wenn die Integration der Sprecherperspektiven mit den Weltperspektiven nicht vollständig gelingt und die soziale Welt mit der entsprechenden normenkonformen Einstellung nicht einschließt, mißlingt auch die im Diskurs vorausgesetzte Koordinierung der erfolgsorientierten Einstellung eines strategisch Handelnden mit der verständigungsorientierten Einstellung dessen, der kommunikatives Handeln mit anderen, eben argumentativen Mitteln fortsetzen will, in genau den Fällen, wo problematisch gewordene *normative Geltungsansprüche* zum Thema gemacht werden. Die sozialkognitive Ausstattung der konventionellen Stufe der Interaktion ist dann nur so weit reorganisiert worden, daß der Heranwachsende zwar theoretische Argumentationen erlernt hat, aber sozusagen vor dem Eintritt in die moralische Argumentation Halt macht. An anderer Stelle habe ich diese Hypothese folgendermaßen beschrieben[67]:

Mit der Fähigkeit, in moralisch-praktischen Fragen hypothetisch zu denken, erfüllt der Jugendliche die notwendige und hinreichende Bedingung für die *Loslösung von der konventionellen Denkweise*; aber dieser Schritt präjudiziert noch nicht die Entscheidung zwischen zwei alternativen Entwicklungspfaden. Der Jugendliche kann den neu gewonnenen Abstand zu einer Welt von Konventionen, die durch die hypothetische Einordnung in einen Horizont von Möglichkeiten die naive Kraft sozialer Geltung einbüßen und damit reflexiv entwertet werden, auf verschiedene Weise nutzen. Entweder wird er versuchen, aus der untergegangenen Welt der faktisch geltenden Konventionen den *Sinn* der *Geltung* von Normen und Sollsätzen auch auf dem neuen Reflexionsniveau zu bewahren; dann muß er die Grundbegriffe des Moralischen umkonstruieren, ohne die ethische Perspektive aufzugeben. Er muß die soziale Geltung faktisch bestehender Normen an einer Normgeltung relativieren, die Maßstäben rationaler Begründung genügt. Ein solches Festhalten am rekonstruierten Sinn normativer Geltung ist eine notwendige Bedingung für den *Übergang zur postkonventionellen Denkweise*. Oder der Jugendliche wird sich von der konventionellen Denkweise lösen, ohne zur postkonventionellen überzugehen. In diesem Fall versteht er den Zusammenbruch der Welt der Konventionen als Durchschauen eines falschen kognitiven Anspruchs, mit dem konventionelle Normen und Sollsätze bis dahin verbunden waren. Dann bedürfen die moralischen Grundbegriffe in ihrer kognitiv entwerteten konventionellen Gestalt retrospektiv einer Erklärung. Der Jugendliche muß die Dissonanz zwischen den moralischen Intuitionen, von denen sein unreflektiertes Alltagswissen und -handeln *nach wie vor* bestimmt ist, und der (vermeintlichen) Einsicht in den illusionären Charakter dieses (zwar in der Reflexion entwerteten, aber im Alltag keineswegs außer Funktion gesetzten) konventionell-moralischen Bewußtseins auflösen. An die Stelle eines postkonventionell erneuerten ethischen Bewußtseins tritt eine metaethische Erklärung der moralischen Illusionen. Diese Erklärung kann jene Dissonanzen um so leichter bewältigen, je besser es gelingt, die theoretische Skepsis mit den in der Praxis ungebrochenen Intuitionen zu versöhnen. In dieser Hinsicht leistet beispielsweise der ethische Skeptizismus Max Webers, der den existentiellen Charakter von Wertbindungen auch theoretisch unangetastet läßt, mehr als der Emotivismus Stevensons, der die moralischen Intuitionen als Gefühlseinstellungen wegerklärt. Aus der Perspektive der Kohlbergschen Theorie müssen sich diese metaethischen Versionen eine Einstufung unter entwicklungslogischen Gesichtspunkten und die *Unterordnung* unter kognitivistische Ethiken gefallen lassen.

(4) Das letzte Problem teilt Kohlbergs Theorie mit allen Ansätzen, die zwischen Kompetenz und Performanz unterscheiden. Da Kompetenzen immer nur an ihren greifbaren Äußerungsformen, also anhand von Performanzphänomenen dingfest gemacht werden können, stehen diese theoretischen Ansätze vor besonderen Meßproblemen. Nur in dem Maße, wie diese gelöst werden, können die performanzbestimmenden Faktoren von den theoretisch postulierten Fähigkeiten isoliert werden. Es empfiehlt sich, performanzbestimmende Faktoren, die zu einer erworbenen Kompetenz *ergänzend* hinzutreten müssen bzw. *anregend* und beschleunigend hinzutreten *können*, von den *hemmenden* und *bremsenden* Faktoren zu unterscheiden, die in der Art eines Filters wirksam werden.

Es ist gewiß eine grobe Vereinfachung, moralische Urteile als Maß für Kompetenz, und moralische Handlungen als Maß für Performanz zu betrachten. Andererseits liefert die motivationale Verankerung postkonventioneller Urteilsfähigkeiten in strukturell analogen Über-Ich-Strukturen ein Beispiel für *ergänzende* performanzbestimmende Faktoren, ohne die moralische Urteile dieser Stufe nicht praktisch wirksam werden können.[68] Normalerweise werden sich freilich Diskrepanzen zwischen Urteil und Handeln auf die selektive Wirkung *hemmender* Faktoren zurückführen lassen. Dazu gibt es eine Reihe interessanter Untersuchungen.[69] Unter diesen negativ wirksamen performanzbestimmenden Faktoren gibt es einige, die motivationale Defizite erklären; und unter diesen wiederum sind die zuerst von Anna Freud systematisch untersuchten Abwehrmechanismen von besonderem Interesse, weil sie in die strukturell erforderliche Motivbildung störend eingreifen und daher auch unter *strukturellen Gesichtspunkten* analysiert werden können.

Identifikation und Projektion sind die beiden fundamentalen, in früher Kindheit erworbenen Mechanismen der Abwehr von Konflikten. Aus diesen Wurzeln bildet sich anscheinend erst auf der konventionellen Stufe der Interaktion das bekannte System von Abwehrmechanismen aus.[70] Diese unterscheiden sich danach, wie sie die auf dieser Stufe eingetretene Differenzierung zwischen verständigungs- und erfolgsorientierten Handlungen *unterlaufen*. Die Abwehr operiert allgemein in der Weise, daß intrapsychisch errichtete Kommunikationssperren den (unbewußt bleibenden) strategischen Aspekt des Handelns (der der Erfüllung unbewußter Wünsche dient) von der manifesten, auf Verständigung abzielenden Handlungsintention trennen. So kann das Subjekt sich selbst darüber täuschen, daß es die gemeinsamen Präsuppositionen verständigungsorientierten Handelns objektiv verletzt. Unbewußt motivierte Handlungen können als eine latente, d. h. sich selbst und anderen uneingestandene Entdifferenzierung zwischen strategischem und kommunikativem Handeln erklärt werden, wobei der Selbsttäuschungseffekt der Abwehrleistung im Sinne einer intrapsychischen Kommunikationsstörung gedeutet werden kann. Diese Interpretation bedient sich des Konzepts einer auf systematische Weise verzerrten Kommunikation, die spiegelbildlich auf interpersonaler und intrapsychischer Ebene auftreten kann. Dieses Konzept bedarf aber einer eigenen kommunikationstheoretischen Erörterung.[71]

Anmerkungen

1 In diesem Band oben S. 53 ff.
2 Zur Methodologie rekonstruktiver Wissenschaften vgl. D. Garz, Zur Bedeutung rekonstruktiver Sozialisationstheorien in der Erziehungswissenschaft – unter besonderer Berücksichtigung der Arbeiten von L. Kohlberg, Diss. phil. Hamburg 1982.
3 Vgl. die Bibliographie der Kohlbergschen Arbeiten in: L. Kohlberg, Essays on Moral Development, Vol. I, San Francisco 1981, 423-428.
4 Th. Kesselring, Entwicklung und Widerspruch, Ffm. 1981.
5 Vgl. in diesem Band oben S. 46 ff.
6 R. Bubner, Selbstbezüglichkeit als Struktur transzendentaler Argumente, in: W. Kuhlmann, D. Böhler (Hrsg.), Kommunikation und Reflexion (FS Apel), Ffm. 1982, 304 ff. Bubner bezieht sich auf die Diskussion in: Bieri, Horstmann, Krüger (Eds.), Transcendental Arguments and Science, Dordrecht 1979.
7 Vgl. J. Habermas, Die Philosophie als Platzhalter und Interpret, in diesem Band oben S. 9 ff.
8 Ein gutes Beispiel bietet die Untersuchung von M. Keller, S. Reuss, Der Prozeß der moralischen Entscheidungsfindung, MS, International Symposium on Moral Education, Sept. 1982, Fribourg.
9 Zur deutschen Rezeption vgl. L. H. Eckensberger (Hrsg.), Entwick-

lung des moralischen Urteilens, Saarbrücken 1978; zuletzt G. Lind, H. Hartmann, R. Wakenhut (Hrsg.), Moralisches Urteilen und soziale Umwelt, Weinheim 1983.

10 L. Kohlberg, A Reply to Owen Flanagan, in: Ethics, 92, 1982; ders., Justice as Reversibility, in: Essays on Moral Development, Vol. I, San Francisco 1981, 190 ff.

11 Zu dieser emotivistischen Position vgl. G. Harmann, Das Wesen der Moral, Ffm. 1981, 38 ff.

12 An die Stelle des »idealen Beobachters« tritt die »ideale Sprechsituation«, für welche die anspruchsvollen pragmatischen Voraussetzungen von Argumentation überhaupt als erfüllt postuliert werden. Vgl. P. Alexy, Eine Theorie des praktischen Diskurses, in: W. Oelmüller, (Hrsg.), Transzendentalphilosophische Normenbegründungen, Paderborn 1978.

13 Kohlberg (1981), 409 ff.

14 Kohlberg (1981), 409 ff.

15 R. L. Selman, The Growth of interpersonal Understanding, N. Y. 1980.

16 H. Lenk, Philos. Logikbegründung und rationaler Kritzismus, Z. f. Philos. Forschung 24 (1970), 183 ff.

17 J. Habermas, Theorie des kommunikativen Handelns, Ffm. 1981; ders.; Erläuterungen zum Begriff des kommunikativen Handelns, in: ders., Vorstudien und Ergänzungen zur Theorie des kommunikativen Handelns, Ffm. 1984.

18 Habermas (1971), Bd. 1, 127 ff.

19 Vgl. K. O. Apel, Intentions, Conventions, and Reference to things, in: H. Parret, J. Vouveresse (Eds.), Meaning and Understanding, Bln. 1981, 79 ff.; ders., Läßt sich ethische Vernunft von strategischer Rationalität unterscheiden? (MS Ffm. 1983).

20 Habermas (1981), Bd. 2, 82 ff.

21 Habermas (1981), Bd. 1, 385 ff.

22 Diese übervereinfachende Gegenüberstellung vernachlässigt die Differenz zwischen den Bestandteilen der Lebenswelt, die aus dem intuitiv gegenwärtigen Hintergrundwissen *niemals* herausgelöst und thematisiert worden sind, und jenen, mindestens *einmal* thematisierten Bestandteilen, die der Lebenswelt wieder integriert worden sind und damit eine *sekundäre* Fraglosigkeit erlangt haben (darauf hat mich U. Matthiesen aufmerksam gemacht).

23 Eine entsprechende Hypothese für den Aufbau einer, gegen die objektive und die soziale Welt abgegrenzten Innenwelt braucht uns nur insofern zu interessieren, als mit dieser subjektiven Welt thematisierungsfähiger Erlebnisse eine weitere Grundeinstellung und die dritte Perspektive verknüpft ist, die das *System der Weltperspektiven vervollständigt.*

24 Ich vernachlässige die Stufe 0, auf der das Kind noch keine Differenzierungen vornimmt, die für unseren Zusammenhang relevant wären. Ebensowenig berücksichtige ich die Stufe 4; denn diese setzt bereits den Begriff der Handlungsnorm voraus, der sich, wie wir sehen werden, mit Hilfe der Perspektivenübernahme *allein* nicht rekonstruieren läßt, sondern sozialkognitive Begriffe *anderer* Herkunft erfordert: Selman kann die Stufen 3 und 4 nicht allein unter Gesichtspunkten der Perspektivenübernahme differenzieren.

25 R. L. Selman, The Growth of Interpersonal Understanding, N. Y. 1981, 38 f.; M. Keller, Kognitive Entwicklung und soziale Kompetenz, Stuttg. 1976; D. Geulen, Perspektivenübernahme und soziales Handeln, Ffm. 1982.

26 Die Altersindikatoren sind freilich relativ zur Ermittlungssituation. In natürlichen Beobachtungskontexten zeigt sich, daß Kinder (in zeitgenössischen westlichen Gesellschaften) schon früher über entsprechende Kompetenzen verfügen.

27 Den Zusammenhang zwischen der Verwendung von Possessivpronomen und Handlungsperspektiven beleuchtet K. Böhme, Children's Understanding and Awareness of German Possessive Pronouns, Nijmegen 1983, 156 ff.

28 R. L. Selman, Stufen der Rollenübernahme in der mittleren Kindheit, in: R. Döbert, J. Habermas, G. Nunner-Winkler (Hrsg.), Entwicklung des Ichs, Köln 1977, 111.

29 Die zunehmende Depersonalisierung von Autorität untersucht W. Damon, Zur Entwicklung der sozialen Kognition des Kindes, in: W. Edelstein, M. Kellner (Hrsg.), Perspektivität und Interpretation, Ffm. 1982, 110 ff., vgl. S. 121 f.

30 M. Auwärter, E. Kirsch, Zur Interdependenz von kommunikativen und interaktiven Fähigkeiten in der Ontogenese, in: K. Martens (Hrsg.), Kindliche Kommunikation, Ffm. 1979, 243 ff.; dies., »Katja, spielst Du mal die Andrea?«, in: R. Mackensen, F. Sagebiel (Hrsg.), Soziologische Analysen, Bln. T. U. 1979, 473 ff.; dies., Zur Ontogenese der sozialen Interaktion, MS München 1983.

31 »Holly ist ein achtjähriges Mädchen, das gerne auf Bäume klettert. Sie kann es auch am besten in der ganzen Nachbarschaft. Eines Tages klettert sie von einem hohen Baum herab und fällt vom untersten Zweig hinunter, aber sie tut sich nicht weh. Ihr Vater sieht, wie sie herunterfällt. Er ist sehr erschrocken und bittet sie, zu versprechen, daß sie nicht mehr auf Bäume klettert. Holly verspricht das. Im Laufe des Tages treffen Holly und ihre Freunde Sean. Sean's kleine Katze hat sich hoch oben in einem Baum verfangen und kann nicht mehr herunter. Irgend etwas muß sofort geschehen, damit das kleine Kätzchen nicht herunterfällt. Holly kann als einzige so gut klettern, daß sie das Kätzchen erreichen und herunterholen könnte, aber sie erinnert sich

an das Versprechen, das sie ihrem Vater gegeben hat.« (Selman, in: Döbert, Habermas, Nunner-Winkler (1977), 112.

32 J. Youniss, Die Entwicklung von Freundschaftsbeziehungen, in: Edelstein, Keller (1982), 78 ff.

33 J. H. Flavell et al., The Development of Role-Taking and Communication Skills in Children, N. Y. 1968.

34 Flavell (1968), 45 ff. Zum Verhältnis von Selmans Stufen der Perspektivenübernahme und Flavells Strategien vgl. Selman (1981), 26 f. »Level 2 (B) is assigned to the responses of children who indicate an awareness that the *other* child knows that the *subject* knows:
a) One choice has certain advantages (monetary) over the other; b) this might influence that other child's choice; and (c) this in turn has implications for the choice that the subject is to make. It should be stressed that success at this level implies the child has an understanding of the reciprocal functioning of the social-awareness process; as the child makes a decision on the basis of his attributing thoughts and actions to other, the child also sees that other is capable of similarly attributing thoughts and actions to the self ... Level 3 (C) thinking goes beyond the child's realization that the self must take into consideration that one's opponent can take into consideration the self's motives and strategies. It is a level of understanding at which the child is able to abstractly step outside the dyad and see that each player can simultaneously consider the self's and other's perspectives on each other, a level of abstraction which we now call *mutual* perspectivism.« (27)

35 W. Damon, The Social World of the Child, San Francisco 1977.

36 H. R. Schaffer, Acquiring the concept of the dialogue, in: M. H. Bornstein, W. Kessen (Eds.), Psychological Development from Infancy, Hillsdale 1979, 279 ff.; B. Sylvester-Bradley, Negativity in early infant-adult exchanges, in: W. P. Robinson (Ed.), Communication in Development, N. Y. 1981, 1 ff.; C. Trevarthen, The foundations of intersubjectivity, in: D. R. Olson (D.), The Social Foundations of Language and Thought, N. Y. 1980, 316 ff. Einen Überblick über die Forschungsergebnisse geben Auwärter, Kirsch (MS München 1983).

37 Selman (1980), 131 ff.

38 M. Miller, Moral Argumentations among Children, in: Linguistische Berichte, 1981, 1 ff.; ders., Argumentationen als moralische Lernprozesse, in: Zsch. f. Pädagogik, 28, 1982, 299 ff.

39 Das zeigt sich gerade beim Versuch, die konventionelle Stufe der Interaktion in tauschtheoretischen Begriffen zu beschreiben. Vgl. Damon, in: Edelstein, Keller (1982) 121 ff., insbesondere das dritte Niveau der sozialen Regulierung, 128.

40 Im einfachsten Fall sind die Erwartungen von B, daß A seinen Imperativ ›q‹ befolgt, und A's reziproke Erwartung, daß sein Wunsch ›r‹

von B befriedigt wird, paarweise verknüpft. Im Rahmen der sozialisatorischen Interaktion ergibt sich diese Verknüpfung für B aus Normen, die die Eltern-Kind-Beziehung regulieren; im Kontext dieser elterlichen Fürsorge *erfährt* A jedoch die normative Verknüpfung von komplementären Verhaltenserwartungen lediglich als empirische Regelmäßigkeit. A wird, indem er ›r‹ äußert, antizipieren, daß B diesen Wunsch in der *Erwartung* erfüllt, daß A seinerseits den von B geäußerten Imperativ ›q‹ befolgt. Indem A diese Erwartung von B sich selbst gegenüber einnimmt, erwirbt er das Konzept des *Verhaltensmusters*, das die komplementär verschränkten partikularen Verhaltenserwartungen von A und B konditional verknüpft.

41 Zum folgenden vgl. Habermas (1981), Bd. 2, 554 ff.

42 Habermas (1981), Bd. 1, 437 ff.

43 J. Habermas, Moralentwicklung und Ich-Identität, in: ders., Zur Rekonstruktion des Historischen Materialismus, Ffm. 1974, 74 ff.

43a Dabei werde ich auf die Kritik am methodischen Vorgehen nicht eingehen: W. Kurtines, E. Greif, The development of moral thought, Psychological Bulletin, 81, 1974, 453 ff.; vgl. F. Oser, Die Theorie von L. Kohlberg im Kreuzfeuer der Kritik – eine Verteidigung, Bildungsforschung u. Bildungspraxis, 3, 1981, 51 ff. Ebensowenig kann ich an dieser Stelle die wichtige Frage der transkulturellen Gültigkeit des Stufenmodells behandeln: J. C. Gibbs, Kohlberg's Stages of Moral Judgement, Harvard Educ. Rev. 47, 1977, 5 ff.

44 A. Colby, Evolution of a moral-developmental theory, in: W. Damon (Ed.), Moral Development, San Francisco 1978, 89 ff.

45 Kohlberg betont, daß sich die Konstruktion einer 6. Moralstufe auf das Material eines kleinen Elitesamples gestützt habe, u. a. auf Äußerungen von Martin Luther King: „Such elite figures do not establish stage 6 as a natural stage of development" (Philosophic issues in the Study of Moral Development, MS, Cambridge, June 1980).

46 Th. A. McCarthy, Rationality and relativism, in: J. B. Thompson, D. Held, J. Habermas, Critical Debates, London 1982, 74.

47 Ebd.

48 N. Haan, Two Moralities in Action Context, in: J. of Pers. Soc. Psych. 36, 1978.

49 C. Gilligan, In a different Voice: Women's Conceptions of Self and Morality, in: Harv. Ed. Rev. 47, 1977, 481 ff.

50 C. Gilligan, J. M. Murphy, The Philosopher and the Dilemma of the Fact, in: D. Kuhn (Ed.), Intellectual Development Beyond the Childhood, San Francisco 1980. Nach Abschluß meines Manuskripts erschien die monographische Fassung: C. Gilligan, In a different Voice, Cambr. 1982.

51 Kohlberg (1982).

52 W. B. Perry, Forms of intellectual and ethical development in the col-

lege years, N. Y. 1968.

53 K. Riegel, Dialectical Operations, Human Development, 16, 1973, 345 ff.; s. auch K. Riegel (Hrsg.), Zur Ontogenese dialektischer Operationen, Ffm. 1978.

54 C. Gilligan, J. M. Murphy, Moral Development in Late Adolescence and Adulthood: a Critique and Reconstruction of Kohlberg's Theory, Hum. Developm., 1980, 159 ff.

55 Das allgemeine Problem der Anwendung von Normen auf Handlungssituationen stellt sich schon auf der konventionellen Stufe des moralischen Urteils und der Interaktion; hier ist die Rede von der spezifischen Zuspitzung, die dieses Problem erfährt, wenn die Zusammenhänge durchschnitten werden, in denen Normen und Handlungssituationen als Bestandteile *derselben* unproblematischen Lebensform *aufeinander verweisen,* d. h. vorgängig koordiniert sind. Vgl. H. G. Gadamer, Wahrheit und Methode, Tübingen 1960.

56 W. Kuhlmann, Reflexion und kommunikative Erfahrung, Ffm. 1975; D. Böhler, Philosophische Hermeneutik und hermeneutische Methode, in: M. Fuhrmann, H. R. Jauß, W. Pannenberg (Hrsg.), Text und Applikation, Mü. 1981, 483 ff.; Habermas (1981), Bd. 1, 193 ff.

57 Vor allem: L. Kohlberg, C. Candee, The Relationship between Moral Judgement and Moral Action, MS Cambridge 1980; Tilmann Habermas, Responsibility and its Role in the Relationship between Moral Judgement and Action, MS Cambridge 1981; G. Nunner-Winkler, Two Moralities? A critical discussion of an ethic of care and responsibility vs. an ethic of rights and justice, in: J. Gewirth, W. Kurintes (Eds.), Morality and Moral Development, Basic Issues in Theory and Research, forthcoming.

58 Habermas (1981), Bd. 2, 147 ff.

59 So beispielsweise bei den von C. Gilligan untersuchten Entscheidungen über Abtreibung: Konsequenzen, die sich aus einer solchen Entscheidung für die Beziehung zu Freund und Ehemann, für die berufliche Karriere der Frau/des Mannes, für die Veränderung des Familienlebens usw. ergeben, kommen erst in Betracht, wenn die Abtreibung selbst als moralisch zulässig erscheint. Ähnlich verhält es sich mit Problemen der Ehescheidung oder der sexuellen Untreue. Die beiden von Gilligan und Murphy (1981) berichteten Fälle bestätigen das: erst wenn sexuelle Untreue selbst als moralisch unbedenklich erscheint, kann die Frage relevant werden, unter welchen Umständen die *Verheimlichung* des Tatbestandes gegenüber dem unmittelbar/mittelbar Betroffenen weniger verletzend/rücksichtsvoller ist als unverzügliche Aufklärung.

60 W. K. Frankena, Ethics, Englewood Cliffs 1973, 45 f.

61 Der junge Hegel war übrigens moraltheoretisch noch Kantianer, als er den historischen Gegensatz zwischen christlicher Liebesethik und jü-

discher Gesetzesethik herausarbeitete. Vgl. die Frühschriften in Bd. 1 der Theorie-Werkausgabe (Suhrkamp).

62 Zum Identitätsbegriff und zum Konzept der Ich-Entwicklung vgl. Habermas (1976), 67 ff.; Döbert, Habermas, Nunner-Winkler (1977), 9 ff.; G. Noam, R. Kegan, Soziale Kognition und Psychodynamik, in: Edelstein, Keller (1982), 422 ff.

63 Insofern bürden Kohlberg und Candee (1981) den »responsibility-judgements« eine zu große Beweislast auf.

64 R. Döbert, G. Nunner-Winkler, Adoleszenzkrise und Identitätsbildung, Ffm. 1975.

65 Siehe in diesem Band oben S. 45 ff.

66 Kohlberg (1981), 411.

67 Reply to my Critics, in: Thompson, Held (1982), 260 ff.

68 R. Döbert, G. Nunner-Winkler, Performanzbestimmende Aspekte des moralischen Bewußtseins, in: G. Portele (Hrsg.), Sozialisation und Moral, Weinh. 1978.

69 W. Edelstein, M. Keller, Perspektivität und Interpretation, in: Edelstein, Keller (Hrsg.) 1982, bes. 22 ff.; R. Döbert, G. Nunner-Winkler. Abwehr- und Bewältigungsprozesse in normalen und kritischen Lebenssituationen (MS München 1983).

70 N. Haan, A Tripartite Model of Ego Functioning, Journal of Neurol. and Mental Disease, Vol. 148, No. 1, 1969, 14-29.

71 Ein interessantes Modell »falscher Selbstverständigung« schlägt vor M. Löw-Beer, Selbsttäuschung, Diss. phil. Univ. Frankfurt 1982.

Namenregister